NOTE DE L'ÉDITEUR

Parce que l'œuvre de Charlaine Harris est plus que jamais à l'honneur; parce que nous avons à cœur de satisfaire les fans de Sookie, Bill et Eric, les mordus des vampires, des loups-garous ou des ménades, les amoureux de Bon Temps, du *Merlotte* et de La Nouvelle-Orléans, nous avons décidé de revoir la traduction de ce quatrième tome de *La communauté du Sud*, ainsi que des autres tomes parus.

La narration a été strictement respectée, et chaque nom a été restitué fidèlement au texte original – *Fangtasia*, le fameux bar à vampires, a ainsi retrouvé son nom.

Nos lecteurs auront donc le plaisir de découvrir ou de redécouvrir les aventures de Sookie Stackhouse dans un style au plus près de celui de Charlaine Harris et de la série télévisée.

Nous vous remercions d'être aussi fidèles et vous souhaitons une bonne lecture.

Du même auteur

Série Sookie Stackhouse
LA COMMUNAUTÉ DU SUD

Cher lecteur,

Au cas où vous ne m'auriez encore jamais rencontrée, je m'appelle Sookie Stackhouse. Je travaille au *Merlotte* depuis cinq ans, maintenant. Les quatre premières années se sont passées sans histoire.

Et puis, une nuit, Bill le Vampire a franchi la porte et ma vie a basculé. Bien qu'on ait suivi le cursus habituel (le vampire rencontre la fille, le vampire se fait la fille, le vampire perd la fille), j'ai l'impression que notre relation ne va pas s'arrêter là.

Le premier mois, un tueur en série, avec une nette prédilection pour les serveuses flanquées d'un petit copain vampire, rôdait dans le secteur, et le principal suspect s'est trouvé être mon frère Jason (*Quand le danger rôde*).

Ensuite, au début de l'automne, les vampires de Dallas ont demandé aux vampires de Shreveport s'ils pouvaient m'emprunter pour enquêter sur la disparition d'un de leurs «frères» (*Disparition à Dallas*). Au même moment, le cuisinier du *Merlotte* se faisait trucider et, comme il était de mes amis, je me suis sentie obligée de mettre mes «dons» à contribution pour résoudre l'énigme de sa mort. Le supérieur de Bill, Eric, qui était pour beaucoup dans mon petit séjour à Dallas, s'est soudain pris d'un vif intérêt pour ma personne, intérêt qui ne s'est jamais démenti depuis lors.

Juste avant Noël, j'ai commencé à me douter que Bill était embringué dans une histoire pas très catholique. Il a quitté la ville pour se volatiliser au Mississippi. Eric a réussi à me convaincre d'aller enquêter à Jackson. J'étais censée me faire passer pour la petite amie d'un certain Alcide Herveaux, loup-garou de son état (*Mortel corps à corps*).

Et maintenant que j'en veux pratiquement à la terre entière, que va-t-il bien pouvoir encore m'arriver? Au train où vont les choses depuis que Bill Compton est entré dans ma vie, tout est possible.

Catalogage avant publication de Bibliothèque et Archives nationales
du Québec et Bibliothèque et Archives Canada

Harris, Charlaine
        Les sorcières de Shreveport
        Nouv. éd.
        (La communauté du Sud ; 4)
        Traduction de: Dead to the world.
        « Série Sookie Stackhouse ».
        ISBN 978-2-89077-401-8
        I. Le Boucher, Frédérique. II. Muller, Anne. III. Titre.
        IV. Collection: Harris, Charlaine. Communauté du Sud ; 4.
PS3558.A77D41614 2010   813'.54   C2010-942280-5

COUVERTURE
Photo: © Maude Chauvin 2009
Conception graphique: Annick Désormeaux

INTÉRIEUR
Composition: Chesteroc

Titre original: DEAD TO THE WORLD
Ace Book, New York, publié par The Berkley Publishing Group,
une filiale de Penguin Group (USA) Inc.
© Charlaine Harris, 2004
Traduction en langue française: © Éditions J'ai lu, 2006; nouvelle édition, 2010
Édition canadienne: © Flammarion Québec, 2010

Imprimé au Canada
www.flammarion.qc.ca

CHARLAINE HARRIS

SÉRIE SOOKIE STACKHOUSE
LA COMMUNAUTÉ DU SUD - 4

LES SORCIÈRES DE SHREVEPORT

Traduit de l'anglais (États-Unis)
par Frédérique Le Boucher

Revu par Anne Muller

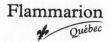

Flammarion
Québec

Quoique convaincue qu'ils ne le liront jamais,
je dédie ce livre à tous les entraîneurs (de base-ball,
de football, de volley-ball et autres) qui se sont échinés,
durant tant d'années, et bien souvent bénévolement,
à tirer, à force de patience, quelque performance
athlétique de mes chères petites têtes blondes
et à instiller en elles une certaine forme
d'appréhension des règles du jeu.
Que Dieu vous bénisse ! Merci du fond du cœur
de la part de l'une de ces mères dévouées
qui se pressent dans les tribunes, bravant la pluie,
le froid, la canicule et les moustiques.

Cette mère-ci, cependant, se demande toujours
si les humains sont bien les seuls à regarder
les matchs en nocturne...

Mes remerciements aux wiccans, qui ont répondu à ma soif de connaissance en me fournissant plus d'informations que je ne pourrai jamais en utiliser : Maria Lima, Sandilee Lloyd, Holly Nelson, Jean Hontz et M. R. « Murv » Sellars. Je me dois aussi de remercier Kevin Ryer, qui en sait plus long sur le sanglier que la plupart des gens sur leur propre animal de compagnie ; le docteur D. P. Lyle, qui a répondu de si bonne grâce à toutes mes questions d'ordre médical, et, bien sûr, Doris Ann Norris, bibliothécaire émérite s'il en est.

Si j'ai commis quelques erreurs en utilisant le savoir que tous m'ont si généreusement transmis, je peux dès à présent leur assurer que je m'arrangerai pour leur faire porter le chapeau.

Prologue

J'ai trouvé le petit mot collé sur ma porte en rentrant du travail. J'assurais le service de jour au *Merlotte*, mais nous étions fin décembre et la nuit tombait tôt. Cela devait donc faire moins d'une heure que le vampire Bill Compton, mon ancien petit ami, m'avait laissé ce message – il ne se lève jamais avant le crépuscule.

Je n'avais pas revu Bill depuis plus d'une semaine, et nous ne nous étions pas quittés en très bons termes. Pourtant, au seul contact de l'enveloppe sur laquelle il avait écrit mon nom, mon cœur s'est serré. On aurait pu croire que, malgré mes vingt-six ans, je n'avais jamais eu de petit ami et que je n'avais jamais eu de peine d'amour.

On aurait eu raison.

Les hommes normaux ne veulent pas d'une fille comme moi. Depuis le cours préparatoire, j'entends dire qu'il y a « quelque chose qui cloche » chez moi.

Je ne peux pas dire le contraire.

Bien entendu, les clients du bar me font des avances plutôt explicites, à l'occasion. Certains boivent trop et je suis jolie: l'alcool aidant, ils oublient leur méfiance et ma réputation de cinglée.

Seul Bill avait réussi à m'approcher. Notre séparation, après tant d'intimité partagée, m'avait profondément blessée.

J'ai attendu d'être assise à la vieille table de la cuisine pour ouvrir l'enveloppe. Mon manteau encore sur le dos, j'ai juste pris le temps d'enlever mes gants.

Ma très chère Sookie,
J'aimerais te rendre visite, quand tu seras remise des malheureux incidents du début du mois.

« Malheureux incidents », tu parles ! Les contusions s'étaient estompées, mais mon genou me faisait encore mal par temps froid, et à mon avis, ce n'était pas près de s'arranger. Toutes ces blessures, je les avais subies en allant libérer mon petit ami infidèle au nez et à la barbe de ses ravisseurs, une clique de vampires à laquelle appartenait son ancienne maîtresse, Lorena. Je ne comprenais d'ailleurs toujours pas comment Bill avait pu s'enticher d'elle au point de lui obéir et de la rejoindre dans le Mississippi.

Tu dois sans doute te poser bien des questions sur ce qui s'est passé.

Plutôt, oui…

Si tu es prête à en discuter en tête à tête avec moi, ouvre-moi. Je suis là.

Aïe. Je ne m'attendais pas à ça. J'ai réfléchi un instant. Je n'avais plus aucune confiance en Bill, mais je ne pensais quand même pas qu'il irait jusqu'à me faire du mal – physiquement, j'entends. Je suis donc retournée dans le couloir et je l'ai appelé du pas de la porte :

— OK, tu peux entrer.

En le voyant apparaître entre les arbres – ma maison se trouve dans une petite clairière entourée par la forêt –, j'ai senti la douleur m'étreindre de nouveau. Cette large carrure, ce corps svelte et musclé, sculpté par la vie au grand air – une vie rude à travailler la terre de ses aïeux... Toutes ces années passées dans l'armée confédérée avaient fait de lui un homme dur, un soldat aguerri, jusqu'à ce qu'il meure, en 1867. À l'époque, il avait de longs favoris, des cheveux bruns coupés court, un nez aquilin de statue grecque et des yeux sombres. Il n'avait pas changé. Il ne changerait jamais.

Au moment de franchir le seuil, il a paru hésiter. Mais je l'avais bien invité à entrer. Je me suis écartée pour le laisser passer et pénétrer dans mon séjour propre et bien rangé, meublé de vieux fauteuils confortables.

— Merci, a-t-il murmuré de cette voix si fraîche et si douce qu'elle me donnait toujours le frisson.

Ce n'était pas dans la chambre à coucher que se situaient nos désaccords.

— Je voulais te parler avant de partir.

— Tu pars où ? ai-je demandé en m'efforçant d'afficher le même calme que lui.

— Au Pérou. Sur ordre de la reine.

— Tu travailles toujours sur ton... euh... ta base de données ?

Bill avait étudié d'arrache-pied pour maîtriser l'informatique. Pour moi, c'était toujours de l'hébreu.

— Oui. J'ai encore quelques petites recherches à faire pour la compléter. Un très vieux vampire de Lima possède une mine d'informations sur ceux de notre espèce qui se sont établis en Amérique du Sud. J'ai déjà pris rendez-vous pour le rencontrer. J'en profiterai pour faire un peu de tourisme.

J'ai résisté à l'envie de lui offrir une bouteille de TrueBlood – la moindre des choses pour une hôtesse accomplie qui reçoit un vampire. Je me suis contentée de lui désigner le canapé et j'ai pris place, du bout des fesses, sur le fauteuil qui lui faisait face. Un silence pesant s'est alors installé entre nous, un silence qui n'a fait que me rappeler à quel point cette situation me rendait malheureuse.

J'ai fini par dire la première chose qui me passait par la tête :

— Comment va Bubba ?

— Il est à La Nouvelle-Orléans, en ce moment. La reine aime bien l'avoir à disposition, de temps en temps. Et puis, il s'est un peu trop montré, le mois dernier, et elle a jugé préférable de l'éloigner. Mais il reviendra bientôt.

Vous reconnaîtriez Bubba au premier coup d'œil : sa « gueule d'amour » est célèbre dans le monde entier. Mais son « passage » n'avait pas été une très grande réussite. Sans doute l'assistant de la morgue, qui se trouvait être un vampire, aurait-il dû ignorer la petite étincelle de vie qui palpitait encore dans le corps inerte. Mais il était impossible à un fan aussi inconditionnel de résister à la tentation. Résultat, toute la communauté des vampires du Sud se partageait la responsabilité de Bubba, en tentant par tous les moyens de le soustraire aux regards extérieurs.

Nouveau silence.

En rentrant, j'avais prévu de retirer mon uniforme et mes chaussures, d'enfiler une robe de chambre bien douillette, et de me concocter un petit menu série télé-pizza surgelée. Programme plutôt basique, je l'admets, mais c'était *mon* programme. Et voilà que je me retrouvais assise là, à endurer stoïquement ce qui me tenait lieu de supplice chinois.

Autant en finir au plus vite.

— Si tu as quelque chose à me dire, vas-y. Inutile de tourner autour du pot.

— Je te dois des explications... a commencé Bill, en hochant la tête comme s'il se parlait à lui-même.

Il a posé ses longues mains blanches sur ses genoux.

— Lorena et moi...

Je n'ai pas pu retenir une grimace. J'aurais voulu ne plus jamais entendre ce nom. C'était pour elle – Lorena – que Bill m'avait délaissée.

— Il faut bien que tu saches ! s'est-il exclamé en me voyant tressaillir. Donne-moi au moins une chance de me justifier !

D'un geste de la main, je l'ai invité à poursuivre.

— Si je me suis rendu à Jackson, quand elle m'a appelé, a-t-il repris, c'est que je n'ai pas pu faire autrement.

J'ai senti mes sourcils se hausser malgré moi. Ces excuses me semblaient bien triviales. Autant dire : « Je ne sais pas me maîtriser » ou : « Ça semblait une bonne idée sur le coup, et elle me rendait fou. »

— Nous étions amants autrefois, a-t-il enchaîné. Comme te l'a expliqué Eric, quoique passionnées, les liaisons entre vampires ne durent jamais très longtemps. Mais il y a une chose qu'il ne t'a pas dite : c'est Lorena qui m'a fait passer de l'autre côté.

— Du côté obscur de la Force ? ai-je lancé cyniquement.

Puis je me suis mordu la lèvre. Le sujet n'était pas à la plaisanterie.

— Oui, m'a-t-il répondu gravement. Et nous sommes restés ensemble après, ce qui n'est pas toujours le cas.

— Mais vous aviez rompu...

— Effectivement, il y a près de quatre-vingts ans. Nous en étions arrivés à ne plus pouvoir nous supporter. Je n'avais pas revu Lorena depuis. Bien que j'aie toujours été plus ou moins au courant de ses allées et venues, évidemment.

— Évidemment…

— J'étais obligé de répondre à son appel, a-t-il insisté. C'était absolument impératif. Quand ton créateur t'appelle, tu es contraint de répondre.

J'ai hoché la tête, en essayant de prendre un air compréhensif. Je n'ai pas dû me montrer très convaincante…

— Elle m'a ordonné de te quitter. Ordonné, a-t-il répété en me transperçant de son regard pénétrant. Elle a menacé de te tuer si je refusais.

Je sentais la moutarde me monter au nez. Je me suis mordu l'intérieur de la joue pour tenter de me contrôler.

— Donc, sans un mot d'explication et sans prendre la peine d'en discuter avec moi, tu as décidé de ce qui était le mieux pour nous deux, lui ai-je posément rétorqué.

— Je n'avais pas le choix. Je devais obéir. Et je savais qu'elle pouvait te faire du mal.

— Ah, là-dessus, tu ne te trompais pas !

Lorena avait effectivement fait de son mieux pour me rayer de la liste des vivants. Mais c'était moi qui l'avais emporté – pur effet du hasard, mais ça avait marché.

— Et maintenant, tu ne m'aimes plus, a conclu Bill, avec un infime point d'interrogation dans la voix.

Je n'avais pas de réponse nette à lui donner.

— Je ne sais pas. Je n'aurais jamais pensé que tu voudrais revenir avec moi. J'ai quand même tué celle qui t'a… engendré.

Ma voix était encore plus hésitante que la sienne. Hésitante, mais surtout amère.

— Nous avons donc manifestement besoin d'une plus longue séparation, a conclu Bill. Nous reparlerons à mon retour, si tu y consens.

Il s'est levé. Je l'ai aussitôt imité.

— Tu ne m'embrasses pas pour me dire au revoir ?

À ma grande honte, je dois bien avouer que j'en mourais d'envie. Mauvaise idée. Très, très mauvaise idée. Je lui ai vaguement effleuré la joue du bout des lèvres. Sa peau blême dégageait cette légère luminescence qu'ont tous les vampires à mes yeux mais, à ma grande surprise, j'avais découvert que j'étais sans doute la seule à la percevoir.

Il était pratiquement arrivé à la porte quand il a lâché :

— Tu le vois toujours, ce loup-garou ?

Les mots semblaient lui avoir écorché la gorge.

— Lequel ? ai-je rétorqué, résistant à la tentation de battre des cils.

Il ne méritait pas de réponse. Et il le savait parfaitement bien.

— Tu pars combien de temps ? ai-je repris avec un entrain forcé.

Il m'a considérée d'un air pensif.

— Ce n'est pas tout à fait arrêté, pour l'instant. Une quinzaine de jours, peut-être.

— On en rediscutera peut-être après, alors, ai-je décrété en détournant la tête. Je te rends ta clé.

J'ai sorti la clé de mon sac à main.

— Non. Garde-la sur ton propre trousseau, s'il te plaît. Tu en auras peut-être besoin en mon absence. En tout cas, n'hésite pas à aller chez moi autant qu'il te plaira. La poste gardera mon courrier jusqu'à mon retour, et je pense avoir réglé tout ce qui traînait, avant de partir.

Je faisais donc partie de « tout ce qui traînait ». J'ai étouffé la vague de colère qui menaçait trop souvent ces temps-ci de me submerger, et lui ai souhaité bon voyage d'un ton froid.

Après avoir refermé la porte derrière lui, je suis allée dans ma chambre. J'avais une robe de chambre dans laquelle m'emmitoufler et une série télévisée à regarder. Bon sang ! Ce n'était tout de même pas Bill et sa petite visite surprise qui allaient m'empêcher de faire ce que j'avais prévu !

Pendant que je mettais la pizza au four, j'ai pourtant dû me tamponner plusieurs fois les joues. Mon mouchoir était trempé.

1

Le réveillon du Nouvel An au *Merlotte* semblait devoir enfin s'achever. Sam Merlotte, le propriétaire du bar, avait battu le rappel auprès de tout son personnel, mais seules Holly, Arlene et moi avions répondu présentes. Charlsie Tooten avait affirmé que « se coltiner une pagaille pareille, ce n'était plus de son âge », Danielle devait assister à un bal masqué avec son fiancé – ils avaient réservé depuis des lustres –, et la nouvelle serveuse n'était pas libre avant deux jours. Arlene, Holly et moi avions trop besoin d'argent pour nous accorder du bon temps.

De toute façon, je n'avais été invitée nulle part. Au moins, quand je travaille au *Merlotte*, je fais partie du décor. C'est déjà une sorte de reconnaissance.

Je passais le balai, tout en me retenant de faire savoir à Sam ce que je pensais de sa distribution de confettis. Nous nous étions toutes déjà montrées parfaitement claires là-dessus, et Sam, tout patient qu'il était, commençait à donner de sérieux signes de lassitude. D'autre part, il me semblait injuste de tout laisser pour Terry Bellefleur, même s'il était payé pour passer la serpillière.

Sam faisait sa caisse et rangeait la recette de la soirée dans de petits sacs en toile. Malgré la fatigue qui tirait ses traits, il semblait content.

Il a ouvert son portable.

— Kenya ? Vous êtes prête à m'accompagner à la banque ? OK, dans une minute à la porte de service.

Officier de police de son état, Kenya escortait souvent Sam au dépôt de nuit, surtout après une grosse soirée comme celle-là.

Je n'étais pas mécontente non plus : j'avais récolté dans les trois cents dollars en pourboires, voire plus. Pas un seul cent ne serait superflu. Je me serais réjouie d'avance de les compter pièce par pièce, une fois rentrée à la maison, si je n'avais pas douté d'avoir assez de neurones encore en état de fonctionnement pour y parvenir. Avec le brouhaha et l'effervescence de la soirée, les incessantes allées et venues entre le bar, le passe-plat et la salle, l'incroyable pagaille à ranger, la cacophonie permanente de tous ces cerveaux en ébullition, j'étais éreintée. Vers la fin, je n'avais même plus assez d'énergie pour me protéger des pensées parasites qui m'assaillaient.

Ce n'est pas facile d'être télépathe. La plupart du temps, ça n'a rien de drôle.

Ce soir-là, c'était encore pire que d'habitude. Non seulement les clients du bar, que je connaissais pratiquement tous depuis des années, étaient bien décidés à se lâcher, mais ils brûlaient tous d'apprendre de croustillantes nouvelles.

— Paraît que ton petit copain s'est fait la malle en Amérique du Sud, Sookie ? m'a demandé Chuck Beecham – le vendeur de voitures du coin –, une petite lueur de satisfaction perverse dans les yeux. Tu vas te sentir bien seule dans cette grande baraque, non ?

— Tu veux peut-être le remplacer, Chuck? a lancé le type assis à côté de lui.

Bon gros fou rire viril entre hommes.

— Non, Terrell. Je ne consomme pas les restes des vampires, moi.

— Tu restes poli ou tu sors.

Je ne m'étais pas énervée. J'avais parlé calmement. Je sentais la chaleur du regard de Sam dans mon dos et je savais qu'il les toisait par-dessus mon épaule.

— Un problème, Sookie? a-t-il demandé.

— Non, ils allaient justement s'excuser.

J'ai regardé Chuck et Terrell dans les yeux. Ils ont piqué du nez dans leurs bières.

— Désolé, Sookie, a marmonné Chuck.

Terrell a opiné du bonnet en silence. J'ai hoché la tête, avant de tourner les talons pour aller m'occuper d'une autre commande. Mais le mal était fait: ils avaient réussi à me gâcher la soirée.

Et c'était bien leur but.

J'avais le cœur en miettes.

Et moi qui étais persuadée que la population de Bon Temps, petite ville perdue de Louisiane, ignorait tout de ma rupture avec Bill! Il n'était pas précisément du genre à raconter sa vie. Et moi non plus. Arlene et Tara étaient un peu au courant, bien sûr. Si on ne peut plus dire à ses amies qu'on a rompu avec son homme! Quitte à laisser de côté les détails les plus intéressants – le fait que vous avez tué la femme pour laquelle il vous a quittée, par exemple. Ce que je n'avais pas pu éviter. Vraiment pas. Par conséquent, tous ceux qui s'empressaient de me rapporter que Bill était parti en voyage en pensant que je n'en savais rien ne le faisaient que par pure méchanceté.

Mis à part sa récente visite, je n'avais pas revu Bill depuis que j'étais allée déposer ses disquettes et son ordinateur – qu'il avait cachés chez moi – devant chez lui. J'avais pris le volant à la tombée de la nuit, pour que ses affaires ne restent pas trop longtemps dans sa véranda. Je les avais déposées dans une grande boîte étanche sur le pas de sa porte. Il était sorti juste au moment où je redémarrais. Je ne m'étais pas arrêtée.

Une garce aurait remis les disquettes à Eric, le supérieur de Bill. Une idiote sans scrupules aurait gardé le tout, après avoir retiré à Bill et à Eric l'autorisation d'entrer chez elle. Mais je m'étais dit fièrement que je n'étais ni l'une ni l'autre. De plus, il suffisait de réfléchir deux secondes : Bill aurait parfaitement pu engager un humain pour entrer par effraction chez moi et récupérer ce qui lui appartenait. Je ne l'en croyais pas capable. Mais il en avait vraiment besoin, de son matériel. S'il perdait ses données, il subirait de sévères représailles de la part de la supérieure de son supérieur. J'ai un sacré caractère, et même peut-être un sale caractère, quand on me cherche. Mais je ne suis pas rancunière.

Même si je ne suis pas d'accord avec elle, Arlene me dit souvent que je suis trop gentille – Tara, elle, ne le dit jamais. Peut-être qu'elle me connaît mieux… En parlant d'Arlene, j'ai alors brusquement eu conscience qu'à un moment ou à un autre de la soirée, elle allait fatalement apprendre le départ de Bill. Et effectivement, moins de vingt minutes après avoir eu droit aux amabilités de Chuck et de Terrell, je l'ai vue se frayer un chemin à travers la cohue pour venir me tapoter le dos avec compassion.

— Tu n'avais pas besoin de ce salaud, de toute façon, m'a-t-elle dit. Un refroidi, en plus ! Non, mais franchement, qu'est-ce qu'il a fait pour toi, je te le demande ?

Je me suis forcée à hocher la tête pour lui montrer à quel point j'appréciais son soutien. À ce moment-là, on a commandé deux whiskys, deux bières et un gin tonic à une table du fond, et j'ai dû recommencer à m'activer – ce que j'ai d'ailleurs apprécié. Cependant, en posant leurs verres devant mes clients, je me suis quand même posé la question : qu'est-ce que Bill m'avait apporté, au juste ?

Ce n'est qu'après avoir servi des bières à deux autres tables que j'ai eu le temps de faire le bilan. Bill m'avait initiée au sexe, ce dont je lui étais infiniment reconnaissante : j'y avais vite pris goût. Il m'avait présentée à un tas d'autres vampires, ce dont je ne lui étais pas reconnaissante du tout. Il m'avait sauvé la vie – mais à y regarder de plus près, elle n'aurait pas été en danger si je n'étais pas sortie avec lui. Et puis, je lui avais moi-même sauvé une ou deux fois la mise. Donc, nous étions quittes sur ce point-là. Et il m'avait appelée « mon amour ». À l'époque, il était sincère.

— Rien.

J'avais marmonné sans m'en rendre compte, tout en essuyant la *piña colada* qu'une jeune femme virevoltante venait de renverser. Je lui ai tendu le dernier torchon propre du bar : la plus grande partie du cocktail était encore sur sa jupe.

— Il ne m'a rien apporté.

Elle m'a souri, pensant manifestement que je compatissais à ses malheurs. Il y avait trop de bruit dans le bar pour entendre quoi que ce soit, de toute façon.

Malgré tout, je serais soulagée lorsqu'il rentrerait de voyage. Après tout, Bill était mon voisin le plus proche. Nos deux maisons n'étaient séparées que par le vieux cimetière communal. Et j'étais toute seule là-bas.

Toute seule, sans lui.

— Au Pérou, à ce qu'on m'a dit, a lâché Jason, mon frère.

Il tenait par la taille sa cavalière de la soirée, une petite brune d'une vingtaine d'années, tout droit sortie de sa lointaine cambrousse. Je l'ai regardée de plus près. Jason l'ignorait, mais sa belle était une métamorphe – ils sont faciles à repérer. C'était une jolie fille, mince, séduisante… et qui se changeait en bête à plumes ou à poils à chaque pleine lune. J'ai vu Sam lui jeter un regard noir pendant que Jason avait le dos tourné : sa façon à lui de lui rappeler qu'elle avait intérêt à se tenir à carreau sur son territoire. Elle lui a rendu son regard sans ciller. J'avais comme l'impression qu'elle ne se transformait pas en ravissant chaton, ni en gentil petit écureuil…

J'ai bien pensé à lire dans ses pensées, mais ce n'est pas si simple, avec les métamorphes. Leurs idées sont comme enchevêtrées et voilées par une sorte de brouillard rougeâtre. Néanmoins, de temps à autre, on peut tout de même avoir un aperçu de ce qu'ils ressentent. C'est la même chose avec les loups-garous.

Sam, quant à lui, se change en colley. Il lui arrive de venir jusque chez moi. Je lui donne alors mes restes et je le laisse dormir sur les marches de la véranda, s'il fait beau, ou dans le salon, s'il pleut. Mais je ne le fais plus entrer dans ma chambre. Il se réveille toujours en tenue d'Adam, tenue qui lui va à ravir, d'ailleurs… Mais je n'ai vraiment pas besoin d'être attirée par mon boss. J'ai déjà assez d'ennuis comme ça.

Ce n'était pas la pleine lune, aussi Jason serait-il en sécurité. J'ai donc décidé de ne rien lui révéler sur la fille. Tout le monde a bien le droit d'avoir ses petits secrets, après tout. Celui de cette charmante demoiselle était seulement un peu plus… original que les autres, disons.

En dehors de Sam et de la copine de mon frère, il y avait une autre créature surnaturelle au *Merlotte*, une beauté fatale qui devait mesurer un mètre quatre-vingts au bas mot. Dotée d'une magnifique chevelure noire qui cascadait dans son dos, elle portait une robe insensée : un fourreau orange à manches longues qui semblait avoir été cousu sur elle tant il la moulait. Elle était venue seule et semblait bien décidée à faire connaissance avec toute la clientèle masculine du bar. Je ne savais pas ce qu'elle était exactement, mais j'étais sûre, d'après son schéma mental, que ce n'était pas un être humain. Il y avait également un vampire parmi nos clients, arrivé avec un groupe de jeunes d'une vingtaine d'années. Je n'en connaissais aucun. Sa présence n'était marquée que de quelques regards en coin, ce qui suffisait à mesurer le changement qui s'était opéré depuis la Grande Révélation.

Près de trois ans auparavant, les vampires étaient apparus sur toutes les télévisions du monde pour faire savoir à la terre entière qu'ils existaient vraiment. Ce soir-là, certaines vérités premières, pourtant universelles, avaient été sérieusement ébranlées, et quelques réajustements s'étaient révélés nécessaires.

Ce *coming out* d'envergure internationale avait suivi la mise au point, puis la commercialisation, au Japon, d'un sang de synthèse qui permettait aux vampires de se nourrir sans plus avoir besoin de recourir au sang humain. Depuis la Grande Révélation, les États-Unis avaient donc vécu de nombreux bouleversements politiques et sociaux : les vampires, ces tout nouveaux citoyens, devaient être intégrés au même titre que les autres, dont ils étaient appelés à devenir, à très brève échéance, les égaux – à ceci près, petit détail non négligeable, qu'ils étaient morts. Les vampires présentent une certaine image au public et ont une version officielle toute prête pour expliquer leur spécificité : ils clament haut et fort que l'allergie au soleil et à l'ail, à laquelle ils sont tous sujets, provoque de profondes modifications métaboliques dans leur organisme. Il se trouve que j'ai vu l'envers du décor. Mes yeux perçoivent désormais des choses invisibles à la plupart des mortels. En suis-je plus heureuse pour autant?

Absolument pas.

Je dois néanmoins admettre que le monde a pris un certain relief. Il est même devenu un endroit nettement plus intéressant, qui suscite des moments d'intense réflexion. Ce que j'apprécie particulièrement: mal acceptée par mes congénères, je suis souvent seule et je m'ennuie. En revanche, ce qui me plaît nettement moins, ce sont la peur et le danger qui vont avec.

Si j'ai vu la face cachée des vampires, j'ai également découvert l'existence des loups-garous et métamorphes, entre autres créatures. Ils préfèrent rester dans l'ombre. Pour le moment, du moins. Ils attendent de voir comment le vent va tourner pour les vampires avant d'envisager de les imiter.

Tout ceci me trottait dans la tête pendant que je débarrassais tasses et verres, portant plateau après plateau dans la cuisine pour charger et vider le lave-vaisselle afin d'aider Tack, notre nouveau cuisinier (il s'appelle Alphonse Petacki, en réalité. Il préfère se faire appeler Tack, ce qui n'est pas étonnant). Notre corvée de ménage achevée, j'ai serré Arlene dans mes bras en lui souhaitant une bonne année, et réciproquement. Comme son petit ami l'attendait déjà à la porte de service, Holly s'est contentée de nous adresser un signe de la main, en enfilant son manteau, avant de se sauver.

— Quels sont vos vœux pour cette nouvelle année, mesdames? nous a demandé Sam en souriant.

Entre-temps, Kenya était arrivée. Le visage impassible mais les yeux toujours en alerte, elle s'était accoudée au comptoir en attendant. Kenya déjeunait assez régulièrement au bar avec son coéquipier, Kevin – lequel était aussi pâle et sec qu'elle était noire et pulpeuse. Sam était en train de mettre les chaises sur les tables pour que Terry, qui arrivait très tôt le matin, puisse passer la serpillière.

— Rester en bonne santé et trouver l'homme de ma vie, a déclamé Arlene, la main sur le cœur, avec une emphase toute théâtrale.

Nous avons tous éclaté de rire. Arlene avait déjà trouvé un tas d'hommes dans sa vie – elle en était à son quatrième divorce –, mais elle cherchait toujours le bon. Je l'ai «entendue» se dire que Tack serait peut-être celui-là. L'information m'a déconcertée – je ne savais même pas qu'elle avait des vues sur lui.

La surprise a dû se voir sur mon visage, parce qu'elle m'a demandé d'une voix soudain incertaine :

— Tu crois que je devrais laisser tomber ?

— Bien sûr que non !

Je m'en voulais de n'avoir pas su mieux me contrôler. Mais j'étais tellement fatiguée !

— Je suis sûre que ce sera pour cette année, Arlene, ai-je ajouté pour me rattraper.

Je me suis alors tournée vers l'unique femme afro-américaine de la police locale.

— Et vous, Kenya ? Vous devez bien avoir un vœu à formuler, vous aussi, pour cette nouvelle année. Ou une bonne résolution ?

— Je prie toujours pour la paix entre hommes et femmes, a-t-elle répondu. Ça me faciliterait les choses, dans mon travail. Quant à ma bonne résolution annuelle, soulever mes cent quarante kilos.

— Waouh ! a soufflé Arlene.

Puis elle a brièvement serré Sam dans ses bras, sa chevelure teinte en roux flamboyant formant un saisissant contraste avec les boucles blond cuivré de notre patron.

— Ma bonne résolution à moi, a-t-elle ajouté, c'est de perdre cinq kilos.

Nous avons tous éclaté de rire: la résolution d'Arlene n'avait pas changé en quatre ans.

— Et toi, Sam? a-t-elle enchaîné. Qu'est-ce que tu souhaites? Quelles sont tes bonnes résolutions pour cette année?

— J'ai déjà tout ce qu'il me faut, a-t-il répondu. Quant à mes bonnes résolutions, j'ai l'intention de continuer dans la même voie qu'aujourd'hui. Le bar tourne bien, j'aime vivre ici et les gens du coin sont aussi braves qu'ailleurs.

J'ai détourné la tête pour cacher mon sourire. Il ne se mouillait pas trop, Sam. Les gens, à Bon Temps, étaient assurément aussi braves qu'ailleurs – ni plus ni moins. Ça ne voulait rien dire!

— Et toi, Sookie? m'a-t-il demandé.

Les regards d'Arlene, de Kenya et de Sam se sont tous braqués sur moi. J'ai serré Arlene dans mes bras encore une fois parce que ça me faisait du bien. J'ai dix ans de moins qu'elle (ou peut-être même plus. Elle a beau affirmer qu'elle a trente-six ans, j'ai des doutes), mais nous sommes amies depuis que Sam a acheté le bar et que nous travaillons pour lui, c'est-à-dire environ cinq ans.

— Allez! a-t-elle insisté.

Sam a passé un bras autour de mes épaules. Kenya m'a souri, avant de s'éclipser dans la cuisine pour dire deux mots à Tack.

Trop épuisée pour réfléchir avant de parler, j'ai cédé à ma première impulsion et leur ai confié ce que je souhaitais vraiment:

— Je voudrais juste ne plus me faire tabasser.

L'heure tardive et ma fatigue s'étaient conjuguées pour faire jaillir cet accès d'honnêteté malvenu.

— Je ne veux plus aller à l'hôpital. Je ne veux plus voir de médecin…

Je ne voulais plus non plus ingurgiter de sang de vampire – moyen infaillible, pourtant, d'assurer une guérison éclair et une forme olympique. Mais qui comporte quelques petits effets secondaires…

— Donc, ma bonne résolution pour cette année, c'est avant tout d'éviter les ennuis.

Arlene ouvrait des yeux comme des soucoupes, et Sam… Eh bien, je ne savais pas ce que pensait Sam. Mais lorsque je l'ai serré dans mes bras, j'ai senti sa chaleur et sa force m'envahir. Au premier abord, Sam peut sembler plutôt chétif. Il faut pourtant le voir quand il décharge les caisses de bouteilles, torse nu. Bâti tout en finesse, il est vraiment costaud pour un si petit gabarit. Et sa température corporelle est, par nature, sensiblement plus élevée que celle d'un humain standard. Il a déposé un baiser sur mes cheveux. Puis nous nous sommes tous dit au revoir, avant de sortir par la porte de service. La camionnette de Sam était garée au pied de sa caravane, sur le parking réservé aux employés. Mais il est monté dans le véhicule de patrouille de Kenya pour se rendre directement à la banque. Elle le ramènerait chez lui, et il pourrait enfin décompresser : il était debout depuis des heures, lui aussi.

Tandis qu'Arlene et moi déverrouillions nos voitures respectives, j'ai aperçu Tack assis dans son vieux pick-up. J'étais prêt à parier qu'il allait suivre Arlene chez elle.

Nous nous sommes tous quittés sur un dernier « Bonne année ! » qui a résonné bizarrement dans le silence de cette nuit glacée de Louisiane. Puis chacun est allé commencer la nouvelle année dans son coin.

J'ai pris Hummingbird Road pour rentrer chez moi, à environ cinq kilomètres au sud-est du bar. Quel soulagement de se retrouver enfin seule, après une telle cohue! J'ai commencé à me détendre, me laisser aller mentalement…

Mes phares glissaient sur les troncs des pins bien alignés en rangs serrés et qui constituent la source principale d'activité économique dans notre région. L'obscurité était totale – il n'y a évidemment pas de lampadaires pour éclairer les petites routes de campagne –, et le froid extrême. Pas un bruit. Pas un mouvement. Pas le moindre animal en vue. J'avais beau me répéter de faire attention, au cas où un chevreuil traverserait la route, je conduisais en pilote automatique. Je ne pensais qu'à ce que j'allais faire en rentrant : me démaquiller et enfiler ma plus épaisse chemise de nuit avant de me mettre au lit, bien au chaud sous les couvertures.

Quelque chose de blanc a surgi dans la lumière de mes phares, m'arrachant aussitôt à mes rêveries de lit douillet et de douce chaleur molletonnée.

J'ai eu un hoquet de surprise.

C'était un homme. Un homme qui courait. Un homme qui courait sur une route de campagne à 3 heures du matin, un 1er janvier. Un homme qui courait comme s'il avait le diable à ses trousses.

J'ai ralenti. Que faire? Si cet homme était poursuivi par quelque chose de terrifiant, je risquais d'y laisser ma peau, moi aussi. Mais je ne pouvais tout de même pas l'abandonner comme ça. Pas si sa vie était menacée. Pas si je pouvais l'aider. J'ai juste eu le temps de remarquer qu'il était grand, blond et qu'il n'était vêtu que d'un jean, avant de me garer sur le bas-côté. J'ai abaissé la vitre côté passager.

— Vous avez besoin d'aide?

Il m'a lancé un regard de bête traquée et a continué à courir.

Mais j'avais eu le temps de le reconnaître. J'ai bondi hors de la voiture et je lui ai couru après en criant :

— Eric ! Eric, c'est moi !

Il s'est brusquement retourné, en sifflant comme un serpent, toutes canines dehors. Je me suis arrêtée net, si brusquement que j'en ai chancelé, et j'ai levé les mains en l'air en signe d'apaisement. Bien sûr, si Eric décidait de m'attaquer, je n'aurais aucune chance contre lui. Ça m'apprendrait à vouloir toujours jouer les bons Samaritains.

Mais pourquoi Eric ne me reconnaissait-il pas ? Je le connaissais depuis des mois. Eric était le supérieur de Bill. Dans l'organisation hiérarchique des vampires, il occupait le poste de shérif de la Cinquième Zone. C'était aussi, accessoirement, une bombe – et en plus, il embrassait comme un dieu. Mais en l'occurrence, ce n'était pas l'image qu'il me renvoyait, avec ses crocs longs comme le pouce et ses mains crispées comme des serres. Il était en mode « alerte maximale », mais, bizarrement, il semblait avoir autant peur de moi que moi de lui. Il n'a pas bondi pour m'attaquer.

— N'approche pas, femme ! m'a-t-il menacée.

Il avait la voix éraillée, comme s'il avait la gorge écorchée.

— Mais qu'est-ce que tu fais là ?

— Qui es-tu ?

— Comme si tu ne le savais pas ! Qu'est-ce qui te prend ? Qu'est-ce que tu fiches ici en pleine nuit, sans ta voiture ?

Eric conduisait une superbe Corvette rouge – dans le plus pur style Eric.

— Tu sais qui je suis ?

J'en suis restée abasourdie. De toute évidence, il n'était pas en train de me faire une farce.

— Bien sûr que je sais qui tu es, Eric. À moins que tu n'aies un frère jumeau ?

— Je n'en sais rien.

Il a laissé retomber ses mains le long de ses cuisses, et ses crocs ont commencé à se rétracter. Il s'est redressé, abandonnant enfin sa position de combat. Voilà qui détendait déjà un peu l'atmosphère.

— Tu ne sais pas si tu as un frère ?

J'avoue que j'étais un peu perdue.

— Non. Je n'en sais rien. Je m'appelle Eric ?

Tel qu'il était là, dans la lumière blafarde de mes phares, il me faisait presque pitié.

— Eh bien... euh... oui. Eric Northman. C'est du moins le nom sous lequel tu te présentes actuellement. Qu'est-ce que tu fais là ?

— Ça non plus, je ne le sais pas.

Ça devenait un peu répétitif.

— Pour de vrai ? Tu ne te souviens de rien ?

J'avais peine à le croire. J'étais persuadée que, d'un instant à l'autre, j'allais voir un franc sourire se dessiner sur ses lèvres. Il éclaterait de rire et m'expliquerait tout, puis il s'arrangerait pour m'embarquer dans une de ses histoires louches, tant et si bien qu'à la fin, je pouvais être sûre de me retrouver en pièces détachées ou, au mieux, sur une civière.

— De rien.

Il a fait un pas vers moi. Torse nu, par ce froid ! J'en avais la chair de poule. J'ai aussi pu constater – maintenant que je n'étais plus terrifiée – qu'il semblait malheureux, désemparé, une expression que je n'avais encore jamais vue sur le visage de l'arrogant Eric. J'en ai soudain ressenti une inexplicable tristesse.

— Tu sais que tu es un vampire, tout de même ?

— Oui.

Il a paru surpris par ma question.

— Et toi, non.

— Non, je suis cent pour cent humaine. Et j'ai donc besoin de m'assurer que tu n'as pas l'intention de me faire du mal. Bon, c'est vrai que tu aurais déjà pu m'en faire depuis longtemps. Mais, crois-moi, même si tu ne t'en souviens pas, on est amis, toi et moi.

— Je ne te ferai aucun mal.

À combien de victimes Eric avait-il dit ça avant de les égorger ? Des centaines, des milliers ? En fait, les vampires n'ont pas besoin de tuer, une fois passée leur première année d'existence. Une gorgée par-ci par-là suffit généralement. À le voir aussi perdu, il m'était difficile de garder à l'esprit qu'il aurait pu me démembrer à mains nues.

Un jour, j'avais dit à Bill que si les extraterrestres voulaient envahir la Terre, ils n'avaient qu'à débarquer déguisés en cockers à l'œil larmoyant ou en chatons abandonnés.

— Viens donc t'asseoir dans ma voiture avant de finir congelé.

J'avais la très nette impression que la situation me dépasserait rapidement. Mais je ne savais pas comment réagir autrement.

— Je te connais vraiment ? a demandé Eric, comme s'il hésitait à monter dans le véhicule d'une inconnue aussi redoutable – une femme qui avait vingt centimètres, une trentaine de kilos et plusieurs siècles de moins que lui…

— Oui !

Je commençais à perdre patience, et en dépit de mes efforts pour le cacher, ça s'entendait dans ma voix. Malgré moi, je me méfiais toujours.

— Bon, ça suffit, Eric, monte ! J'ai froid, et toi aussi.

En général, les vampires ne sont pas affectés par les températures extrêmes. Pourtant, Eric avait la chair de poule. Les morts gèlent, bien sûr. Ils y survivent, comme ils survivent à beaucoup d'accidents extrêmes, mais d'après ce que je sais, l'expérience est douloureuse.

— Oh! mon Dieu, Eric! Mais tu es pieds nus!

Je venais seulement de m'en apercevoir. Je lui ai pris la main – il m'a laissée approcher suffisamment pour ça – et je l'ai tiré jusqu'à la voiture pour l'installer à l'avant. Je lui ai demandé de remonter sa vitre, pendant que je faisais le tour pour aller me rasseoir derrière le volant. Il a examiné le mécanisme pendant un long moment, puis il s'est exécuté.

J'ai attrapé le vieux plaid que je garde toujours à l'arrière en hiver – pour les matchs de foot, etc. – et je l'ai enveloppé dedans. En tant que vampire, il ne frissonnait pas, mais je ne supportais pas de voir toute cette peau dénudée par ce froid glacial. J'ai mis le chauffage à fond – ce qui, dans ma vieille guimbarde, ne sert pas à grand-chose, mais bon.

La peau nue d'Eric ne m'avait encore jamais donné une telle impression de froid – quand l'occasion m'avait été donnée d'en voir autant, ça m'avait tout sauf refroidie… J'étais dans un tel état de nerfs que j'ai éclaté de rire rien que d'y penser.

Eric a semblé stupéfait par ma réaction et m'a regardée d'un air inquiet.

— Tu es bien la dernière personne que je m'attendais à trouver ici, à une heure pareille! ai-je dit pour me justifier. Tu venais voir Bill? Désolée de te décevoir, mais il est parti.

— Bill?

— Le seul vampire qui habite ici. Mon ex.

Il a secoué la tête avec, une fois de plus, cette expression de terreur absolue sur le visage.

— Tu ne sais pas comment tu es arrivé ici?

Il a secoué la tête de plus belle.

J'ai essayé de réfléchir – c'est tout ce que je suis parvenue à faire, d'ailleurs: un essai. J'étais lessivée. J'avais bien eu une montée d'adrénaline en apercevant cette silhouette blanche qui courait dans l'obscurité, mais l'effet se dissipait rapidement. J'ai pris à gauche pour emprunter ma belle allée bien damée, à travers les bois sombres et silencieux – allée qu'Eric avait fait refaire à ses frais, soit dit en passant.

C'était probablement pour ça que j'avais pris Eric dans ma voiture, au lieu de le laisser détaler dans la nuit comme un lapin blanc géant : il avait été assez intelligent pour me donner ce dont j'avais vraiment besoin. Certes, il voulait aussi coucher avec moi, mais il m'avait offert la réfection de mon allée parce que je n'avais tout bonnement pas les moyens de me la payer.

J'ai fait le tour pour me garer derrière ma vieille maison en soupirant :

— Et voilà, on y est.

J'ai coupé le contact. Dieu merci, je n'avais pas oublié de laisser les lumières extérieures allumées avant de partir travailler. Nous n'étions pas dans le noir complet, au moins.

— C'est ici que tu vis ?

Il regardait autour de lui, apparemment inquiet à l'idée de devoir traverser les quelques mètres qui séparaient la voiture de la porte de derrière.

— Mais oui !

Il m'exaspérait.

Il m'a lancé un regard de hibou pris dans le faisceau des phares.

— Oh ! Allez, viens ! ai-je grommelé, excédée.

Je suis sortie de la voiture et j'ai monté les marches qui mènent à la véranda – un aménagement récent. J'ai tâtonné quelques secondes pour ouvrir la porte, et la lumière que j'avais laissée allumée dans la cuisine s'est aussitôt répandue sur la véranda.

— Tu peux entrer.

Il ne s'agissait pas d'une simple formule de politesse : en tant que vampire, Eric avait besoin de mon autorisation expresse pour franchir le seuil. Il a trottiné à ma suite, toujours emmailloté dans mon plaid.

Sous les néons de la cuisine, le pauvre paraissait encore plus pitoyable. J'ai alors remarqué qu'il avait les pieds en sang. J'ai poussé un « Oh, Eric ! » de commisération et je me suis empressée de remplir une bassine d'eau chaude. Il guérirait vite, comme tous les vampires, mais je me sentais obligée de nettoyer les plaies.

— Allez, enlève moi ça, lui ai-je ordonné en constatant l'état de son jean, que j'aurai trempé de toute façon en soignant ses pieds.

Sans l'ombre d'un rictus goguenard, ni aucun autre signe qui aurait pu laisser supposer qu'il se réjouissait de la tournure que prenaient les événements, Eric s'est extrait de son pantalon. J'ai envoyé valser le jean dans la véranda pour ne pas oublier de le laver le lendemain, tout en essayant de ne pas laisser mon regard errer sur mon invité : il n'était plus vêtu que de ses sous-vêtements, lesquels se réduisaient à un mini-slip coupé dans une matière extensible rouge vif dont l'élasticité était visiblement mise à l'épreuve. Je n'étais pas au bout de mes surprises, apparemment. J'avais déjà vu Eric en petite tenue une fois – d'accord, une fois de trop –, mais il portait un boxer en soie. Les hommes pouvaient donc changer aussi radicalement de style ?

Sans se pavaner ni faire de commentaire scabreux, Eric s'est empressé de s'emmitoufler de nouveau dans mon plaid. Rien n'aurait pu mieux me convaincre que le vampire qui se trouvait devant moi n'était plus le même. Eric était sublime – pratiquement deux mètres de pure splendeur, si tant est qu'on aime le style beauté glacée, genre statue de marbre –, et il le savait pertinemment.

Je lui ai désigné une des chaises autour de la table. Il s'est assis docilement. Je me suis accroupie pour poser la bassine par terre et je lui ai délicatement glissé les pieds dans l'eau. Au contact de la chaleur sur sa peau glacée et meurtrie, il a laissé échapper un grognement étouffé. Même un vampire doit sentir une telle différence de température, j'imagine. Je me suis armée d'un torchon propre et j'ai commencé à lui savonner les pieds. Je prenais mon temps : ça me permettait de réfléchir à la suite du programme.

— Tu étais toute seule dehors, en pleine nuit, a-t-il alors lâché d'une voix hésitante.

— Je rentre du boulot, comme tu peux le voir à mon uniforme.

Je portais la version hiver : pantalon noir et sweat-shirt blanc à l'effigie du *Merlotte* brodé côté cœur.

— Les femmes ne devraient pas sortir seules si tard la nuit, a-t-il décrété d'un ton réprobateur.

— Oh, vraiment ? Explique-moi ça.

— Eh bien, les femmes sont plus vulnérables et plus susceptibles de se faire attaquer que les hommes. Elles devraient donc être mieux protégées...

— Ça va, ça va, je ne parlais pas littéralement. Mais tu prêches une convertie. J'aurais préféré ne pas travailler si tard, tu sais.

— Alors, pourquoi l'as-tu fait ?

— Parce que j'ai besoin d'argent.

Je me suis essuyé les mains, puis j'ai sorti les pièces et les billets que j'avais dans la poche et les ai laissés tomber sur la table, pour y penser plus tard.

— J'ai cette maison à entretenir, ai-je enchaîné. Ainsi que ma vieille voiture. Et puis, j'ai des impôts et des assurances à payer. Comme tout le monde, ai-je ajouté, au cas où il aurait cru que j'essayais de me faire plaindre.

— Il n'y a donc pas d'homme dans ta famille ?

De temps en temps, le grand âge des vampires se fait sentir.

— J'ai un frère. Je ne sais plus si tu as déjà rencontré Jason…

Il avait une vilaine blessure au pied gauche. J'ai remis un peu d'eau chaude dans la bassine et j'ai essayé de la nettoyer aussi délicatement que possible, ce qui ne l'a pas empêché de grimacer. Les écorchures et les coupures les plus bénignes semblaient déjà se refermer. Le chauffe-eau s'est remis en marche derrière moi et, bizarrement, j'ai trouvé ce petit ronflement rassurant.

— Et ton frère accepte que tu fasses ce travail ?

J'ai essayé d'imaginer la tête de Jason si je lui disais que je comptais sur lui pour m'entretenir jusqu'à la fin de mes jours parce que j'étais une faible femme et que je ne devais pas travailler hors du foyer.

— Oh ! Pour l'amour du Ciel, Eric !

J'ai relevé la tête en fronçant les sourcils, comme une mère grondant son garnement de fils.

— Jason a déjà assez de problèmes comme ça.

Ceux que lui valaient son égoïsme chronique et ses frasques de Don Juan patenté, par exemple.

J'ai poussé la bassine de côté et je lui ai essuyé les pieds en les tamponnant avec un torchon sec. Puis je me suis relevée, avec des gestes un peu raides. J'avais mal au dos, mal aux jambes, mal aux reins, mal partout.

— Écoute, Eric, je crois que je ferais mieux d'appeler Pam. Elle saura sans doute ce qui t'est arrivé.

— Pam ?

J'avais un peu l'impression de parler à un gamin de deux ans particulièrement pénible.

— Ton bras droit.

Je l'ai vu ouvrir la bouche, prêt à me bombarder de questions, et je me suis empressée d'ajouter :

— Attends ! Laisse-moi le temps de l'appeler pour avoir au moins une petite idée de ce qui se passe.

— Mais… et si elle s'est retournée contre moi ?

— Il vaut mieux le savoir aussi. Et le plus tôt sera le mieux.

Je me suis saisie du vieux téléphone fixé au mur de la cuisine, au bout du plan de travail. Il y avait un tabouret de bar juste en dessous. C'était là que s'asseyait toujours ma grand-mère, lors de ces interminables conversations téléphoniques qu'elle aimait tant. Il ne se passait pas une journée sans que je pense à elle. Elle me manquait. Mais ce n'était pas le moment de faire du sentiment. J'ai consulté mon carnet d'adresses et composé le numéro du *Fangtasia*, le bar à vampires de Shreveport – principale source des revenus d'Eric, le *Fangtasia* lui servait également de Q.G. pour ses affaires, dont j'avais cru comprendre qu'elles étaient de bien plus large envergure. J'ignorais de quelle envergure elles étaient et de quelle nature exactement, et je n'avais pas franchement envie de le savoir.

J'avais vu, dans le journal de Shreveport, qu'une grosse soirée était prévue au *Fangtasia* pour le réveillon – « Venez mordre à pleines dents dans le Nouvel An ! » –, j'étais donc sûre d'y trouver quelqu'un. Pendant que le téléphone sonnait, j'ai sorti une bouteille de sang de synthèse du réfrigérateur pour Eric. Je l'ai mise au micro-ondes et j'ai réglé la minuterie. Il suivait chacun de mes gestes avec un regard anxieux.

— Le *Fangtasia*, a répondu une voix masculine suave et dotée d'un léger accent.

— Chow ?

— Pour vous servir. Que puis-je faire pour vous ?

Il avait adopté son ton commercial de vampire sexy.

— C'est Sookie.

— Oh ! a-t-il répondu d'une voix soudain plus naturelle. Écoute, ravi de pouvoir te souhaiter une bonne année en direct, Sook, mais on est un peu occupés, là.

— Vous avez perdu quelqu'un ?

Il y a eu un long silence pesant à l'autre bout de la ligne.

— Une minute.

Nouveau silence.

— Sookie, c'est Pam.

Elle avait fait si peu de bruit en prenant le combiné que j'ai sursauté.

— As-tu toujours un seigneur et maître ?

J'ignorais jusqu'où je pouvais aller au téléphone. Je voulais savoir si c'était elle qui avait mis Eric dans cet état ou si elle lui était restée fidèle.

— Absolument, a-t-elle répondu, comprenant immédiatement où je voulais en venir. Mais nous sommes… nous avons quelques petits soucis.

J'ai mûrement pesé ses paroles jusqu'à être parfaitement sûre d'avoir bien lu entre les lignes. Pam était en train de me dire qu'elle était toujours au service d'Eric et que tous ceux qui étaient dans ce cas étaient sous le coup de quelque pression ou, d'une manière ou d'une autre, confrontés à de graves problèmes.

— Il est ici, lui ai-je annoncé.

Pam appréciait la concision.

— Vivant ?

— Oui.

— Endommagé ?

— Mentalement.

Long temps de réflexion.

— Risque-t-il de représenter un danger pour toi ?

Non que Pam soit particulièrement inquiète à l'idée qu'Eric puisse me vider de mon sang, mais elle devait se demander si j'allais décider de protéger Eric.

— Pas pour le moment, apparemment. On dirait que le problème concerne sa mémoire.

— Je déteste les sorcières ! Les humains avaient bien raison de les condamner au bûcher.

Comme ces mêmes humains n'auraient éprouvé aucun scrupule à tuer des vampires en leur plantant un pieu dans le cœur, j'ai trouvé ça assez cocasse – enfin, pas vraiment, finalement, vu l'heure. De toute façon, elle n'avait pas fermé la bouche que j'avais déjà oublié de quoi elle parlait. J'ai bâillé à m'en décrocher la mâchoire.

— Nous serons là demain soir, m'a-t-elle finalement annoncé. Peux-tu le garder jusque-là ? Le jour va se lever dans moins de quatre heures. As-tu un endroit sûr où l'héberger ?

— Oui. Mais soyez bien là à la tombée de la nuit, tu m'entends ? Et je ne veux pas me retrouver embringuée dans toutes vos histoires de vampires, c'est clair ?

En temps normal, je ne suis pas aussi directe avec les vampires, mais, je l'ai déjà dit, la nuit avait été longue et j'étais au bout du rouleau.

— Nous serons là.

Nous avons raccroché en même temps. Eric me regardait de ses grands yeux bleus, sans ciller. Ses cheveux n'étaient plus qu'un enchevêtrement de longues mèches blondes – nous avons exactement la même couleur de cheveux, Eric et moi. Et j'ai les yeux bleus, comme lui. Mais la ressemblance s'arrête là.

J'ai bien pensé à lui donner un coup de brosse, mais je n'en avais plus l'énergie.

— Bon. Voilà comment ça va se passer, lui ai-je expliqué. Tu vas rester ici jusqu'à ce que Pam et les autres viennent te chercher demain soir. Ils te diront alors de quoi il retourne.

— Tu ne laisseras personne entrer, n'est-ce pas ?

J'ai remarqué qu'il avait fini sa bouteille de sang. Il n'avait plus les traits aussi tirés. C'était déjà ça.

— Eric, je ferai de mon mieux pour que tu sois en sécurité, l'ai-je rassuré avec douceur.

Je me suis frotté le visage – j'allais finir par m'endormir sur place. Je lui ai pris la main.

— Allez, viens.

Le plaid toujours serré autour de son torse, il m'a gentiment suivie dans le couloir, comme un géant des neiges en mini-slip rouge.

Ma vieille maison avait connu bien des transformations au fil des ans, mais elle n'en restait pas moins ce qu'elle avait toujours été : une simple ferme. Au tournant du XXᵉ siècle, on y avait ajouté un étage, où se trouvaient deux chambres et un grenier. Mais je montais rarement l'escalier, maintenant. J'avais pratiquement condamné cette partie de la maison pour économiser l'électricité. Il y avait deux chambres en bas : la plus petite, celle que j'occupais avant la mort de ma grand-mère, et la sienne, de l'autre côté du couloir, dans laquelle je m'étais installée après son décès. Mais la cachette que Bill s'était installée se trouvait dans la petite.

C'est là que j'ai emmené Eric. J'ai allumé le plafonnier et vérifié que les volets et les rideaux étaient bien fermés. J'ai alors ouvert le placard, ôté tout ce qu'il contenait et soulevé le morceau de moquette qui dissimulait la trappe du fond. En dessous se trouvait un espace totalement étanche à la lumière, que Bill s'était aménagé quelques mois auparavant afin de pouvoir rester chez moi pendant la journée – ou se cacher, au cas où il n'aurait plus été en sécurité chez lui. Bill aimait bien l'idée d'avoir une solution de repli, et je suis sûre qu'il s'était ménagé d'autres refuges dont j'ignorais l'existence. Si j'avais été un vampire (Dieu m'en garde !), j'en aurais fait autant.

Mais ce n'était pas le moment de penser à Bill. J'ai expliqué à mon invité réticent comment refermer la trappe, en lui montrant que la moquette retomberait automatiquement pour la dissimuler.

— Quand je me réveillerai, demain, je remettrai toutes ces affaires à l'intérieur pour que ça fasse plus naturel.

Je lui ai adressé un petit sourire encourageant.

— Je suis obligé d'y entrer maintenant? a-t-il demandé.

Eric me demandant mon autorisation: c'était vraiment le monde à l'envers!

— Non, tu n'y es pas obligé, ai-je répondu en m'efforçant de montrer que je me sentais concernée, alors que la seule chose qui m'intéressait maintenant, c'était mon lit.

— Mais fais bien attention de te faufiler là-dedans avant l'aube. Tu ne peux pas rater l'heure, hein? Je veux dire, tu ne risques pas de t'endormir et de te réveiller en plein jour?

Il a semblé réfléchir un moment, puis il a secoué la tête.

— Non. Je sais que c'est impossible. Est-ce que je peux rester avec toi cette nuit?

Oh Seigneur! Le coup des yeux de chien battu maintenant. De la part d'un ancien Viking de près de deux mètres, c'était vraiment trop. Je n'avais plus la force de rire, mais j'ai laissé échapper un petit ricanement mélancolique.

— Bon, d'accord.

Ma voix m'a paru aussi flageolante que mes jambes. J'ai traversé le couloir et allumé la lumière dans ma chambre, peinte en jaune et blanc, propre, chaude, et confortable. J'ai rabattu le couvre-lit, la couverture et le drap du dessus. Tandis qu'Eric demeurait assis comme une âme en peine sur la chaise de l'autre côté du lit, j'ai enlevé mes chaussures et mes chaussettes, sorti une chemise de nuit de ma commode et me suis éclipsée dans la salle de bains. Dix minutes plus tard, j'étais de retour, les dents lavées, démaquillée et vêtue d'une vieille chemise de nuit en flanelle couleur crème parsemée de grosses fleurs bleues. Les rubans étaient élimés et le volant de l'ourlet plutôt défraîchi, mais ça me convenait très bien. J'avais déjà éteint la lampe de chevet quand je me suis aperçue que j'avais oublié d'enlever l'élastique qui retenait ma queue de cheval. J'ai tiré dessus dans le noir et secoué la tête. Même mon crâne m'a semblé se détendre. J'ai poussé un soupir de soulagement béat.

En me couchant, j'ai cru sentir un corps étranger en faire autant à mes côtés. Est-ce que j'avais aussi autorisé Eric à venir dans mon lit ? Eh bien, s'il avait des vues sur ma chaste personne, me suis-je dit en me glissant sous les draps douillets, j'étais tout bonnement trop fatiguée pour m'en préoccuper.

— Femme ?

— Mmm ?

— Quel est ton nom ?

— Sookie. Sookie Stackhouse.

— Merci, Sookie.

— De rien, Eric.

Et parce qu'il avait l'air tellement perdu – l'Eric que je connaissais n'aurait jamais remercié qui que ce soit, pour la bonne et simple raison qu'il estimait que tout lui était dû –, j'ai tâtonné sous les draps pour lui prendre la main. Comme sa paume épousait la mienne, nos doigts se sont enlacés.

Jamais je n'aurais imaginé qu'on puisse s'endormir, main dans la main, avec un vampire. Pourtant, c'est exactement ce que j'ai fait.

2

Tandis que, pelotonnée sous les draps, je me réveillais lentement, en étirant de temps à autre un bras ou une jambe, les événements surréalistes de la nuit me sont revenus en mémoire.

Bon. Eric n'était plus dans mon lit. J'en ai déduit qu'il avait regagné la cachette et qu'il était donc en sécurité. Je me suis levée pour aller remettre en place le bric-à-brac du placard, comme promis. À en croire l'horloge de la cuisine, il était midi. Et il faisait un soleil radieux. Pour Noël, Jason m'avait offert un thermomètre digital qui me permettait de lire la température extérieure sans sortir de chez moi. Il me l'avait même installé. Maintenant, je savais donc deux choses : il était midi et il faisait un degré dehors.

La bassine dans laquelle j'avais lavé les pieds d'Eric traînait toujours par terre. Je l'ai vidée dans l'évier. C'est là que je me suis aperçue qu'à un moment ou à un autre, Eric avait rincé sa bouteille de sang. Bizarre. Ça m'a rappelé que je ferais mieux d'en avoir d'autre sous la main à son réveil si je ne voulais pas lui servir de petit-déjeuner. Et puis, la politesse exigeait que j'en aie en réserve pour Pam et consorts, quand ils arriveraient de Shreveport. Je les attendais de pied ferme. Ils allaient enfin m'expliquer ce qui s'était passé – ou pas. Ils remmèneraient Eric à Shreveport et retourneraient régler leurs problèmes entre eux, et je pourrais reprendre ma petite vie tranquille – ou pas.

Jour de l'an oblige, le bar était fermé jusqu'à 16 heures. C'étaient Charlsie, Danielle et la nouvelle qui assuraient le service pour deux soirs, puisque le reste de l'équipe avait travaillé le soir du réveillon. J'avais donc deux jours de congé. Et j'allais devoir en passer au moins un avec un vampire qui ne savait même plus comment il s'appelait. Qui a dit que dans la vie, tout finit toujours par s'arranger ?

J'ai avalé deux tasses de café, mis le jean d'Eric dans le lave-linge, lu quelques pages d'un roman à l'eau de rose et jeté un coup d'œil au « mot du jour » de mon éphéméride tout neuf qu'Arlene m'avait offert pour Noël. Premier mot de l'année : exsangue. Curieusement, j'ai trouvé que ce n'était pas bon signe.

Jason est arrivé peu après 16 heures, garant son pick-up noir dans une envolée de gravillons. J'avais eu le temps de prendre une douche et de m'habiller, mais j'avais encore les cheveux mouillés. Je les avais aspergés de démêlant et j'étais en train de les brosser, assise devant la cheminée, tout en regardant d'un œil distrait un match de football à la télé. J'avais baissé le son au maximum. Tout en savourant la douce chaleur du feu de bois dans mon dos, je réfléchissais à l'incroyable situation dans laquelle ce pauvre Eric se trouvait.

La cheminée n'avait pas beaucoup servi, ces deux dernières années, à cause du prix exorbitant du bois qu'il fallait se faire livrer. Mais la tempête de glace de l'hiver précédent avait couché de nombreux arbres que Jason avait débités. J'en avais donc une bonne réserve et je pouvais profiter du feu sans complexe.

Les pas lourds de mon frère ont résonné sur les marches de la véranda. Il a frappé pour la forme avant d'entrer. Comme moi, il avait pratiquement grandi dans cette maison. Nous étions venus y vivre avec Gran lorsque nous nous étions retrouvés orphelins, et elle avait loué celle de nos parents jusqu'à ce que Jason atteigne sa majorité et décide d'aller y vivre seul. Mon frère avait maintenant vingt-huit ans et dirigeait une équipe du service de voirie municipal : une ascension plutôt rapide pour un petit gars du cru sans diplôme. J'avais d'ailleurs toujours pensé qu'il s'en contenterait, mais récemment, il avait commencé à donner des signes d'insatisfaction.

— Super, a-t-il approuvé en voyant la flambée.

Il est venu se planter devant l'âtre pour se chauffer les mains, me coupant toute la chaleur par la même occasion.

— À quelle heure tu es rentrée, cette nuit ? m'a-t-il lancé par-dessus son épaule.

— J'ai dû me coucher vers 3 heures du matin.

— Qu'est-ce que tu penses de la fille qui était avec moi, hier soir ?

— Je crois que tu ferais mieux de ne pas la revoir.

Il ne s'attendait pas à ça. Il m'a coulé un regard en biais.

— Qu'est-ce que tu sais d'elle ? m'a-t-il demandé à voix basse.

Mon frère sait que je suis télépathe, mais il n'en parle jamais avec moi – ni avec personne d'autre, d'ailleurs. Il lui est arrivé de se battre parce qu'on m'avait traitée de cinglée, mais il n'en reste pas moins qu'il ne me considère pas comme quelqu'un de normal. De même que la plupart des gens, d'ailleurs. Ils font juste semblant de ne pas y croire. Ou plutôt, ils croient que je ne pourrais jamais lire dans leurs pensées à eux, juste dans celles des autres. Dieu sait les efforts que je fais pour me comporter et parler normalement, pourtant, comme si je n'étais pas constamment bombardée d'idées et d'émotions parasites, de regrets, de remords, de rancunes, d'accusations... Parfois cependant, ça se remarque.

— Elle n'est pas ton genre, c'est tout, ai-je simplement répondu, le regard perdu dans les flammes.

— Ce n'est pourtant pas une vampire, si ? a-t-il aussitôt protesté.

— Non, en effet.

— Eh bien, alors ! s'est-il exclamé en me fusillant du regard.

— Jason, quand les vampires sont apparus au grand jour et qu'on a découvert qu'ils existaient réellement, après les avoir considérés pendant des siècles comme des personnages effrayants de contes et légendes, tu ne t'es pas demandé s'il n'y aurait pas d'autres créatures légendaires qui n'étaient peut-être pas si imaginaires que ça ?

Je l'ai laissé réfléchir à cette idée un petit moment. J'entendais dans ses pensées qu'il aurait voulu refuser l'idée et me traiter de folle, mais il en était incapable :

— Tu sais de quoi tu parles.

Ce n'était pas vraiment une question.

J'ai attendu qu'il me regarde droit dans les yeux et j'ai acquiescé catégoriquement.

— Et merde, a-t-il soufflé, écœuré. Elle me plaisait bien, à moi, cette fille. Une vraie tigresse, au lit.

— Vraiment ?

Je n'en revenais pas qu'elle se soit transformée devant lui. Et ce n'était même pas la pleine lune !

— Tu n'as rien, j'espère ?

À peine une seconde plus tard, je me mordais déjà la lèvre, atterrée par ma propre bêtise. Évidemment, qu'elle ne s'était pas métamorphosée devant lui.

Jason m'a dévisagée avec des yeux ronds, puis il a éclaté de rire.

— Franchement, Sookie, tu es impayable! Tu as vraiment cru qu'elle...

Il s'est brusquement interrompu, les traits figés. Je pouvais voir sur son visage l'impensable devenir improbable, puis possible, creusant patiemment sa petite galerie, comme le ver dans la pomme, lézardant peu à peu la bulle dans laquelle vivent la plupart des gens, cette bulle qui repousse les images ou les idées qui ne collent pas avec la confortable vision qu'ils ont du monde.

— J'aurais préféré ne pas le savoir, a-t-il murmuré d'une voix blanche, en se laissant tomber dans le rocking-chair de Gran.

— Ce n'est pas forcément ce qui se passe pour elle – le truc de la tigresse, je veux dire. Mais, crois-moi, il y a quelque chose...

Il lui a fallu une bonne minute pour se reprendre, mais il s'est finalement ressaisi. C'était un comportement typique de Jason: comme l'idée le dérangeait mais qu'il ne pouvait rien y changer, il l'a rangée bien gentiment dans un coin de sa tête, et il a mis son mouchoir par-dessus.

— Tu sais ce qui est arrivé à Hoyt, hier soir? Quand il a quitté le bar avec sa nana, il s'est embourbé dans le fossé, du côté d'Arcadia, et ils ont été obligés de faire trois kilomètres à pied pour trouver un téléphone parce que son portable n'avait plus de batterie.

— Non! me suis-je exclamée pour rentrer dans son jeu. Et j'imagine qu'elle portait des talons en plus!

Le monde de Jason avait recouvré sa stabilité rassurante, et mon frère tout son aplomb. Il m'a encore raconté les potins du coin un petit quart d'heure, a accepté le Coca que je lui proposais, puis m'a demandé si j'avais besoin de quelque chose en ville.

— En fait, oui.

J'y avais réfléchi pendant qu'il me parlait. Je connaissais toutes les nouvelles qu'il m'avait racontées, de toute façon – quelques pensées échappées des clients du bar, les soirs précédents.

— Oh oh, a-t-il lancé avec une mine faussement terrifiée. Dans quoi je me suis encore fourré, moi ?

— J'ai besoin d'une dizaine de bouteilles de sang et de quelques fringues pour rhabiller un mec très grand.

Et voilà. Je l'avais encore perturbé. Pauvre Jason ! Il aurait mérité une frangine qui lui aurait fait une ribambelle de petits neveux et de petites nièces qui se seraient cramponnés à ses jambes en l'appelant « oncle Jaz ». Mais non, il n'avait que moi.

— Grand comment ? Et où se trouve-t-il ?

— Il doit faire un bon mètre quatre-vingt-quinze, peut-être un peu plus. Du 46 en pantalon, longues jambes, épaules carrées…

Je me suis mentalement promis de vérifier la taille d'Eric sur l'étiquette de son jean, qui se trouvait à présent dans le sèche-linge.

— Quel genre de fringues ?

— Du basique.

— C'est pour quelqu'un que je connais ?

— C'est pour moi, a répondu une voix de basse.

Jason s'est retourné d'un mouvement vif, prêt à se défendre – ce qui montre bien que ses instincts ne sont pas si mauvais. Mais malgré sa taille et sa nature de vampire, Eric semblait totalement inoffensif. En plus, il avait docilement enfilé le peignoir en velours marron que j'avais laissé en évidence dans la petite chambre. Je l'avais gardé pour Bill. Ça m'a fait un coup au cœur de le voir sur un autre. Mais il fallait rester pragmatique : Eric ne pouvait pas se promener en bikini rouge dans la maison – pas en présence de Jason, en tout cas.

Jason a détaillé Eric de haut en bas et m'a lancé un regard réprobateur.

— C'est le nouveau, Sookie ? Eh ben, tu n'as pas perdu de temps !

Il semblait hésiter entre l'admiration fraternelle et l'indignation. Jason ne s'était pas encore rendu compte qu'Eric était un vampire. Ça me sidère toujours, que les gens ne s'en aperçoivent pas au premier coup d'œil.

— Et c'est moi qui dois lui acheter ses fringues ? a-t-il enchaîné.

— Oui. Sa chemise a été déchirée la nuit dernière, et il y a des taches indélébiles sur son jean.

— Et tu as l'intention de me présenter ?

J'ai respiré un bon coup. J'aurais tellement préféré que ces deux-là ne se rencontrent pas !

— Vaut mieux pas.

Ils l'ont mal pris : Jason a eu l'air vexé, et Eric blessé.

— Eric, a annoncé ce dernier en tendant la main à Jason.

— Jason Stackhouse, le frère de cette impolie.

Ils se sont serré la main. J'avais envie de leur tordre le cou.

— J'imagine que vous avez une bonne raison pour ne pas sortir tous les deux lui acheter ses fringues, a continué Jason.

— Une très bonne raison, oui, ai-je déclaré. Et une bonne vingtaine d'aussi bonnes pour que tu oublies que tu l'as vu.

— Tu n'es pas en danger, Sookie ? a demandé Jason, soudain inquiet.

— Pas pour le moment.

— Si jamais il arrive quelque chose à ma sœur par votre faute, je peux vous garantir que vous aurez de très gros ennuis.

— Je n'en doute pas, a rétorqué Eric avec un calme olympien. Mais puisque vous vous montrez si franc avec moi, je vais l'être à mon tour : je pense que vous devriez lui assurer votre soutien matériel et l'accueillir chez vous pour qu'elle soit sous votre protection.

Jason en est resté sans voix, la bouche ouverte. J'ai dû cacher ma bouche derrière ma main pour ne pas éclater de rire. Le spectacle valait son pesant d'or.

— Dix bouteilles de sang et une tenue de rechange ? m'a demandé Jason – il venait de comprendre ce qu'était Eric.

— C'est ça. Tu trouveras le sang chez l'épicier et le reste au centre commercial.

Les tenues habituelles d'Eric se composaient de jeans et de tee-shirts, ce qui, financièrement, me convenait tout à fait.

— Oh ! Il lui faut des chaussures aussi.

Jason est allé se planter à côté d'Eric et a calé son pied contre le sien. Il a émis un sifflement admiratif, ce qui a fait sursauter Eric.

— C'est plus des pieds, c'est des palmes ! a-t-il commenté.

Il m'a lancé un coup d'œil canaille.

— C'est vrai, ce qu'on raconte là-dessus ?

Je lui ai rendu son sourire, reconnaissante. Il essayait de détendre l'atmosphère.

— Tu ne vas sans doute pas me croire, mais je n'en sais rien.

— Un peu dur à avaler... sans mauvais jeu de mots. Bon, ben, j'y vais.

Il a salué Eric. Deux secondes plus tard, j'entendais déjà le crissement de ses pneus sur le gravier. La nuit était complètement tombée.

— Je suis désolé d'être arrivé au mauvais moment, a dit Eric d'un ton hésitant. Tu ne voulais pas qu'il me voie, je suppose.

Il s'est approché de la cheminée. Il semblait aimer se réchauffer au coin du feu, lui aussi.

— Je n'ai pas honte de t'héberger, Eric. J'ai juste l'impression que tu t'es mis dans de sales draps, et je n'ai aucune envie de voir mon frère mêlé à tes histoires.

— Tu n'as pas d'autre frère?

— Non. Et mes parents sont morts, ainsi que ma grand-mère. Jason est toute ma famille, en dehors d'une cousine qui est tombée dans la drogue il y a des années. J'imagine qu'elle a carrément plongé, depuis.

— Ne sois pas si triste, je t'en prie, a-t-il alors murmuré, comme si c'était plus fort que lui.

— Je vais très bien, ai-je réagi d'un ton vif et détaché.

— Tu as consommé de mon sang, a-t-il soudain affirmé.

Oh oh. Je me suis raidie.

— Je serais incapable de dire ce que tu ressens, si tu n'avais pas un peu de mon sang en toi, m'a-t-il expliqué. Sommes-nous... Avons-nous été... amants?

C'était joliment dit. Eric se montrait plus cru, en temps ordinaire.

— Non.

J'avais peut-être mis un peu trop d'empressement à me défendre. Pourtant, c'était la vérité. Il s'en était fallu d'un cheveu, mais nous avions été interrompus au dernier moment, Dieu merci. Je ne suis pas mariée. J'ai des moments de faiblesse. Eric est une tentation ambulante... Que dire de plus?

Eric ne me quittait pas des yeux cependant, et j'ai senti le rouge me monter aux joues.

— Ceci n'est pas le peignoir de ton frère, a-t-il insisté, histoire de bien enfoncer le clou.

Aïe. Je me suis abîmée dans la contemplation des flammes, comme si elles allaient me procurer l'échappatoire que je cherchais.

— À qui est-il ?

Réponse facile :

— À Bill.

— C'est ton amant ?

J'ai hoché la tête.

— Enfin, c'était, ai-je rectifié.

— C'est un de mes amis ?

J'ai réfléchi à la question.

— Eh bien… pas exactement. Il vit sur le territoire dont tu es le shérif. La Cinquième Zone.

Est-ce que ça lui rappellerait quelque chose ? J'ai recommencé à me coiffer d'un geste nerveux… et je me suis rendu compte que mes cheveux étaient déjà secs. Tout crépitants d'électricité statique, ils ont suivi le trajet de la brosse et se sont dressés autour de mon visage. L'effet était plutôt amusant, et j'ai souri en me regardant dans la glace accrochée au-dessus du manteau de la cheminée. Eric s'y reflétait aussi. Je ne sais pas qui a inventé cette légende selon laquelle les vampires seraient invisibles dans les miroirs. Je voyais parfaitement Eric. En totalité d'ailleurs : il avait mal fermé son peignoir. J'ai fermé les yeux.

— Tu as besoin de quelque chose ? s'est-il inquiété.

Oui. De self-control.

— Non, non. Tout va très bien, lui ai-je assuré, en essayant de ne pas trop serrer les dents. Tes amis ne vont pas tarder à arriver. Ton jean est dans le sèche-linge, et Jason devrait être de retour d'une minute à l'autre avec d'autres vêtements pour toi.

— Mes amis ?

— Les vampires qui travaillent pour toi, je veux dire. J'imagine que tu peux considérer Pam comme une amie. Quant à Chow, je ne sais pas…

— Sookie, qu'est-ce que je fais, comme métier ? Qui est Pam ?

54

Ce n'était plus une conversation, c'était l'ascension de l'Éverest par la face nord. J'ai quand même tenté de lui brosser un bref tableau de sa position sociale. Je lui ai parlé du *Fangtasia*, des autres affaires juteuses qu'il était censé diriger... Mais, en fait, je n'en savais pas assez pour le renseigner correctement.

— Tu ne sembles pas très au courant de ce que je fais, en a-t-il fort justement conclu.

— Eh bien, je ne vais au *Fangtasia* que quand Bill m'y emmène, et il ne m'y emmène que lorsque tu veux me faire faire quelque chose.

Idiote ! Mais quelle idiote ! Je me suis donné un coup sur le front avec ma brosse pour ma peine.

— Comment puis-je te «faire faire» quelque chose? s'est-il étonné en tendant la main vers moi. Puis-je emprunter ta brosse?

Je lui ai jeté un coup d'œil. Il avait l'air plongé dans ses pensées, préoccupé.

— Bien sûr. Tiens.

J'ai préféré faire l'impasse sur sa première question. Il a commencé à se coiffer. À chaque coup de brosse, les muscles de son torse roulaient sous sa peau comme des vagues. *Argh ! Peut-être une bonne douche froide?*

J'ai regagné ma chambre au pas de charge, pris un élastique sur ma table de chevet et me suis fait la queue de cheval la plus serrée possible, bien haut, au sommet du crâne. Je me suis servie de ma deuxième brosse pour la lisser et j'ai tourné la tête de gauche à droite devant la glace pour m'assurer qu'elle était bien centrée.

— Tu es tendue, a constaté Eric depuis le seuil de ma chambre.

J'ai sursauté en poussant un cri aigu.

— Pardon ! Pardon ! s'est-il affolé.

Je lui ai lancé un regard soupçonneux. Mais il sem-blait sincèrement contrit. En de telles circonstances, l'Eric que je connaissais se serait esclaffé. Curieusement, Eric le Vrai me manquait. Avec lui, au moins, on savait sur quel pied danser.

C'est à ce moment-là que j'ai entendu frapper.

— Reste ici, ai-je dit à Eric.

L'anxiété se lisait sur son visage crispé. Il s'est docilement assis sur une chaise, dans un coin de la chambre, comme un bon petit garçon. J'étais contente d'avoir rangé ma chambre la veille : l'endroit semblait un peu moins intime.

Je me suis rendue dans l'entrée, en priant intérieurement pour ne pas avoir droit à de nouvelles surprises.

— Qui est là ? ai-je demandé en collant l'oreille contre la porte

— Nous sommes là, a répondu Pam.

J'ai commencé à tourner la poignée, avant de me figer brusquement. Puis je me suis rappelé qu'ils ne pouvaient pas entrer sans mon consentement et j'ai ouvert.

Pam a des cheveux d'un blond presque blanc et son teint évoque la pâleur des pétales de magnolia. En dehors de cela, elle a tout de la jeune ménagère de banlieue qui travaille à temps partiel dans une crèche.

Je pense qu'il est nettement préférable de ne pas lui donner de poupons à garder, mais malgré tout, je n'ai jamais vu Pam se montrer particulièrement cruelle ou perverse. Elle n'en demeure pas moins convaincue que les vampires sont très supérieurs aux humains. Certains pourraient aussi se formaliser de ses manières pour le moins directes – elle ne mâche pas ses mots. En outre, il est clair que si son bien-être dépendait de quelque horreur à exécuter, elle le ferait sans sourciller, et ça ne l'empêcherait pas de dormir sur ses deux oreilles. À part ça, elle semble faire un bras droit exemplaire : elle a un redoutable sens des affaires, sans paraître pour autant dévorée d'ambition. En tout cas, si elle a l'intention de doubler son patron ou de monter son propre business, elle cache bien son jeu.

Quant à Chow, c'est une autre paire de manches. Je n'ai aucune envie de mieux le connaître. Je ne lui fais pas confiance, et je ne me sens jamais complètement à l'aise en sa présence. Chow est un vampire très puissant. Avec ses longs cheveux raides et noirs, son mètre soixante-quinze et ses yeux bridés d'Asiatique, il n'est pas très impressionnant, à première vue... à ceci près qu'il n'y a pas un centimètre carré de son corps (hormis son visage) qui ne soit couvert de motifs complexes et raffinés tatoués sur sa peau. Pam dit qu'il s'agit de tatouages yakuzas. Certains soirs, Chow est barman au *Fangtasia*. Pour les autres, il se contente de se pavaner nonchalamment au bar pour que les clients puissent l'admirer. C'est le principe sur lequel fonctionnent tous les bars de vampires : faire croire aux humains qu'ils s'encanaillent, leur donner le frisson, l'impression qu'ils jouent avec le feu rien qu'en se trouvant dans la même pièce que des morts-vivants. D'après Bill, c'est très lucratif.

Pam portait un pull blanc nacré en angora avec un pantalon fluide mordoré, et Chow son habituel ensemble pantalon et gilet sans manches. Il ne mettait jamais de chemise, pour que les clients du *Fangtasia* puissent profiter du spectacle de ses tatouages.

J'ai appelé Eric. Il s'est avancé dans le salon à pas mesurés : il était visiblement sur ses gardes.

— Eric ! s'est exclamée Pam avec un soulagement manifeste dans la voix. Tu vas bien ?

Elle avait les yeux rivés sur lui, une lueur d'inquiétude dans le regard. Elle ne s'est pas inclinée à proprement parler, mais lui a tout de même adressé un hochement de tête plutôt solennel.

— Maître, a fait Chow en s'inclinant franchement, quant à lui.

Je ne voudrais pas trop m'avancer, mais ces différentes salutations m'avaient tout l'air de refléter les relations hiérarchiques qui existaient entre eux.

— Je vous connais, a dit Eric en tentant de mettre dans son ton plus d'affirmation que d'interrogation.

Les deux autres ont échangé des regards incertains.

— Nous sommes à ton service, Eric, lui a patiemment expliqué Pam. Nous te devons allégeance.

J'ai commencé à m'écarter, avec la ferme intention de leur fausser compagnie. J'étais sûre qu'ils avaient des secrets de vampires à se dire, et je n'avais absolument aucune envie d'en savoir plus.

— Ne t'en va pas, je t'en prie, m'a suppliée Eric.

Il y avait de la peur dans sa voix. Je me suis arrêtée net et j'ai jeté un coup d'œil derrière moi. Pam et Chow me regardaient par-dessus l'épaule d'Eric. À voir leur expression, il était clair qu'ils ne prenaient pas vraiment les choses de la même façon : Pam semblait trouver la situation plutôt comique ; Chow affichait, en revanche, une expression réprobatrice.

J'ai essayé d'éviter le regard d'Eric, pour pouvoir m'éloigner sans remords, mais ça n'a pas marché. Il ne voulait vraiment pas que je le laisse seul avec ses deux acolytes. J'ai lâché un juron inaudible et tourné les talons pour revenir vers lui, tout en lançant des regards noirs à Pam.

On a de nouveau frappé à la porte. Pam et Chow ont aussitôt réagi de façon spectaculaire. En un clin d'œil, ils étaient en position de combat. Les vampires en état d'alerte sont très, très effrayants : ils sortent leurs crocs, leurs mains se recroquevillent comme des serres, et l'air semble crépiter autour d'eux.

J'ai lancé un « Oui ? » incertain en me plantant juste devant la porte – il fallait absolument que je me fasse installer un judas.

— C'est ton frère, Sookie, a répondu Jason d'un ton impatient.

Il semblait de très mauvaise humeur. Du coup, je me suis demandé s'il était tout seul. J'ai failli ouvrir… puis j'ai hésité. Finalement – avec l'horrible impression de le trahir –, j'ai fait signe à Pam d'emprunter le couloir jusqu'à la porte de derrière. J'ai décrit un cercle de la main pour lui enjoindre de faire le tour de la maison, puis j'ai désigné la porte d'entrée de l'index.

Pam a hoché la tête en silence et s'est aussitôt exécutée. Je ne l'ai même pas entendue se déplacer. Stupéfiant.

Pendant ce temps, Chow s'était posté devant Eric. Parfait. Exactement ce qu'on attend d'un subordonné.

Moins d'une minute plus tard, j'entendais Jason jurer à une vingtaine de centimètres de moi. J'ai sursauté et me suis éloignée de la porte.

— Ouvre ! m'a dit Pam.

Cette fois, je ne me suis pas fait prier… et j'ai découvert Jason pris en étau entre les bras de Pam, laquelle le tenait au-dessus du sol sans le moindre effort apparent, alors même qu'il se débattait, gesticulait en tous sens et ruait comme un cheval sauvage.

— Tu es tout seul, ai-je constaté avec soulagement.

— Forcément ! Nom d'un chien ! Mais qu'est-ce qui t'a pris de la lâcher sur moi ? Bon sang, foutez-moi la paix, vous !

— C'est mon frère, Pam. Repose-le, s'il te plaît.

Pam a obtempéré sans broncher. Jason avait à peine posé les pieds par terre qu'il s'est retourné d'un bloc vers elle.

— Écoutez, ma p'tite dame, ça ne se fait pas de sauter sur un type par-derrière comme ça ! Vous avez de la veine que je ne vous en ai pas balancé une, parce que je vous retournais la tête, moi !

Pam a repris son air amusé et Jason, pour une fois, s'est montré désemparé. Il a eu le bon goût d'en sourire.

— J'aurais peut-être eu un peu de mal, j'imagine, a-t-il reconnu avant de se pencher pour récupérer ses sacs, qu'il avait laissés tomber sur le plancher de la véranda.

À ma grande surprise, Pam lui a prêté main-forte.

— J'ai eu le nez creux en prenant les grosses bouteilles de sang en plastique, a-t-il ajouté avec un coup d'œil malicieux. Sinon, cette charmante demoiselle aurait été obligée de se serrer la ceinture.

Il a ponctué cette sortie d'un grand sourire charmeur à l'intention de l'intéressée. Jason est un tombeur de première. Mais avec Pam, il visait très au-dessus de ses moyens. Malheureusement, il n'avait pas assez de jugeote pour s'en apercevoir.

Mieux valait que j'intervienne.

— Merci, Jason. Tu dois y aller, maintenant, ai-je lancé un peu brusquement.

Sur ce, je lui ai pris les sacs en plastique des mains. Mais Pam et Jason ne se quittaient toujours pas des yeux. Bon sang ! Elle était en train de lui faire le coup du regard hypnotique !

Je me suis empressée d'y mettre le holà.

— Pam ! lui ai-je rappelé d'un ton sévère. Pam, c'est mon frère.

— Je sais, m'a-t-elle posément répondu. Jason, tu avais quelque chose à nous dire ?

J'avais oublié l'impatience dans la voix de Jason quand il avait frappé à ma porte, comme s'il avait effectivement des nouvelles à annoncer.

— Ah, oui, oui…

60

Il a détaché à grand-peine les yeux de la vampire. Mais en se tournant vers moi, il a aperçu Chow. Ses pupilles se sont dilatées. Il lui restait quand même assez de bon sens pour avoir peur de Chow.

— Sookie ? Est-ce que t'as des ennuis ?

Il a fait un pas vers moi, et j'ai senti son taux d'adrénaline – qui venait à peine de descendre, après l'attaque surprise de Pam – remonter en flèche.

— Non, non, tout va bien. Ce sont juste des amis d'Eric. Ils sont simplement venus voir comment il allait.

— Eh bien, ils auraient plutôt intérêt à aller faire un tour en ville.

Tous les regards se sont braqués sur lui. Jason s'est rengorgé.

— Il y a des affiches partout : au supermarché, chez l'épicier, chez Grabbit Kwik… à tous les coins de rue, a-t-il renchéri. Et elles disent toutes la même chose : « Avez-vous vu cet homme ? » Elles expliquent qu'il a été enlevé, que ses amis sont très inquiets et qu'il y a une récompense de cinquante mille dollars pour qui fournira des indices.

Je n'y comprenais rien. Je nageais encore en plein brouillard quand Pam a déclaré – à l'intention exclusive de Chow, semblait-il :

— Ils espèrent parvenir à le localiser pour le récupérer. Et ça va marcher.

— Nous devrions nous en débarrasser, lui a-t-il répondu en désignant Jason du menton.

— Si vous touchez à un cheveu de mon frère…

D'un bond, je me suis interposée entre Jason et Chow. Mes mains brûlaient d'envie d'utiliser un pieu, un marteau ou n'importe quoi qui empêcherait ce vamp' de toucher à Jason.

Pam et Chow se sont alors tournés d'un même mouvement et ont focalisé sur moi toute leur attention.

Contrairement à Jason, je n'ai pas du tout trouvé ça flatteur. J'ai trouvé ça... terrifiant. Jason ouvrait déjà la bouche – je sentais sa colère monter et, avec elle, l'envie de les affronter – quand ma main s'est refermée sur son poignet.

— Tais-toi, lui ai-je murmuré.

Par miracle, il a obéi. Il semblait avoir compris que la machine commençait à s'emballer et que les événements prenaient mauvaise tournure.

— Il faudra me tuer aussi.

— Tu parles d'une menace ! a raillé Chow.

Pam ne disait rien. Mais je savais que si on en arrivait au stade où il lui faudrait choisir entre défendre les intérêts des vampires et être ma copine... eh bien, je pourrais faire une croix sur son amitié. Et moi qui voulais lui apprendre à faire des tresses indiennes.

— De quoi s'agit-il ? a tout à coup demandé Eric, avec une autorité surprenante dans la voix. Expliquez-moi. Pam ?

Le suspense a duré une bonne minute – une éternité, pour moi. Puis Pam s'est tournée vers Eric – peut-être très légèrement soulagée de ne pas avoir à me tuer tout de suite.

— Sookie et cet homme, son frère, t'ont vu, lui a-t-elle dit. Ce sont des humains. En tant que tels, ils sont sensibles à l'appât du gain. Ils n'hésiteront donc pas à te livrer aux sorcières pour toucher la récompense.

— Des sorcières ! Quelles sorcières ? me suis-je exclamée en même temps que Jason.

— Merci, Eric, de nous avoir foutus dans ce pétrin, a marmonné Jason. Tu veux bien me lâcher, maintenant, Sookie ? Tu serres plus fort que tu ne le crois, figure-toi.

Et pour cause : j'avais bu du sang de vampire tout récemment. Celui d'Eric. Les effets dureraient encore trois ou quatre semaines. Je le savais d'expérience.

Le vampire qui était à l'instant même enveloppé dans le peignoir de mon ancien petit ami m'avait donné ce sang alors que j'étais grièvement blessée, mais dans l'impossibilité de prendre le temps de me soigner.

— Jason...

Je parlais d'une voix calme, comme si les vampires n'étaient pas là.

— Jason, reprends-toi, ai-je ajouté – je ne pouvais pas lui dire carrément de ne pas faire l'imbécile.

Lentement, très lentement, à pas prudents, comme si un lion en liberté se promenait dans le salon, Jason et moi sommes allés prendre place sur le vieux canapé. Après une brève hésitation, Eric est venu s'asseoir par terre, entre mes genoux. Pam s'est installée du bout des fesses sur le fauteuil, près de la cheminée, mais Chow a préféré rester debout – d'après mes estimations, juste assez près de nous pour pouvoir nous sauter dessus. Quoique loin d'être détendue, l'atmosphère s'est faite un peu moins pesante.

— Ton frère doit écouter ce que nous avons à te dire, a annoncé Pam. Peu importe que tu veuilles ou non le tenir au courant. Il faut qu'il sache pourquoi il ne doit pas essayer de toucher cet argent.

Petits hochements de tête, côté Stackhouse. Je n'étais pas vraiment en position de jeter Pam et Chow dehors. Quoique... Attendez un peu ! Mais si ! Il suffisait que je leur interdise ma porte, et hop ! Tout le monde dehors. Et à reculons. J'ai senti un petit sourire satisfait se dessiner sur mes lèvres. Je l'avais déjà fait : j'avais renvoyé Bill et Eric. J'en avais éprouvé un tel soulagement, une telle satisfaction que j'avais décidé de faire subir le même sort à tous les vampires que je connaissais.

Mais déjà, mon sourire s'évanouissait. Jouer à ce petit jeu-là avec Pam et Chow, c'était me condamner à rester toutes les nuits cloîtrée chez moi. Parce qu'ils reviendraient. Ils reviendraient le lendemain, et le surlendemain, et le jour suivant, et ainsi de suite jusqu'à ce qu'ils réussissent à me coincer. Je détenais leur patron. Ils ne me laisseraient pas tranquille tant qu'ils ne l'auraient pas libéré.

— Il y a quelques nuits, nous avons entendu dire – au *Fangtasia*, a précisé Pam à l'intention de Jason –, qu'une bande de sorcières était arrivée à Shreveport. C'est une humaine qui nous l'a appris. Une des nombreuses conquêtes de Chow. Elle a glissé cette information dans la conversation, sans se douter de l'importance qu'elle avait pour nous.

Je ne voyais pas bien où était le problème. Apparemment, Jason non plus.

— Et alors? a-t-il lâché en haussant les épaules. Vous êtes des vampires, non? Qu'est-ce qu'une poignée de filles habillées en noir pourrait bien vous faire?

— Ce sont de vraies sorcières. Tes jeunes filles en noir ne sont que des simulacres, lui a expliqué Pam avec une patience dont je ne l'aurais jamais crue capable. Les véritables sorcières sont des femmes, et parfois des hommes, de tout âge. Elles sont redoutables. Leur pouvoir est énorme. Elles contrôlent les forces surnaturelles de la magie. Or, notre existence même est ancrée dans le surnaturel. Mais avec ce groupe, nous avons à faire à plus de...

Elle s'est interrompue et a paru chercher ses mots.

— Punch? a suggéré Jason, toujours serviable avec ces dames.

— Punch, a-t-elle approuvé. Nous n'avons pas encore découvert ce qui leur confère de tels pouvoirs.

Quelque chose me chiffonnait.

— Mais pourquoi sont-elles venues à Shreveport?

— Bonne question, a commenté Chow, approbateur. Bien plus intéressante.

Je lui ai jeté un regard mauvais. Je n'avais pas besoin de son approbation à la noix.

— Elles voulaient – elles veulent – s'approprier l'empire d'Eric, m'a répondu Pam. Les sorcières aiment l'argent, comme tout un chacun. Elles ont décidé de s'emparer des entreprises d'Eric, ou de le faire chanter : en échange d'une partie de ses bénéfices, elles le laisseraient continuer à travailler en paix.

Du racket, purement et simplement. Tout fan de séries policières qui se respecte connaît le concept.

— Mais quels moyens de pression pourraient-ils exercer sur vous ? me suis-je étonnée. Vous êtes tellement puissants !

— Tu n'imagines pas les problèmes que l'on peut subitement rencontrer, dans la gestion des affaires, quand des sorcières ont décidé de te mettre des bâtons dans les roues. Lors de notre première rencontre, les leaders de ce groupe – un frère et une sœur – nous en ont donné un petit aperçu. Hallow, la sorcière, a menacé de jeter une malédiction sur le bar : tous nos alcools tourneraient au vinaigre, nos clients glisseraient sur la piste et porteraient plainte... sans parler des problèmes de plomberie, a énuméré Pam en levant les yeux au ciel avec une mine dégoûtée. Chaque nuit deviendrait un véritable cauchemar, et nos recettes descendraient en flèche, peut-être même à tel point que nous serions contraints de mettre la clé sous la porte.

Jason et moi avons échangé un coup d'œil hésitant. Les vampires avaient largement investi dans les établissements de nuit – bars, pubs, discothèques... – dont les horaires convenaient forcément à leur mode de vie. Ils avaient bien donné dans les laveries automatiques, restaurants, cinémas ouverts toute la nuit, mais les débits de boisson rapportaient davantage.

Si le *Fangtasia* fermait, les finances d'Eric en prendraient un sacré coup.

— Donc, ces sorcières vous rackettent, a conclu Jason, qui avait dû voir la trilogie du *Parrain* une bonne cinquantaine de fois.

— Et alors ? Ça n'explique pas comment Eric s'est retrouvé à courir pieds nus sur la route, l'air complètement perdu.

Multiples échanges de regards entre les deux vampires. J'ai baissé les yeux vers Eric, collé à mes jambes. Il semblait aussi impatient que nous de connaître la réponse. Il me tenait fermement la cheville, ce qui me donnait un peu l'impression d'être un doudou géant.

Chow a décidé de prendre le relais.

— Nous avons répondu aux sorcières que nous allions étudier la question. Mais la nuit dernière, quand nous sommes arrivés au *Fangtasia*, l'une d'entre elles, une sorcière inférieure, nous attendait au bar avec une tout autre proposition.

Il a semblé hésiter, subitement mal à l'aise.

— Au cours de notre précédente entrevue, Hallow – celle qui est à la tête de leur clan – avait manifesté un certain... penchant pour Eric. En clair, elle avait décidé de... d'assouvir ses instincts à ses dépens. Un tel... accouplement est très mal vu, chez les sorcières. Nous sommes morts, vous comprenez. Or, la sorcellerie est si... organique.

Il avait craché le mot comme s'il parlait d'un détritus nauséabond collé à la semelle de sa chaussure.

— La plupart des sorcières ne s'abaisseraient jamais à entreprendre ce que tente ce clan, bien entendu, a-t-il immédiatement repris. Celles à qui nous avons affaire ne cherchent qu'à accroître leur puissance. Leur soif de pouvoir a fait passer au second plan la signification religieuse de leurs pratiques.

66

Tout cela était passionnant, mais j'aurais préféré qu'il en vienne au fait. Jason aussi, à en croire le geste d'impatience qu'il a fait pour inciter Chow à poursuivre. Le vampire a eu un petit tressaillement, comme s'il se secouait pour s'arracher à ses réflexions, et il a enchaîné :

— Cette sorcière, la fameuse Hallow, a donc envoyé une de ses subordonnées pour proposer à Eric un nouveau marché : s'il lui consacrait sept nuits, elle était prête à se contenter d'un cinquième de sa société au lieu de la moitié qu'elle réclamait.

— Dites donc, vous devez avoir une sacrée réputation ! s'est exclamé mon frère, admiratif, à l'adresse d'Eric.

Celui-ci n'a pas réussi à réprimer complètement un petit sourire de satisfaction. Il semblait ravi d'apprendre qu'il était un tel Casanova. Quand il a levé les yeux vers moi, j'ai perçu une très légère différence dans sa façon de me regarder : j'ai eu l'horrible pressentiment d'une implacable fatalité, de ceux que l'on éprouve quand on voit sa voiture commencer à dévaler la pente (on est pourtant bien certain d'avoir serré le frein à main) et que l'on sait pertinemment que, quoi qu'on fasse, elle va s'écraser en contrebas.

— Bien que certains d'entre nous aient estimé qu'il aurait été plus sage d'accepter, notre maître n'a pas partagé cette opinion, a repris Chow, en lançant au maître en question un regard qui en disait long sur ce qu'il pensait de son attitude. Et notre maître a cru bon de refuser en des termes si insultants pour l'intéressée qu'elle lui a jeté un sort sur-le-champ.

Eric semblait dans ses petits souliers.

— Pourquoi diable avoir refusé un marché pareil ? s'est écrié Jason, sincèrement stupéfait.

L'incompréhension la plus totale se lisait sur son visage.

— Je ne m'en souviens pas, a répondu Eric en se serrant encore un peu plus contre moi.

Il avait l'air décontracté, mais je savais qu'il n'en était rien. Sa tension était palpable.

— J'ignorais jusqu'à mon propre nom jusqu'à ce que cette femme... jusqu'à ce que Sookie me le dise.

— Mais qu'est-ce que vous fabriquiez en pleine forêt ? a insisté mon frère.

— Je ne le sais pas non plus.

— Il a juste... disparu, nous a expliqué Pam. Nous étions tous assis dans le bureau avec cette jeune sorcière. Chow et moi nous disputions avec Eric au sujet de son refus. Et puis, tout à coup, il s'est évaporé.

— Ça te rappelle quelque chose, Eric ?

J'avais envie de lui caresser la tête, comme je l'aurais fait avec un chiot blotti contre mes jambes.

— Je suis né à l'instant où je me suis retrouvé en train de courir sur cette route, dans l'obscurité et le froid, a-t-il répondu. Avant que tu viennes me chercher, je n'étais que néant.

Exprimé en ces termes, le concept avait quelque chose de purement terrifiant.

— Il a bien dû y avoir un signe avant-coureur, tout de même, un avertissement quelconque. Ça n'arrive pas sans prévenir, un truc pareil.

Pam n'a pas eu l'air vexée par mon incrédulité. Mais Chow a eu du mal à rester impassible. Ce qui n'a fait qu'accroître mes soupçons.

— Vous avez forcément fait quelque chose, vous deux. Une erreur, ai-je insisté. Qu'est-ce que vous avez fait ?

Eric m'a alors enlacé les jambes, si étroitement que je me suis retrouvée clouée sur place. J'ai réprimé la panique qui montait en moi : il avait simplement besoin de se rassurer.

— Chow a un peu… perdu patience avec l'envoyée de Hallow, a finalement avoué Pam, après un long silence éloquent.

J'ai fermé les yeux. Même Jason a semblé comprendre : il écarquillait les yeux. Eric a tourné la tête pour frotter sa joue contre ma cuisse. Je me suis demandé ce qu'il pensait de tout ça.

— Et, à l'instant même où Chow attaquait la sorcière, Eric a disparu de la circulation ?

Pam a opiné en silence.

— Donc, elle était piégée ? L'agresser revenait à déclencher le sort ?

— Apparemment, a répondu Chow. Mais j'ignorais qu'un tel système existait, et je ne peux pas être tenu pour responsable des conséquences.

Il m'a lancé un regard noir, comme s'il me mettait au défi de le contredire.

Je me suis tournée vers Jason et j'ai levé les yeux au ciel. Ce n'était pas à moi de condamner Chow pour sa bévue. Mais si jamais cette histoire revenait aux oreilles de la reine de Louisiane – la supérieure d'Eric –, j'étais prête à parier que Chow ne s'en tirerait pas à si bon compte.

Il y a eu comme un flottement. Jason en a profité pour aller remettre une bûche dans la cheminée.

— Vous êtes déjà allés au *Merlotte*, non ? a-t-il demandé aux vampires. Là où Sookie travaille ?

Eric a haussé les épaules : il n'en savait rien.

— Moi, oui, a répondu Pam. Mais pas Eric.

Elle s'est tournée vers moi pour que je confirme, et après un instant de réflexion, j'ai acquiescé.

— Donc, personne à Bon Temps ne peut faire le rapprochement entre Sookie et Eric, a poursuivi Jason.

Il avait dit ça d'un ton détaché, mais il avait l'air plutôt content de lui.

— Non, a admis Pam, pensive. Sans doute pas.

Je sentais bien que j'avais du souci à me faire, mais je ne voyais pas de quel côté ça allait tomber.

— Donc, tant qu'Eric reste à Bon Temps, vous êtes tranquilles, a conclu Jason. Ça m'étonnerait que quelqu'un l'ait surpris hier soir, en dehors de Sookie, et je veux bien être pendu si je sais pourquoi il a atterri là.

Mon frère venait de marquer un second point. *Il a vraiment mis le turbo, ce soir*, me suis-je dit.

— En revanche, un tas de gens vont à Shreveport pour passer la soirée au *Fangtasia*. J'y suis bien allé, moi, a-t-il affirmé.

Première nouvelle… Je l'ai dévisagé en fronçant les sourcils. Il a haussé les épaules, légèrement gêné.

— Alors, je vous le demande : qu'est-ce qui se passera quand quelqu'un essaiera de toucher la récompense ? Quand on appellera le numéro indiqué sur l'affiche ?

Chow s'est finalement décidé à prendre part à la conversation.

— L'« ami proche » qui répondra à ce coup de fil viendra immédiatement parler à son informateur en face à face, a-t-il déclaré. Si ledit informateur parvient à convaincre l'« ami proche » en question qu'il a vu Eric après le sort, les sorcières vont commencer à faire des recherches dans le secteur. Elles ne tarderont pas à le trouver. Sans compter qu'elles se mettront forcément en relation avec les sorcières du coin pour leur demander leur collaboration.

— Il n'y a pas de sorcières à Bon Temps, a affirmé Jason, apparemment abasourdi que Chow puisse avancer une hypothèse aussi stupide.

Je le reconnaissais bien là. Toujours ses fameux *a priori*.

— Oh, il y en a sûrement, ai-je rectifié. Et pourquoi pas ? Tu te rappelles ce que je t'ai dit cet après-midi ?

J'avais plutôt les loups-garous et métamorphes en tête, à ce moment-là, mais la remarque valait pour tout ce qui sortait de l'ordinaire, finalement.

Mon pauvre frère en apprenait de belles, et plus qu'il ne l'aurait voulu, ce soir.

— Pourquoi pas? a-t-il répété faiblement. Mais qui?

— Des femmes, des hommes, lui a répondu Pam. Les sorcières sont comme tous ceux qui mènent une double vie: charmantes, à première vue, et en général inoffensives.

Elle n'avait pas l'air très sûre d'elle en avançant ce dernier argument.

— Mais les sorcières malveillantes ont tendance à contaminer les autres, a-t-elle ajouté.

— Quoi qu'il en soit, a enchaîné Chow, ce coin est tellement perdu qu'il y a peu de chances d'en trouver en grand nombre. Du reste, les sorcières n'appartiennent pas toutes à des clans, et obtenir la coopération d'une sorcière indépendante sera très difficile pour Hallow et son groupe.

— Mais pourquoi les sorcières de Shreveport ne peuvent-elles pas tout simplement jeter un sort pour retrouver Eric?

— Parce qu'elles ne trouvent rien qui lui appartienne, m'a expliqué Pam – et elle semblait savoir pourquoi. Elles ne parviennent pas à accéder au lieu secret où Eric se repose dans la journée. Il leur faudrait y dénicher un cheveu ou un vêtement qui aurait gardé son odeur. Et il n'existe aucune femme qui porte le sang d'Eric.

Oh oh! Eric et moi avons échangé un bref coup d'œil alarmé. J'avais un peu de son sang en moi. Mais j'espérais bien qu'Eric était le seul à le savoir.

— De plus, a renchéri Chow, qui dansait d'un pied sur l'autre, à mon avis, étant donné que nous sommes morts, il y a peu de chances que de tels éléments fonctionnent et permettent de lancer un sort.

Le regard de Pam s'est rivé au sien. Ils recommençaient à se parler mentalement, et je n'aimais pas ça du tout. Eric, la cause de cet échange silencieux, tournait la tête de l'un à l'autre. Il n'avait pas l'air plus avancé pour autant.

Pam s'est tournée vers moi.

— Eric doit rester ici. Si nous le déplaçons, il sera exposé à plus de danger. S'il est en sécurité, nous pourrons mieux nous concentrer pour prendre des mesures de rétorsion à l'encontre des sorcières.

Maintenant qu'elle l'avait exprimé, je comprenais mieux pourquoi j'aurais dû m'inquiéter lorsque Jason avait commencé à insister lourdement sur le fait qu'il était impossible de faire le rapprochement entre Eric et moi. Personne n'irait imaginer qu'un vampire de l'envergure et de la classe d'Eric avait été confié à la garde d'une vulgaire serveuse de bar, humaine de surcroît.

Mon hôte amnésique semblait perplexe. Je me suis penchée vers lui, laissant brièvement libre cours à mon envie de lui caresser les cheveux, puis je lui ai plaqué les mains sur les oreilles – je savais pourtant qu'il entendrait parfaitement ce que je m'apprêtais à dire: les vampires ont une ouïe extra-ordinairement fine. Non seulement il s'est laissé faire, mais il est même allé jusqu'à placer ses mains sur les miennes.

— Écoutez, c'est une très mauvaise idée. Et je vais vous dire pourquoi…

Je martelais chaque syllabe avec une telle insistance que ça me donnait un débit de mitraillette. Je voyais bien ce qui m'attendait, et rien que d'y penser, je sentais la panique me gagner.

— Comment voulez-vous que je le protège? Vous savez comment tout ça va finir? Je vais encore me faire tabasser. Ou même tuer!

Pam et Chow m'ont regardée tous les deux avec la même indifférence polie. Ils auraient tout aussi bien pu me dire: «Et alors? Où est le problème?»

À cet instant-là, Jason s'est subitement réveillé.

— Si ma sœur doit se coltiner le sale boulot, il va falloir la payer pour ça, a-t-il décrété, comme si je n'étais pas là.

Silence pesant. Je le regardais, bouche bée.

Pam et Chow ont hoché la tête en chœur.

— Au moins autant qu'un informateur le serait, s'il appelait le numéro sur l'affiche, a poursuivi mon frère en rivant ses beaux yeux bleus d'un visage blême à l'autre. Cinquante mille.

— Jason!

J'avais enfin recouvré ma voix. J'ai redoublé d'efforts pour boucher les oreilles de mon hôte. Je ne savais plus où me mettre. Je me sentais trahie, humiliée, sans parvenir à comprendre exactement pourquoi. Entre autres, parce que mon frère réglait mes affaires à ma place, comme s'il s'agissait des siennes.

— Dix, a rétorqué Chow.

— Quarante-cinq, a répliqué Jason.

— Vingt.

— Trente-cinq.

— Marché conclu!

— Sookie, je vais aller te chercher mon fusil, m'a annoncé Jason.

3

— Comment on en est arrivés là ?

Ils étaient tous partis. Tous, sauf le grand vampire viking que j'étais censée protéger. Mais c'était plutôt au feu que je parlais.

Assise sur le tapis, devant la cheminée, je regardais les flammes danser dans l'âtre. Leur ballet coloré me fascinait. J'avais besoin de faire le vide dans mon esprit. De me sentir bien au chaud, aussi, en sécurité.

Un grand pied s'est profilé dans l'angle droit de mon champ de vision. Eric s'est assis à côté de moi.

— Je crois que c'est arrivé parce que tu as un frère cupide et parce que tu es le genre de femme à braver sa peur pour secourir un inconnu égaré, même au beau milieu de la nuit.

Ce n'était pas tout à fait faux.

— Et comment tu te sens, toi ?

Je ne lui aurais jamais posé une telle question en temps normal. Mais il semblait si différent, à présent. Peut-être pas aussi terrifié et perdu que le pauvre diable de la veille, mais toujours totalement à l'opposé du véritable Eric.

— Je veux dire, c'est un peu comme si tu étais un paquet qu'on abandonnait à la consigne, ai-je repris. Chez moi, en l'occurrence.

— Il est plutôt rassurant de constater que je leur inspire une telle crainte. Assez, du moins, pour qu'ils prennent soin de moi.

— Euh… ai-je répondu avec ma présence d'esprit habituelle.

Ce n'était pas vraiment la réponse que j'attendais.

— Je dois être un personnage bien effrayant, quand je suis dans mon état normal, a-t-il poursuivi. Ou… ma bonté et ma bienveillance naturelles seraient-elles de nature à susciter un tel dévouement?

Je n'ai pas pu m'empêcher de ricaner doucement.

— Je m'en doutais.

— Oh! Tu n'es pas un monstre, l'ai-je rassuré – même s'il ne semblait finalement pas en avoir besoin.

— Tu n'as pas froid aux pieds? me suis-je inquiétée ensuite, pleine de sollicitude.

— Non.

Mais j'étais désormais chargée de veiller à sa sécurité et à son confort – Eric? Besoin de quelqu'un pour veiller sur lui? On nageait vraiment en plein délire! – et j'allais toucher une somme astronomique rien que pour l'héberger, comme une petite voix intérieure s'est empressée de me le rappeler. J'ai attrapé la vieille couverture que je gardais sur le dossier du canapé et j'ai enveloppé ses jambes de carrés jaunes, verts et bleus, avant de m'allonger de nouveau à côté de lui.

— Cette chose est hideuse, a-t-il constaté.

— C'est ce que Bill dit toujours.

J'ai roulé sur le ventre et je me suis surprise à sourire.

— Mais où est-il donc, ce Bill?

— Au Pérou.

— T'a-t-il prévenue de son départ?

— Oui.

— Suis-je censé en déduire que vos liens sont… sur le déclin?

C'était joliment dit.

— On est un peu en froid. Et je pense que cela le restera...

J'avais dit ça d'une voix si posée que j'en étais moi-même étonnée.

Il s'était allongé sur le ventre, comme moi, et s'était accoudé par terre pour pouvoir me parler. Je le trouvais un peu trop près de moi à mon goût, mais je ne voulais pas non plus faire toute une histoire en m'écartant brusquement. Il s'est légèrement soulevé pour étaler la couverture et nous en recouvrir tous les deux.

— Parle-moi de lui.

Je lui ai jeté un regard incertain. Il avait partagé une bouteille de TrueBlood avec Pam et Chow avant qu'ils ne retournent à Shreveport et il paraissait un peu moins pâle.

J'ai fini par céder.

— Tu connais très bien Bill. Ça fait déjà un moment qu'il travaille pour toi. Je suppose que tu l'as oublié, mais Bill est... eh bien, c'est un type plutôt calme, très posé. Très protecteur aussi. Un peu trop : il y a des choses qu'il n'arrive pas à se mettre dans le crâne...

Si on m'avait dit que je discuterais de ça un jour avec Eric ! Je n'en revenais pas.

— Il t'aime ?

J'ai laissé échapper un soupir et senti les larmes me monter aux yeux, comme ça se produisait souvent quand je pensais à Bill.

— Eh bien, c'est ce qu'il disait, ai-je marmonné tristement. Avant de courir ventre à terre retrouver sa vampire quand elle l'a sifflé.

Je ne savais toujours pas comment elle avait pris contact avec lui – peut-être par e-mail, pour autant que je sache.

— Il se trouve que c'était sa... Comment vous appelez ça ? Celle qui l'a changé en vampire. « Fait passer de l'autre côté », pour reprendre les mots de Bill. Donc, il s'est remis avec elle. Il prétend qu'il ne pouvait pas faire autrement...

J'ai jeté un coup d'œil à mon interlocuteur. Eric paraissait proprement captivé.

— Puis il a découvert qu'elle ne cherchait qu'à l'attirer du côté obscur.

— Pardon ?

— Elle n'avait qu'une idée en tête : le faire venir dans le Mississippi pour le compte d'une autre communauté de vampires, afin de lui subtiliser la base de données qu'il avait mise au point pour vous, les vampires de Louisiane. Elle a beaucoup de valeur.

Je simplifiais un peu, pour aller plus vite.

— Que s'est-il passé ?

C'était presque aussi génial que de papoter avec Arlene. Peut-être même plus parce que, avec elle, je n'avais pas pu entrer vraiment dans les détails.

— Eh bien, Lorena – c'était son nom – l'a torturé. Torturé, tu te rends compte ?

Eric a obligeamment écarquillé les yeux.

— Non, mais tu peux imaginer ça ? Torturer quelqu'un avec qui tu as fait l'amour ? Avec qui tu as vécu des années ?

Eric a secoué la tête.

— Enfin, bref. Tu m'as dit d'aller à Jackson pour rechercher Bill, et j'ai réussi à trouver des indices sur place, dans un club privé réservé aux SurNat.

Il a hoché la tête. Apparemment, je n'avais pas besoin de lui expliquer que le mot SurNat évoquait les créatures surnaturelles.

— Cette boîte s'appelle le *Josephine*, mais les loups-garous la surnomment le *Club Dead*. Tu m'as envoyée là-bas avec un type vraiment adorable, un loup-garou qui avait une grosse dette envers toi, et qui devait m'héberger là-bas.

Alcide Herveaux faisait encore partie de mes fantasmes...

J'ai préféré abréger.

— Mais ça s'est mal terminé pour moi.

J'avais été blessée. Grièvement blessée, même. Comme d'habitude.

— Comment cela ?

— Crois-le ou non, on m'a transpercée avec un pieu.

Eric a eu l'air aussi impressionné que je l'avais espéré.

— Tu as une cicatrice ?

— Oui, bien que...

— Bien que quoi ?

Tout montrait qu'il était pendu à mes lèvres.

— Tu as demandé à un vampire de Jackson de me soigner pour être bien sûr que je survivrais et... tu m'as donné de ton sang, histoire d'accélérer le processus, pour que je puisse libérer Bill dès le lendemain.

En me remémorant les circonstances exactes de cette opération, j'ai rougi jusqu'aux oreilles. J'espérais seulement qu'Eric attribuerait ma bonne mine à la proximité de la cheminée.

— Et tu l'as délivré ?

— Oui. Je lui ai sauvé la vie, ai-je fièrement conclu.

J'ai roulé sur le dos et j'ai levé les yeux vers lui. C'était tellement bon d'avoir quelqu'un à qui parler. J'ai soulevé mon tee-shirt et je me suis penchée sur le côté pour lui montrer ma cicatrice. Il a passé le doigt dessus en hochant la tête avec une moue admirative. J'ai rabattu mon tee-shirt aussitôt.

— Et qu'est-il arrivé à son ex ?

Je me suis sentie rougir de nouveau.

— Eh bien... euh... en fait, je l'ai, comme on dit... Elle est entrée juste au moment où j'étais en train de défaire les chaînes de Bill et elle s'est jetée sur moi, alors je... je l'ai... tuée.

Eric me dévisageait intensément. Je ne parvenais pas à déchiffrer son expression.

— Tu avais déjà tué quelqu'un avant?

— Bien sûr que non! me suis-je indignée. J'ai bien frappé un type qui essayait de me tuer, mais il n'en est pas mort. Je suis un être humain, moi. Je n'ai pas besoin de tuer pour vivre.

— Mais les humains s'entre-tuent continuellement, a-t-il objecté. Et ce n'est même pas pour se nourrir.

— Pas tous les humains.

— C'est vrai, a-t-il reconnu. Alors que nous, les vampires nous sommes tous des assassins.

— Oui, mais en un sens, vous êtes un peu comme les lions.

Sur le coup, l'idée m'a semblé lumineuse.

— Les lions? a-t-il répété d'un air ahuri.

— Les lions tuent tout le temps. Eh bien, vous êtes comme eux: des... des prédateurs. Vous tuez pour manger.

— Le hic, dans cette brillante théorie, m'a-t-il aimablement fait remarquer, c'est que nous vous ressemblons presque trait pour trait. Et qu'avant de devenir ce que nous sommes, nous étions humains. Et que nous pouvons tout autant vous aimer que vous sucer le sang. On pourrait difficilement dire du lion qu'il a envie de caresser l'antilope avant de la dévorer...

Soudain, j'ai senti que l'atmosphère avait changé. J'avais un peu l'impression d'être une antilope, traquée par un lion... un lion avec des idées en tête.

Je le préférais en pauvre victime terrifiée. Je me sentais plus à l'aise.

— Eric, ai-je repris en choisissant soigneusement mes mots, tu sais que tu n'es que mon invité ici. Il suffirait que je te dise de t'en aller – ce que je serai obligée de faire si tu n'es pas réglo avec moi – pour que tu te retrouves au beau milieu de nulle part, dans le froid, avec pour toute protection un peignoir trop court pour toi...

— Est-ce que j'ai dit quelque chose qu'il ne fallait pas ? s'est-il aussitôt alarmé, l'air navré, en me regardant avec, dans ses grands yeux bleus, une expression de sincérité des plus émouvantes. Je suis désolé. J'essayais juste de poursuivre ton raisonnement jusqu'au bout. Aurais-tu une autre bouteille de TrueBlood ? Et au fait, quels vêtements Jason m'a-t-il rapportés, finalement ? Ton frère est un homme très intelligent.

L'intelligence de mon frère semblait pourtant lui inspirer une certaine réticence. Je ne lui en voulais pas : elle allait quand même lui coûter la bagatelle de trente-cinq mille dollars. Je me suis levée pour aller chercher le sac du supermarché, en espérant qu'Eric aimerait son tout nouveau sweat-shirt aux couleurs de l'université de Louisiane et son jean bon marché.

Je me suis couchée vers minuit, abandonnant Eric devant la télévision, avec mes vidéos de *Buffy contre les vampires* première saison – cadeau en forme de clin d'œil signé Tara, ma vieille amie d'enfance. Eric trouvait la série tordante, surtout la façon dont le front des vampires enflait quand ils étaient assoiffés de sang. De temps à autre, je l'entendais rire. Ça ne me dérangeait pas. Au contraire, ça me plaisait de sentir une présence amicale dans la maison. C'était réconfortant.

J'ai eu plus de mal que d'habitude à m'endormir. Je passais en revue les événements de la journée. Eric était un peu comme un de ces témoins à charge placés sous haute protection policière, et c'était moi qui fournissais la planque. Excepté Jason, Pam, Chow et moi, personne au monde ne savait où se trouvait le shérif de la Cinquième Zone à l'heure actuelle.

À savoir, dans mon lit.

Je n'avais aucune envie d'ouvrir les yeux, encore moins de me disputer avec lui. J'étais juste à ce stade entre veille et sommeil où on est trop engourdi pour avoir le courage de bouger ou de parler. Quand il s'était glissé sous mes draps, la nuit précédente, Eric avait l'air tellement désemparé que mon instinct maternel s'était éveillé, et que je n'avais éprouvé aucun scrupule à lui tenir la main pour le rassurer. Mais là, ça me paraissait moins... neutre, disons.

— Froid ? ai-je vaguement marmonné comme il se blottissait contre moi.

— Mmm...

J'étais allongée sur le dos, si confortablement installée que je n'aurais pas pu remuer même un orteil. Eric était étendu sur le flanc, un bras en travers de mon ventre. Comme il ne bougeait pas et que tout son corps semblait complètement relâché, j'ai fini par me détendre aussi. Et en une seconde, j'ai basculé de l'autre côté du réel.

Quand j'ai repris conscience, c'était le matin et le téléphone sonnait. J'étais seule dans mon lit – forcément – et, par l'entrebâillement de la porte, j'apercevais le placard ouvert dans la chambre d'en face : Eric avait bel et bien regagné sa cachette à l'aube.

Il faisait beau et un peu plus chaud que la veille – dans les 5 °C. J'étais de bien meilleure humeur aussi. J'avais une vue un peu plus précise de la situation. Ou, du moins, je savais à peu près ce que j'étais censée faire les jours suivants. Je le croyais, en tout cas. Jusqu'à ce que je décroche le téléphone.

— Où est ton frère ? a hurlé Shirley Hennessey, le patron de Jason.

On serait tenté de penser qu'un type baptisé Shirley est un petit marrant. Mais une fois nez à nez avec lui, on comprenait assez rapidement que le rire n'était pas de mise.

— Comment veux-tu que je le sache ? ai-je répondu sur un ton raisonnable. Il est sans doute dans le lit d'une nana quelconque...

Shirley, que tout le monde à Bon Temps appelait Catfish, ne m'avait jamais, absolument jamais, téléphoné pour me demander où était mon frère. En fait, j'aurais été surprise d'apprendre qu'il ait déjà eu besoin de téléphoner à Jason pour le rappeler à l'ordre. S'il y avait une chose que mon frère respectait, c'était son travail : il arrivait à l'heure et s'efforçait de travailler correctement (ou, du moins, de donner le change) jusqu'à ce qu'il soit temps de partir, et pas avant. À vrai dire, Jason était plutôt bon dans sa partie – ne me demandez pas en quoi consistait son job, je n'y ai jamais rien compris. Apparemment, il s'agissait de garer son beau pick-up de frimeur sur le parking du service de voirie pour monter dans un autre camion, avec le logo de la commune sur la portière, et de se balader toute la journée pour aller dire à des bandes de types en salopette verte ce qu'ils devaient faire. Il me semble aussi que son travail l'obligeait à descendre de temps en temps de son camion pour rester planté avec d'autres mecs à discuter devant de gros trous creusés dans la route.

Mon franc-parler a paru déstabiliser Catfish.

— Sookie ! Tu ne devrais pas dire des choses pareilles ! s'est-il exclamé, manifestement choqué qu'une fille célibataire puisse reconnaître à haute voix que son frère n'était plus un jeune homme innocent.

— Jason ne s'est pas présenté à son travail ? C'est bien ce que tu essaies de me dire ? Tu as appelé chez lui ?

— La réponse est oui. Aux deux questions, m'a répondu Catfish. J'ai même envoyé Dago vérifier sur place.

Dago (apparemment, le surnom est obligatoire dans la voirie) n'était autre qu'Antonio Guglielmi, qui n'était jamais allé plus loin, dans toute sa vie, que le Mississippi. Ses parents non plus, probablement, ni ses grands-parents, même si, d'après une rumeur, ils étaient allés une fois au spectacle à Branson.

— Est-ce qu'il a vu son pick-up ?

Je commençais à sentir cette fichue main de glace se refermer sur ma nuque.

— Oui. Il était garé juste devant chez lui. Les clés étaient dessus, et la porte ouverte.

— La porte du pick-up ou celle de la maison ?

— Quoi ?

— La porte ouverte. C'était laquelle ?

— Oh ! Celle du pick-up.

— Holà ! Ça ne va pas du tout, ça, Catfish.

C'était comme si tous mes signaux d'alarme s'étaient mis à sonner en même temps. Tout mon corps en picotait.

— Quand est-ce que tu as vu ton frère pour la dernière fois, Sookie ?

— Eh bien… hier soir. Il est passé à la maison et il est parti vers 21 h 30, 22 heures.

— Il y avait quelqu'un avec lui ?

— Non.

Il était bien venu tout seul, non ? Bon, alors, je ne mentais pas.

— Tu crois que je devrais appeler le shérif ?

Je me suis passé la main sur la figure. Je n'en étais pas à ce stade, quand bien même la situation me paraissait déjà plus que préoccupante.

— Attendons une petite heure. Si Jason ne s'est pas pointé dans une heure, rappelle-moi. S'il arrive, dis-lui de me passer un coup de fil. Je suppose que c'est à moi d'avertir le shérif, de toute façon. À supposer qu'on doive en arriver là...

J'ai fini par raccrocher, après avoir écouté Catfish me raconter quatre ou cinq fois la même chose, juste parce qu'il était mort d'inquiétude et qu'il ne supportait pas l'idée de se retrouver tout seul à se ronger les sangs dans son bureau – non pas que je puisse lire dans les pensées des gens par téléphone, mais ça s'entendait à sa voix. Je connaissais Catfish depuis des années. C'était un copain de mon père.

J'ai emporté le téléphone sans fil dans la salle de bains et je l'ai posé sur le rebord du lavabo pendant que je prenais une douche. Je ne me suis pas lavé les cheveux, au cas où j'aurais été obligée de sortir précipitamment. Je me suis habillée en deux temps, trois mouvements, je me suis servi un café et je me suis fait une longue tresse bien serrée. Et pendant tout ce temps, j'ai réfléchi.

J'ai abouti aux conclusions suivantes :

1) Première possibilité (mon scénario favori) : quelque part, entre ma maison et la sienne, mon frère avait rencontré une femme dont il était tombé si éperdument amoureux qu'après des années d'infaillible ponctualité, il avait tout oublié de son travail. À l'instant même, il était au lit avec la femme de sa vie et ils faisaient l'amour comme des bêtes.

2) Deuxième hypothèse : les sorcières avaient, d'une manière ou d'une autre, découvert que Jason savait où se trouvait Eric et l'avaient capturé pour le forcer à parler. J'allais devoir en apprendre plus sur ces créatures, d'ailleurs. Combien de temps Jason tiendrait-il avant de vendre la mèche ? Mon frère est sans doute arrogant, mais c'est vraiment un type courageux – « buté » serait peut-être plus juste, dans son cas. On ne réussirait pas à le faire craquer faci-

lement. Mais peut-être qu'une sorcière pouvait lui jeter un sort pour l'obliger à révéler ce qu'il savait ? De toute façon, si les sorcières l'avaient enlevé, il devait être mort, à présent, étant donné qu'elles le retenaient prisonnier depuis des heures. Or, s'il avait parlé, j'étais en danger. Et Eric était perdu : les sorcières pouvaient débarquer d'un instant à l'autre, puisqu'elles ne craignaient pas la lumière du jour, alors qu'Eric était plongé dans un sommeil d'outre-tombe, désarmé et sans défense. C'était assurément le pire des scénarios.

3) Troisième solution : Jason avait accompagné Pam et Chow à Shreveport – peut-être qu'il avait exigé une avance, à moins qu'il n'ait eu envie d'aller faire un tour au *Fangtasia*. Une fois là-bas, il avait été séduit par une jolie vampire et avait passé la nuit avec elle – Jason avait ça de commun avec Eric qu'il faisait craquer les filles. Pour peu que son amante ait légèrement forcé sur la morsure, Jason pouvait être en train de dormir comme un bienheureux, à l'heure qu'il était.

Bon, je reconnais que l'option numéro trois ressemblait fort à une variante de la numéro un.

Si Pam et Chow savaient où était Jason et ne m'avaient pas téléphoné pour me le dire, avant de quitter le monde des vivants pour la journée, je me promettais d'aller chercher une hache sans délai pour me tailler quelques jolis pieux bien pointus.

Puis je me suis rappelé que je tentais ces temps-ci d'oublier la sensation du pieu qui pénétrait dans la chair de Lorena et l'expression sur son visage lorsqu'elle avait su que sa vie interminable allait prendre fin. J'ai violemment repoussé cette idée. On ne tue pas quelqu'un, même un vampire maléfique, sans en être affecté un jour ou l'autre. Sauf si on est un sociopathe complet, ce que je ne suis pas.

Lorena quant à elle, m'aurait tué sans aucune hésitation. Elle y aurait même pris un grand plaisir. Mais ce n'est guère surprenant, pour un vampire. Bill ne cessait de me répéter à quel point les vampires sont différents tout en ayant conservé une apparence humaine – plus ou moins. Leurs fonctions physiologiques et leurs personnalités changeaient radicalement. J'en étais bien convaincue, et je respectais ses mises en garde, la plupart du temps. Mais les vampires semblaient tellement humains. Il était si facile de leur attribuer des réactions et des sentiments humains.

Le plus frustrant dans tout ça, c'était que Pam et Chow ne se réveilleraient pas avant la nuit et que je ne savais pas qui j'allais alerter, si j'appelais le *Fangtasia* dans la journée. Je ne pensais pas que Pam et Chow vivaient au-dessus du club. J'avais cru comprendre qu'ils partageaient une maison – un mausolée ? – quelque part dans le centre-ville de Shreveport.

Cependant, j'étais presque certaine que des humains venaient faire le ménage au *Fangtasia*. Le problème, c'était que, bien évidemment, ces employés ne me diraient rien des affaires de leurs employeurs. Les humains qui travaillaient pour les vampires ne mettaient pas longtemps à comprendre qu'ils avaient tout intérêt à tenir leur langue. J'étais bien placée pour le savoir.

Par ailleurs, si je me rendais au bar, je pourrais au moins parler à quelqu'un directement, ce qui me permettrait de lire dans les pensées de mon interlocuteur – je ne pouvais pas lire dans les pensées des vampires. C'était justement ce qui m'avait tout d'abord attirée chez Bill. Imaginez le soulagement que vous pourriez éprouver en découvrant le silence total, après une vie entière passée dans une ambiance de musique d'aéroport. Quant à la raison pour laquelle je ne pouvais pas lire dans les pensées des vampires, j'avais ma petite idée là-dessus. Je n'ai absolument pas l'esprit scientifique. Mais j'ai lu que les neurones émettent un signal électrique dans le cerveau, quand on réfléchit. Bon. Eh bien, comme les vampires ne sont pas animés par une énergie normale, mais par une force surnaturelle, leurs cerveaux n'émettent rien. Donc, rien à pêcher pour moi – sauf peut-être une fois tous les trois mois, quand il m'arrive d'avoir un flash. Et je garde ça pour moi très soigneusement : je n'ai pas envie de mourir.

Bizarrement, il n'y avait qu'un vampire dont j'avais brièvement perçu les pensées, et ce à deux reprises. Et, comme par hasard, il s'agissait d'Eric.

Si j'avais tant apprécié sa compagnie, ces derniers jours, c'était aussi pour cette raison, celle-là même qui m'avait fait apprécier la compagnie de Bill – en dehors de toute considération sentimentale, s'entend. Même Arlene a tendance à se laisser distraire quand je lui parle. Il suffit qu'autre chose d'intéressant lui passe par la tête – comme les notes de ses enfants ou quelque chose de touchant qu'ils lui ont dit – pour qu'elle cesse de m'écouter. Mais Eric peut penser que sa voiture a besoin d'une nouvelle paire d'essuie-glaces pendant que je lui ouvre mon cœur, je n'en saurai strictement rien.

L'heure que j'avais demandée à Catfish était pratiquement écoulée, et tous mes beaux efforts de réflexion constructive n'avaient abouti qu'à ressasser de mornes divagations, mes raisonnements s'embourbant tous dans les mêmes sombres conjectures. Bla-bla-bla. Voilà ce qui se passe quand on parle toujours tout seul.

Bon. Il était temps de passer à l'action.

Le téléphone a sonné pile à l'heure prévue, et Catfish m'a annoncé, la mort dans l'âme, qu'il n'avait aucune nouvelle de mon frère. Personne n'avait eu de ses nouvelles, ni ne l'avait vu depuis la veille. Par ailleurs, a-t-il ajouté – sans doute pour me remonter le moral –, à part la portière ouverte de son pick-up, Dago n'avait rien remarqué de suspect chez mon frère.

Je rechignais toujours à appeler le shérif, mais je n'avais pas vraiment le choix : à ce stade, ce serait suspect.

Je m'attendais à provoquer tout un ramdam, mais ce que j'ai obtenu était pire encore : mon appel désespéré a été accueilli dans une indifférence bienveillante. Bud Dearborn a même éclaté de rire.

— Attends… Tu veux dire que tu m'appelles parce que ton coureur de frère ne s'est pas présenté à l'heure au boulot ? Sookie Stackhouse, tu me déçois.

Bud Dearborn parlait toujours au ralenti et, avec sa tête écrabouillée de pékinois, je l'imaginais sans peine reniflant d'un air dégoûté dans le téléphone.

— Il n'a jamais manqué un seul jour de travail, et son pick-up est toujours devant chez lui. La portière est restée ouverte.

Bud Dearborn pouvait comprendre un tel argument : il était homme à savoir apprécier un beau pick-up.

— C'est vrai que ça peut paraître un peu bizarre, mais bon. Ça fait une paie que Jason est majeur et vacciné. Et il a la réputation de…

… *sauter sur tout ce qui bouge*, ai-je mentalement complété.

— … plaire aux dames, a achevé Bud, qui avait manifestement fait un effort de vocabulaire. Je parie qu'il s'est mis à la colle avec une fille et qu'il sera bien embêté de t'avoir causé tous ces soucis. Rappelle-moi si tu n'as pas eu de nouvelles d'ici à demain soir, d'accord?

J'ai pris ma voix la plus glaciale pour répondre :

— D'accord.

— Allons, Sookie, ne va pas te fâcher contre moi. Je te dis juste ce que n'importe quel représentant de la loi te dirait, en pareil cas.

Ouais, s'il a un poil dans la main aussi gros que le tien! C'est ce que je me suis dit. Mais je l'ai gardé pour moi. Bud était le shérif du comté, je n'avais pas intérêt à me le mettre à dos.

J'ai marmonné une vague formule de politesse et j'ai raccroché. Après avoir fait mon rapport à Catfish, j'ai décidé de prendre les choses en main. Pour l'heure, je n'avais qu'une option possible : aller à Shreveport. J'ai repris le téléphone pour appeler Arlene. Puis je me suis souvenue qu'elle avait les enfants à la maison, étant donné que c'étaient les vacances. J'ai bien pensé à appeler Sam, mais, tel que je le connaissais, il allait se sentir obligé d'intervenir, et je ne voyais pas en quoi il aurait pu m'être utile. J'avais juste besoin de partager mes ennuis avec quelqu'un. Mais c'était injuste pour la personne en question. La seule personne qui pouvait m'aider, c'était moi-même, et j'ai fini par me résoudre à jouer les femmes indépendantes. Malgré tout, j'ai quand même failli appeler Alcide Herveaux. C'est un bosseur, qui a une bonne situation à Shreveport. Son père est à la tête d'un bureau d'études, dans le bâtiment. Ils offrent leurs services à travers trois états et Alcide se déplace énormément. J'avais parlé de lui à Eric, la veille. Eric l'avait envoyé avec moi à Jackson. Mais Alcide et moi avions quelques difficultés d'ordre personnel à régler, et il serait déloyal de l'appeler pour lui demander de m'aider. D'autant plus qu'il ne pourrait pas m'aider. J'en étais du moins convaincue.

Je me sentais angoissée à l'idée de quitter la maison, au cas où quelqu'un aurait appelé pour me donner des nouvelles de Jason. Mais puisque le shérif n'avait pas l'intention de lancer des recherches, il n'y avait aucune raison que les choses s'arrangent dans les heures à venir.

Avant de partir, j'ai veillé à remettre en place tout le bric-à-brac du placard, dans la petite chambre, pour qu'on ne puisse rien suspecter d'anormal. Eric aurait un peu plus de mal à s'extraire de sa cachette, mais il était de taille à y parvenir. Impossible de lui laisser un petit mot : si quelqu'un s'introduisait chez moi, ça ne ferait que le trahir. Et si j'appelais dès la nuit tombée, il ne répondrait pas, il était trop malin pour ça. Cependant, il était tellement chamboulé par sa crise d'amnésie qu'il pouvait être pris de panique en se retrouvant seul dans la maison, à plus forte raison s'il ne trouvait aucune explication pour justifier mon absence.

Puis j'ai eu une illumination. J'ai arraché une feuille à mon éphéméride de l'année précédente (« mot du jour : exaction ») et je me suis mise à écrire :

Jason,
Si tu viens ici, appelle-moi. Je me fais un sang d'encre. Personne ne sait où tu es. Je reviens cet après-midi ou dans la soirée. Je vais passer chez toi, avant d'aller voir si tu n'es pas parti faire un tour à Shreveport, et je rentre.
Bises,

Sookie

Voilà. Eric saurait lire entre les lignes. Mais tout était plausible. Si quelqu'un pénétrait effectivement chez moi pour fouiller la maison et voyait ce message, il se dirait seulement que j'étais une sœur aimante et inquiète.

Malgré tout, j'avais des scrupules à laisser Eric tout seul, si vulnérable dans son sommeil sans rêves. Et si les sorcières débarquaient ?

Mais si elles avaient suivi Eric, elles seraient venues chez moi depuis longtemps, non ? Du moins, c'était mon raisonnement. J'ai pensé à appeler Terry Bellefleur pour lui demander de rester chez moi – c'est un vrai dur. J'aurais pu lui dire que j'attendais des nouvelles de Jason, par exemple : un excellent prétexte. Mais ce n'était pas honnête de mettre en péril la vie de Terry pour assurer la protection d'Eric.

J'ai appelé tous les hôpitaux des environs. Intérieurement, je pestais : c'était au shérif de faire ça, pas à moi. Le nom de Jason ne figurait sur aucune des listes d'admission. J'ai fait mon enquête auprès de la police de la route pour savoir s'il y avait eu des accidents pendant la nuit : aucun dans les parages. J'ai appelé quelques-unes des dernières conquêtes de Jason, mais je n'ai obtenu que des réponses négatives – et pour certaines, des plus obscènes.

J'ai pensé que j'avais couvert toutes les mesures les plus élémentaires. Il ne me restait plus qu'à me rendre chez Jason. Assez fière de mon esprit d'initiative, j'ai donc pris Hummingbird Road pour gagner la maison dans laquelle j'avais vécu jusqu'à l'âge de dix ans. J'ai laissé le *Merlotte* sur ma droite, passé le carrefour qui menait vers le centre de Bon Temps, pris sur la gauche, et je n'ai pas tardé à apercevoir la vieille bâtisse familiale. Le pick-up de Jason était garé devant, comme je m'y attendais, mais il y en avait un autre, tout aussi rutilant, stationné cinquante mètres plus loin.

Quand je suis descendue de voiture, un type à la peau si noire qu'elle en était presque bleue inspectait le sol autour du véhicule de mon frère. C'est ainsi que j'ai découvert, à ma grande surprise, que le deuxième pick-up appartenait à Alcee Beck, le seul Afro-Américain des forces de police locales. Ça m'a rassurée – et un peu alarmée, en même temps.

— Bonjour, mademoiselle Stackhouse, m'a-t-il dit avec gravité.

Alcee portait un pantalon à pinces, une veste et de lourdes bottes qui avaient connu des jours meilleurs. Les bottes détonnaient avec le reste de sa tenue. J'imagine qu'il les gardait dans son pick-up pour le cas où il serait obligé d'aller vadrouiller dans la campagne, là où on risquait de se mouiller les pieds. Alcee était un puissant émetteur, et après avoir abaissé mes barrières mentales, j'ai pu lire dans ses pensées à livre ouvert.

C'est ainsi que j'ai appris rapidement qu'Alcee n'était pas content de me voir, qu'il ne m'aimait pas et qu'il était convaincu qu'il était effectivement arrivé quelque chose à mon frère. Le lieutenant Beck ne portait pas Jason dans son cœur et il me trouvait profondément angoissante. Il m'évitait autant que possible.

Ce qui, en toute honnêteté, me convenait parfaitement.

J'en savais plus sur Alcee Beck que je ne l'aurais voulu, et ce que m'avaient dévoilé ses pensées n'était pas très reluisant. Je savais, notamment, que, même s'il était un père et un mari aimant, il était brutal envers les prisonniers qui ne se montraient pas assez coopératifs à son goût, qu'il s'en mettait plein les poches dès que l'occasion se présentait et qu'il veillait à ce que ces occasions se présentent le plus souvent possible. Alcee Beck réservait son petit trafic à la communauté afro-américaine, partant du principe que des Noirs n'oseraient jamais le dénoncer à un Blanc. Jusqu'à présent, les faits lui avaient donné raison.

Voilà justement le genre de choses que j'entends et que j'aurais préféré ne pas savoir. C'était tout de même une autre affaire que de découvrir qu'Arlene estimait que le mari de Charlsie n'était pas digne de Charlsie, ou que Hoyt Fortenberry avait cabossé une voiture sur le parking et n'avait pas prévenu son propriétaire.

Vous voulez savoir ce que je fais de ce type d'informations ? Eh bien, je vais vous le dire : rien. J'ai appris à mes dépens que quand j'essaie d'intervenir pour corriger le tir, ça ne marche pratiquement jamais. Personne n'est plus heureux pour autant, et tout ce que j'y gagne, c'est que ma petite particularité est portée à l'attention générale, que ça met tout le monde mal à l'aise et que plus personne n'ose m'adresser la parole pendant un mois. Je détiens donc autant de secrets dans ma mémoire qu'il y a d'or à Fort Knox, et ils y sont enfermés à double tour, tout comme les réserves dans la forteresse.

J'avoue que toutes les petites mesquineries que j'entendais dans l'esprit de mon prochain n'ont jamais chamboulé les grands desseins de la vie. En revanche, les trafics d'Alcee accroissaient concrètement la misère humaine. Mais, jusqu'alors, je n'avais pas trouvé le moyen de l'empêcher de nuire. Il était assez malin pour rester dans l'ombre et se débrouillait pour que ses activités n'éveillent pas les soupçons de ceux qui pourraient lui créer des ennuis. Peut-être même que Bud Dearborn était de mèche.

— Lieutenant Beck. Vous cherchez Jason ?

— Le shérif m'a demandé de venir faire un tour pour vérifier que tout était en ordre.

— Avez-vous trouvé quelque chose d'anormal ?

— Non, mademoiselle. Rien d'anormal.

— Le patron de Jason vous a dit que la portière de son pick-up était restée ouverte ?

— Je l'ai fermée pour ne pas user inutilement la batterie. Je n'ai touché à rien, naturellement. Mais je suis sûr que votre frère va revenir d'un moment à l'autre. Il ne serait pas content d'apprendre qu'on a fouillé dans ses affaires sans raison.

— J'ai sa clé et j'espère bien que vous allez venir avec moi.

— Soupçonnez-vous qu'il ait pu arriver quelque chose à votre frère à l'intérieur de la maison ?

— Ce n'est pas impossible. Ça ne lui ressemble pas de ne pas se présenter à son travail. Il n'a jamais raté un seul jour de boulot. Et je sais toujours où le trouver. Il se débrouille pour me le faire savoir.

— Il vous le dirait s'il filait avec une fille ? Je ne connais pas beaucoup de frères qui feraient ça, mademoiselle Stackhouse.

— Il me préviendrait, ou il le dirait à Catfish.

Alcee Beck faisait de son mieux pour afficher un scepticisme flagrant, mais il n'était pas très convaincant.

La maison était verrouillée, comme il se doit. J'ai choisi la bonne clé sur mon trousseau et je suis entrée, Alcee Beck sur mes talons. Je n'éprouvais pas ce sentiment de « rentrer chez soi » qu'on peut avoir quand on retourne dans la maison de ses parents. J'avais vécu chez ma grand-mère bien plus longtemps qu'ici. À peine Jason avait-il eu vingt ans qu'il s'installait à demeure entre ces vieux murs. Mais moi, même si je faisais un saut de temps en temps, je n'avais probablement pas passé plus de vingt-quatre heures au total dans cette maison, depuis huit ans qu'il y habitait.

En jetant un regard circulaire, je me suis rendu compte que mon frère n'avait pas changé grand-chose durant tout ce temps. C'était une construction dans le style ranch, avec de petites pièces carrées. Bien sûr, elle était beaucoup plus récente que la maison de Gran – la mienne, désormais – et nettement mieux isolée. C'était mon père qui avait fait le plus gros du travail, et c'était un vrai bâtisseur.

Le petit salon était toujours encombré des meubles en bois d'érable que ma mère avait trouvés chez un discounter. Le tissu qui recouvrait les fauteuils – beige avec de grosses fleurs bleues et vertes toujours inconnues, à ce jour, dans la nature – avait conservé tout son éclat. Dommage ! Il m'avait fallu quelques années pour réussir à m'avouer que ma mère, une femme très intelligente à bien des égards, n'avait absolument aucun goût. Jason n'était toujours pas parvenu à cette conclusion. Il avait remplacé les rideaux parce qu'ils s'effilochaient et que leur couleur passait, et il avait acheté un nouveau tapis pour cacher les endroits où l'ancien était le plus élimé. La cuisine était pourvue des appareils ménagers dernier cri, et il avait travaillé dur pour moderniser la salle de bains. Mais si mes parents étaient entrés chez eux aujourd'hui, seize ans après leur disparition, ils se seraient sentis très à l'aise et n'auraient pas vraiment vu la différence.

Avec un coup au cœur, j'ai brusquement pris conscience qu'ils étaient morts depuis presque vingt ans.

Je suis restée dans l'entrée, en priant pour ne pas tomber sur des taches de sang, pendant qu'Alcee Beck commençait à inspecter les lieux. Après un premier moment d'hésitation, je me suis décidée à le suivre. Il n'y avait pas grand-chose à voir – comme je l'ai déjà dit, ce n'était pas un palace : trois chambres (dont deux grandes comme un mouchoir de poche), un salon, une cuisine, une salle de bains, une assez belle pièce à vivre et une petite salle à manger. Une maison tout à fait ordinaire, comme il en existe partout en Amérique.

La maison était à peu près en ordre. Jason n'avait jamais vécu comme un porc, même s'il lui arrivait parfois d'en avoir le comportement. Le lit *king size*, qui emplissait à lui tout seul la plus grande des trois chambres, avait vaguement été fait. Les draps dépassaient du couvre-lit – des draps noirs et brillants, probablement censés imiter le satin. Trop glissants pour moi. Je préfère la percale.

— Pas de trace de lutte, a conclu le lieutenant.

— Tant mieux. Pendant que je suis là, je vais en profiter pour prendre quelque chose, lui ai-je annoncé en retournant dans le salon.

Je me suis dirigée vers l'armurerie familiale, un petit placard dans lequel mon père, autrefois, enfermait ses fusils. Il était fermé à clé. J'ai passé mon trousseau en revue. Effectivement, j'avais le sésame correspondant. Jason s'en était chargé il y a bien longtemps : il voulait que je puisse lui apporter d'autres fusils s'il en avait besoin lorsqu'il partait chasser. Pourtant, jamais je n'aurais tout laissé tomber pour courir et satisfaire ses caprices.

Tous les fusils de Jason et de mon père se trouvaient dans ce placard. Et toutes les munitions qui allaient avec.

— Le compte y est ? m'a lancé le lieutenant, qui tournait en rond sur le seuil du salon, en attendant que j'aie fini.

— Oui. Je vais juste en prendre un pour la maison.

— Des ennuis ?

J'ai vu une lueur d'intérêt illuminer son regard, pour la première fois depuis mon arrivée.

— Si Jason a disparu, qui sait ce que ça peut vouloir dire ?

J'espérais que ma réponse était suffisamment ambiguë : bien qu'il ait peur de moi, Beck avait une piètre opinion de mes facultés intellectuelles. Jason avait dit qu'il m'apporterait son fusil, et je savais que je me sentirais mieux si je l'avais. J'ai donc sorti le Benelli du placard et cherché les cartouches. Jason m'avait appris à m'en servir. C'était son arme favorite, un petit bijou dont il était très fier. J'ai déniché deux boîtes de cartouches. Je me suis retournée vers le lieutenant Beck et les lui ai montrées.

— Lesquelles dois-je prendre ?

— Waouh ! Un Benelli ! s'est-il exclamé, sincèrement impressionné. Calibre douze, hein ? Moi, je prendrais les chevrotines, m'a-t-il conseillé. Les cartouches pour le tir à la cible n'ont pas le même pouvoir d'arrêt.

J'ai glissé les munitions en question dans ma poche et j'ai emporté le fusil dans ma voiture. Beck m'a emboîté le pas.

— Vous devez enfermer le fusil dans le coffre et les cartouches dans l'habitacle, m'a indiqué le lieutenant.

J'ai suivi ses consignes à la lettre, allant jusqu'à ranger les cartouches dans la boîte à gants. Beck avait hâte de me fausser compagnie, et j'avais la nette impression qu'il mènerait les recherches pour retrouver mon frère avec piètre enthousiasme.

— Avez-vous jeté un coup d'œil derrière la maison ?

— Je venais juste de me garer quand vous êtes arrivée.

J'ai désigné l'étang du menton. Nous avons contourné la maison. Avec l'aide de Hoyt Fortenberry, Jason avait construit une grande terrasse en bois à l'arrière du bâtiment, à peu près deux ans plus tôt. Il l'avait agrémentée d'un joli mobilier de jardin acheté en soldes au supermarché. Il avait même pensé à mettre un cendrier sur la table en fer forgé pour ses copains fumeurs. Quelqu'un l'avait utilisé. Hoyt fumait. À part ça, rien à signaler.

Le terrain descendait en pente douce jusqu'à l'étang. Pendant qu'Alcee Beck jetait un coup d'œil à la porte de derrière, je me suis dirigée vers le ponton que mon père avait bâti au bord de l'étang pour pêcher. J'ai cru voir une tache sur le bois. Quelque chose s'est recroquevillé en moi à la vue du sang. J'ai dû laisser échapper un juron ou une exclamation, car Alcee est immédiatement apparu à côté de moi.

— Regardez, sur le ponton.

Il s'est figé comme un chien d'arrêt.

— Restez où vous êtes, m'a-t-il ordonné avec une autorité toute professionnelle.

Il s'est avancé avec précaution, inspectant le sol avant d'y poser le pied. Il s'est ensuite accroupi sur les planches délavées pour regarder la tache de plus près. Mais il semblait concentrer toute son attention à droite de la tache, sur quelque chose que je ne voyais pas et que je ne réussissais même pas à trouver dans ses pensées. Puis il s'est demandé quel genre de chaussures mon frère portait à son travail. Ça, au moins, c'était clair.

— Des Caterpillar, ai-je lancé.

Je sentais la peur monter en moi, à tel point que j'en tremblais. Jason était ma seule famille.

C'est seulement à ce moment-là que j'ai compris mon erreur, le genre d'erreur que je ne commettais plus depuis des années: répondre à une question avant qu'on ne me l'ait posée. J'ai plaqué la main sur ma bouche en voyant le regard de Beck. Il avait les yeux agrandis par l'effroi. Il voulait déguerpir au plus vite, mettre autant de distance que possible entre lui et moi. Il se disait que Jason était peut-être au fond de l'étang, mort. Il imaginait que Jason était tombé, s'était assommé sur le ponton et avait glissé dans l'étang. Mais il y avait cette empreinte bizarre…

— Quand pourrez-vous faire fouiller l'étang?

Il s'est retourné vers moi, les traits déformés par la terreur. Ça faisait des années qu'on ne m'avait pas regardée comme ça. Je lui avais fichu la frousse. C'était bien la dernière chose que j'aurais voulu faire.

— Avec ce sang sur le ponton, j'ai peur que Jason soit tombé à l'eau, ai-je ajouté.

Fournir une explication rationnelle à mes interlocuteurs était devenu une seconde nature chez moi.

Beck a semblé se ressaisir un peu et a reporté son regard sur l'étang. Mon père avait choisi l'emplacement pour l'étang. Quand j'étais petite, il m'avait expliqué qu'il était très profond et qu'un ruisseau l'alimentait. Une partie des rives était entretenue et aménagée en jardin. Mais vers le fond se dressait une forêt dense. Jason aimait s'asseoir sur le ponton tard le soir, armé de jumelles, pour observer la faune qui venait s'abreuver.

Jason veillait aussi à ce que l'étang soit bien pourvu en poissons.

Mon estomac s'est noué.

Le lieutenant a fini par revenir.

— J'ai des coups de fil à passer, a-t-il déclaré après un instant. Ça peut prendre un moment avant de trouver un plongeur. Et puis, il me faut l'aval du chef.

Ces choses-là coûtaient de l'argent, et cette dépense n'avait pas été prévue dans le budget du comté.

J'ai pris une profonde inspiration.

— C'est une question d'heures ou de jours ?

— Un jour ou deux. Impossible d'envoyer quelqu'un qui n'est pas entraîné pour. Il fait trop froid, et Jason lui-même m'a dit que c'était profond.

— Bon.

Je rongeais mon frein, mais je ne voulais rien laisser paraître de mon impatience et de la colère que je sentais monter en moi. J'étais morte d'inquiétude.

— Carla Rodriguez était en ville, hier soir, m'a subitement annoncé Alcee.

Mon cerveau a mis un certain temps avant de comprendre ce que ça impliquait.

Si Jason avait failli tomber amoureux un jour, c'était quand il avait rencontré Carla Rodriguez, une petite brune aux yeux de braise et au sang chaud. D'ailleurs, la petite SurNat qui accompagnait Jason au réveillon du Nouvel An lui ressemblait un peu. À mon grand soulagement, Carla avait déménagé à Houston, trois ans auparavant. Je commençais à en avoir assez des étincelles que produisait sa liaison avec mon frère. Leur relation houleuse avait été émaillée de longues et bruyantes disputes en public, de claquements de porte et de téléphones raccrochés au nez.

— Ah, bon ?

— Oui. Elle est chez sa cousine de Shreveport. Vous savez, la fameuse Dovie…

Dovie Rodriguez était souvent venue à Bon Temps, à l'époque où Carla y avait pris ses quartiers. Dovie était raffinée, éduquée, le stéréotype de la « cousine de la ville » descendue pour nous mettre le nez dans la bouse et nous apprendre les bonnes manières. Évidemment, tout le monde l'enviait.

Aller interroger Dovie, c'était exactement ce que j'attendais !

Il était écrit que j'irais à Shreveport, apparemment.

4

Après ça, le lieutenant m'a plus ou moins poussée dehors, en me disant qu'il ferait venir ses collègues de la police scientifique pour examiner la maison de plus près et qu'il me tiendrait au courant. Il était clair qu'il cherchait à se débarrasser de moi. Impression confirmée directement à la source : il y avait quelque chose qu'il ne voulait pas que je voie et il m'avait jeté Carla Rodriguez en guise d'appât pour faire diversion.

Puisqu'il était, à présent, pratiquement sûr d'être sur une affaire criminelle, je le voyais bien me confisquer mon arme : elle aurait pu faire partie des pièces à conviction. Mais il ne m'a rien demandé, et je n'ai pas été assez bête pour le lui rappeler.

J'étais plus secouée que je ne voulais me l'avouer. Quoique fermement décidée à rechercher Jason, j'avais jusque-là gardé l'intime conviction qu'il allait bien, qu'il était avec une fille ou qu'il s'était simplement laissé embarquer dans une galère, mais rien de trop méchant. À présent, les choses avaient pris un tour nettement plus sérieux.

Ce n'était pourtant pas faute de me serrer la ceinture, mais je n'avais jamais réussi à me payer un portable, alors je suis rentrée chez moi pour téléphoner. Mais, tout en conduisant, je me suis demandé qui je pourrais bien appeler et j'ai abouti à la même conclusion qu'un peu plus tôt : personne. Les choses n'avaient pas vraiment avancé : je n'avais aucune nouvelle digne de ce nom à annoncer. Jamais je ne m'étais sentie aussi seule. Mais ce n'était pas une raison pour me décharger de toutes mes angoisses sur les épaules de mes amis.

J'ai senti les larmes me monter aux yeux. Ma grand-mère me manquait terriblement. Je me suis garée sur le bas-côté et je me suis collé une bonne gifle, en me traitant de tous les noms.

Shreveport. J'allais me rendre à Shreveport. J'allais interroger Dovie et Carla Rodriguez. Et, pendant que j'y serais, j'en profiterais pour passer au *Fangtasia*. Pam et Chow n'étaient pas près de se réveiller mais, au pire, je pourrais toujours lire dans les pensées de leurs employés humains et voir s'ils savaient quelque chose.

Le problème, si j'allais à Shreveport, c'était que je serais injoignable : je me couperais de tout ce qui pourrait se passer ici. Oui, mais au moins, je ne resterais pas les bras croisés.

Pendant que j'étais en train de me demander s'il n'y avait pas d'autres alternatives à considérer, il s'est passé quelque chose… C'était encore plus insolite que tout ce qui m'était déjà arrivé dans la journée.

J'étais là, bien gentiment garée au beau milieu de nulle part, sur le bas-côté d'une petite route de campagne, quand une longue Chevrolet Camaro noire toute neuve est venue se ranger derrière moi. Une femme d'une beauté à couper le souffle en est sortie. Elle faisait au moins un mètre quatre-vingts. Je me suis tout de suite souvenue d'elle : elle était au *Merlotte* la nuit de la Saint-Sylvestre. Mon amie Tara Thornton était au volant.

Je regardais la scène dans le rétroviseur, interdite. Je n'avais pas revu Tara depuis des semaines, depuis le soir où j'étais tombée sur elle par hasard au *Club Dead*, cette boîte pour vampires et métamorphes de Jackson. Elle y était venue en compagnie d'un certain Franklin Mott, un vampire plutôt séduisant, dans le genre homme d'affaires aux tempes argentées, distingué, cultivé… et dangereux.

Mon amie de lycée, c'est bien simple, elle est toujours magnifique. Brune aux yeux marron, avec une belle peau mate, elle dispose d'une bonne dose d'intelligence qu'elle met à profit pour diriger *Tara's Togs*, une boutique de prêt-à-porter féminin très classe (enfin, « classe » à l'échelle de Bon Temps, en tout cas). Elle loue un local dans la partie du centre commercial dont Bill est propriétaire. Tara et moi avons sympathisé dès que nous nous sommes rencontrées – sans doute parce qu'elle a eu une enfance encore plus tragique que la mienne.

Mais Tara a beau être séduisante, l'amazone qui l'accompagnait l'éclipsait complètement. Elle était aussi brune que Tara, mais sa chevelure était parsemée de surprenants reflets flamboyants. Comme Tara, elle avait les yeux sombres, d'immenses yeux en amande d'un noir de jais, presque trop grands. Sa peau était d'une blancheur de lait, et elle avait des jambes à n'en plus finir. Dotée d'un pulpeux décolleté, elle était en rouge éclatant de la tête aux pieds, vernis à ongles et rouge à lèvres compris.

— Sookie ! s'est écriée Tara. Qu'est-ce qui se passe ?

Elle s'est dirigée à pas prudents vers ma vieille guimbarde. Elle portait de superbes bottes en cuir à hauts talons et ne voulait pas les abîmer. Elles n'auraient pas duré plus de cinq minutes avec moi. Je passe trop de temps debout à piétiner pour apprécier les chaussures simplement pour leur apparence.

Avec son pantalon gris taupe et son pull vert sauge, Tara avait tout de la femme qui a réussi. Une femme attirante, sûre d'elle, de son charme, de sa position.

— J'étais en train de me maquiller quand j'ai entendu sur le canal de la police qu'il se passait quelque chose chez Jason, m'a-t-elle expliqué.

Elle s'est assise à la place du passager et s'est penchée pour me serrer dans ses bras.

— Lorsque je suis arrivée chez Jason, je t'ai vue démarrer. Alors, je t'ai suivie. Tu as des problèmes ?

Discrète, la femme en rouge se tenait dos à la voiture, le regard tourné vers la forêt.

La sollicitude de Tara m'a noué la gorge. Je vouais une véritable vénération à mon père, et j'avais toujours su que, quoi qu'elle fasse, ma mère agissait pour mon bien. Mais les parents de Tara, tous deux alcooliques, malfaisants et pervers, battaient et maltraitaient leurs gosses. Les frères et les sœurs aînés de Tara avaient quitté la maison dès qu'ils avaient pu s'échapper, mais Tara, la plus jeune, avait payé pour eux.

Et pourtant, aujourd'hui, voyant que j'avais des ennuis, elle était là, fidèle au poste.

— Eh bien… Jason a disparu.

J'étais parvenue à parler d'une voix relativement posée, mais il a fallu qu'un de ces ridicules sanglots étouffés vienne tout gâcher. J'ai aussitôt détourné la tête, honteuse de me donner en spectacle devant l'inconnue.

Ignorant sagement mes larmes, Tara a commencé à me poser les questions de rigueur : Jason s'était-il présenté à son travail ? M'avait-il appelée la veille ? Avec qui sortait-il ces derniers temps ?

Ça m'a fait penser à la fille qui était avec Jason, la nuit du Nouvel An. Je pouvais même évoquer sa nature différente avec Tara, puisqu'elle était là, cette fameuse nuit, au *Club Dead*, et qu'elle avait tout vu. De plus, sa compagne, la femme en rouge, était une SurNat. Tara connaissait donc l'existence de l'autre monde. C'était ce que je supposais, en tout cas.

La suite allait me prouver le contraire.

Sa mémoire avait été effacée. Du moins, c'était ce qu'elle essayait de me faire croire…

— Quoi! s'est-elle exclamée, avec un air un peu trop ahuri à mon goût. Des loups-garous? Dans cette boîte de nuit? Je me rappelle parfaitement t'y avoir vue mais, ma puce, tu ne penses pas que tu avais un peu trop bu? Tu as dû perdre connaissance ou un truc dans le genre.

Étant donné que je ne bois pratiquement pas, sa remarque m'a vexée. Mais c'était aussi l'explication la plus plausible que Franklin Mott avait pu lui mettre dans la tête. J'étais tellement déçue de ne pas pouvoir me confier à elle que j'ai préféré fermer les yeux pour ne pas voir son expression dubitative. J'ai senti les larmes couler sur mes joues.

J'aurais dû laisser tomber. Au lieu de quoi, j'ai marmonné d'une voix rauque:

— Non, je n'avais pas trop bu.

— Oh non! Est-ce que ton petit copain avait mis quelque chose dans ton verre? s'est écriée Tara en me serrant la main sous le coup de l'émotion. Cette fameuse drogue, le Rohypnol? Alcide avait l'air d'un si charmant garçon, pourtant.

— Oublie, ai-je répondu en m'efforçant de chasser toute colère de ma voix. Ça n'a pas grand-chose à voir avec Jason, de toute façon.

Tara m'a de nouveau étreint la main avec compassion. Et tout à coup, j'ai su. J'ai su, avec une absolue certitude, qu'elle mentait. Tara n'ignorait pas que les vampires pouvaient effacer la mémoire des simples mortels, et elle essayait de me faire croire que Franklin

Mott avait effacé la sienne. J'étais convaincue qu'elle se rappelait parfaitement tout ce qui s'était passé au *Club Dead*, mais qu'elle prétendait le contraire pour se protéger. Soit. Si, pour elle, c'était une question de survie, ça se comprenait. J'ai respiré un bon coup.

— Tu sors toujours avec Franklin ? lui ai-je demandé, pour changer de sujet.

— Oui. C'est même lui qui m'a offert ce joli carrosse.

Sur le coup, ça m'a choquée. Un peu déçue, aussi. Mais je ne suis pas du genre à jeter la pierre.

— C'est une très belle voiture, ai-je obligeamment commenté, avant de m'empresser de détourner la conversation. Dis-moi, tu ne connaîtrais pas une ou deux sorcières, par hasard ?

J'étais sûre qu'elle allait me rire au nez, mais c'était un bon moyen de noyer le poisson. J'avais peur qu'elle ne perçoive ma réprobation. Or, pour rien au monde je n'aurais voulu la blesser.

Et puis, c'était la première chose qui m'était passée par la tête, pour la bonne raison que, dans mon esprit, l'enlèvement de Jason – je faisais tout pour me persuader que mon frère avait été enlevé et non tué – avait forcément un rapport avec le sort que les sorcières avaient jeté à Eric. Les deux événements étaient trop proches pour qu'il s'agisse d'une simple coïncidence. Quoique… À la réflexion, des coïncidences, j'en avais vu un paquet ces derniers mois, et des plus invraisemblables que celle-ci.

— Si, bien sûr, a-t-elle répondu avec un grand sourire ravi. Ah ! Enfin quelque chose que je peux faire pour t'aider ! À condition qu'une wiccan fasse l'affaire, du moins.

J'ai senti tant d'expressions différentes se succéder sur mon visage – stupeur, incrédulité, frayeur, inquiétude – que je n'étais pas sûre de savoir laquelle allait l'emporter.

— Tu es une sorcière ? ai-je lâché dans un souffle.

— Oh non, pas du tout ! Je suis catholique. Mais j'ai quelques amies chez les wiccans. Certaines donnent dans la sorcellerie.

— Ah, oui ?

En fait, je crois que je n'avais jamais entendu prononcer le mot « wiccan », à moins que je l'aie lu dans un roman quelconque.

Inutile de jouer la comédie.

— Excuse-moi, mais je ne sais pas ce que ça veut dire, lui ai-je humblement avoué.

— Oh ! Holly pourra t'expliquer ça mieux que moi.

— Holly ? La Holly qui bosse avec moi ?

— Oui. Ou tu peux t'adresser à Danielle, si tu préfères. Mais, à mon avis, ce sera moins facile de la faire parler. Holly et Danielle font partie du même coven.

— Un coven ?

— Oui, un groupe pratiquant une religion païenne. On dit aussi un clan.

— Je pensais que ça ne s'appliquait qu'aux sorcières ?

— Eh bien non, pas seulement. Mais les pratiquants doivent être non chrétiens. La Wicca est une religion, tu sais.

— Ah, oui ? Ah, bon ! ai-je ânonné, encore sous le choc. Et tu crois que Holly accepterait de m'en parler ?

— Pourquoi pas ?

Tara est retournée à sa voiture chercher son portable et, le téléphone collé à l'oreille, s'est mise à faire les cent pas entre les deux véhicules. J'en ai profité pour essayer de me remettre de mes émotions. Puis, pour ne pas paraître trop impolie, je suis sortie bavarder avec la femme en rouge, qui se montrait décidément d'une patience d'ange.

— Je suis désolée, ce n'est pas vraiment le bon jour pour faire connaissance, me suis-je excusée. Je m'appelle Sookie Stackhouse.

— Et moi, Claudine.

Elle avait un sourire extraordinaire, avec des dents d'une blancheur éclatante. Je n'ai pas pu m'empêcher de remarquer la finesse incroyable de sa peau et son aspect un peu satiné, qui faisait penser à une prune gonflée de soleil et de sucre.

— Je suis venue ici parce que le secteur est très actif, a-t-elle enchaîné.

— Ah ?

Je me sentais déconcertée.

— Mais oui ! Vous avez des vampires, des loups-garous... et un tas d'autres choses très intéressantes, à Bon Temps – sans parler d'un certain nombre d'alignements de forces qui convergent en ce moment... De grands changements sont à prévoir. Tout ce potentiel m'a attirée ici.

— Bien sûr... Et vous avez l'intention d'observer tout ça ou... ?

— Oh, non ! Je ne me contente pas d'observer, habituellement ! s'est-elle exclamée en riant. Et vous, vous êtes plutôt imprévisible !

— Holly est d'accord, m'a soudain annoncé Tara, en refermant son portable. Tu peux passer quand tu veux, a-t-elle ajouté avec un large sourire.

Difficile de ne pas sourire en présence de Claudine. Je me suis rendu compte que je souriais aussi, jusqu'aux oreilles. Et pas de mon habituel sourire forcé, non : un beau sourire radieux.

— Tu viens avec moi ? ai-je demandé à Tara.

— Désolée, je ne peux pas. Claudine s'est déplacée exprès pour m'aider à la boutique. On fait des soldes exceptionnels sur la saison passée, pour le Nouvel An, et ça marche fort. Tu veux que je te mette quelque chose de côté ? Il me reste encore quelques jolies petites robes habillées. Celle que tu portais à Jackson doit être bonne à jeter, non ?

Et pour cause : un fanatique m'avait planté un pieu dans la hanche alors que je la portais.

— Elle a été abîmée, c'est vrai. Une… tache indélébile. Merci de la proposition, mais je ne pense pas avoir l'occasion de l'essayer bientôt. Avec Jason et tout ça, je n'ai pas vraiment la tête à faire du shopping.

Et encore moins les moyens, par-dessus le marché.

— Je comprends, a répondu Tara. N'hésite pas à m'appeler en cas de besoin, Sookie. C'est bizarre, que je ne me souvienne pas mieux de cette soirée à Jackson. Peut-être que j'avais trop bu, moi aussi. On a dansé ?

— Absolument ! Tu m'as persuadée de refaire notre numéro, celui qu'on avait préparé pour le spectacle de fin d'année au lycée.

— Non ! s'est-elle indignée, un demi-sourire aux lèvres.

— Si si.

Je savais parfaitement qu'elle n'avait pas perdu la mémoire.

— J'aurais bien aimé être présente, a interrompu Claudine. J'adore danser.

— Crois-moi, ai-je rétorqué, cette soirée au *Club Dead* fait partie de celles que j'aurais nettement préféré manquer.

— Eh bien, a continué Tara, si j'ai vraiment effectué ce numéro en public, rappelle-moi de ne jamais retourner à Jackson.

— Il est préférable qu'aucune de nous deux n'y retourne, Tara.

J'avais laissé derrière moi quelques vampires très en colère ainsi que des loups-garous encore plus furieux – il n'en restait pas beaucoup, à vrai dire, mais mieux vaut rester prudent.

Tara s'est tue un instant. Elle semblait vouloir ajouter quelque chose et cherchait manifestement ses mots.

— Comme c'est quand même Bill le propriétaire des murs, chez Tara's Togs, a-t-elle prudemment repris, j'ai un numéro où je peux toujours le joindre, en cas de problème. Alors, si tu as besoin de lui faire passer un message…

— Merci, Tara. Mais il m'a dit qu'il avait laissé un numéro, sur un bloc-notes près du téléphone, chez lui.

Il y avait quelque chose de définitif dans le fait que Bill ait quitté le pays. Dans mon esprit, il était devenu injoignable. Quand j'avais passé en revue tous les gens que j'aurais pu appeler, son nom ne m'était même pas venu à l'esprit.

— C'est juste que la dernière fois que je lui ai parlé, il avait l'air plutôt… enfin, tu vois, déprimé, a insisté Tara en examinant le bout de ses bottes avec application. Mélancolique, a-t-elle renchéri, comme si elle savourait le son de ce mot – lequel n'avait pas souvent dû franchir ses lèvres.

Claudine rayonnait de compassion. Ses grands yeux lumineux étincelaient de joie tandis qu'elle me tapotait l'épaule avec sollicitude. Quelle drôle de fille!

J'ai eu du mal à avaler ma salive.

— Eh bien… Bill n'a jamais été un boute-en-train, ai-je fait remarquer à Tara. Ce n'est pas qu'il ne me manque pas, mais…

J'ai secoué la tête avec véhémence.

— C'était trop dur. Il m'a… fait trop de mal. Mais je te remercie de m'avoir proposé de le contacter, et je te suis vraiment, vraiment reconnaissante d'être intervenue auprès de Holly.

Elle en a rougi de plaisir, puis elle a regagné sa rutilante voiture de sport grand luxe. Après avoir glissé son mètre quatre-vingts à la place du passager, Claudine m'a fait un signe de la main, et Tara a démarré. Je suis restée un moment dans ma voiture, à me demander où habitait Holly. Je croyais me souvenir d'une réflexion qu'elle avait faite au sujet de la taille des toilettes dans son appartement. Il n'y avait pas trente-six endroits comme ça à Bon Temps…

En arrivant au pied du Kingfisher Arms, j'ai inspecté les boîtes aux lettres : Holly occupait l'appartement numéro 4, au rez-de-chaussée. Je savais qu'elle avait un fils de cinq ans, Cody. Holly et sa meilleure amie, Danielle Gray, s'étaient toutes deux mariées en sortant du lycée. Moins de cinq ans plus tard, elles étaient divorcées. Danielle avait sa mère pour l'aider – une femme adorable. Mais Holly n'avait pas cette chance. Ses parents, depuis longtemps divorcés eux aussi, avaient quitté la région et sa grand-mère avait terminé sa vie dans le service Alzheimer de la clinique du Comté de Renard. Elle était sortie quelques mois avec Andy Bellefleur, mais ça n'avait pas marché. Le bruit courait que la vieille Caroline Bellefleur, la grand-mère d'Andy, n'avait pas trouvé Holly assez bien pour son petit-fils. Je n'avais pas d'avis là-dessus. Ni Holly ni Andy ne faisaient partie de mes amis – et, en ce qui concernait Andy, ça ne risquait pas d'arriver.

Quand Holly m'a ouvert la porte, j'ai brusquement saisi à quel point elle avait changé, au cours des dernières semaines. Pendant des années, Holly s'était teinte en jaune bouton-d'or. Maintenant, sa chevelure hérissée en piques était d'un noir mat. Elle avait aussi quatre piercings par oreille, et ses os saillants pointaient à travers le tissu de son jean délavé.

Elle m'a accueillie avec un « Salut, Sookie ! » plutôt chaleureux.

— Tara m'a demandé si tu pouvais passer me voir, mais je n'étais pas sûre que tu viendrais. Désolée pour Jason. Mais entre, entre donc !

L'appartement était minuscule, forcément, et bien qu'il ait été fraîchement repeint, il avait visiblement connu des jours meilleurs – et un tas de locataires.

On pénétrait directement dans une pièce qui faisait office de salle à manger et de salon, avec une cuisine à l'américaine. Il y avait des jouets dans un panier, dans un coin, et une bombe de dépoussiérant et un chiffon sur la table basse passablement esquintée : Holly était en plein ménage.

— Je te dérange…

— Non, non. Coca ? Jus de fruits ?

— Non, merci. Cody n'est pas là ?

— Il est chez son père, m'a-t-elle répondu en regardant fixement ses mains. Je l'ai conduit là-bas le lendemain de Noël.

— Et il vit où, son père ?

— David vit à Springhill. Il vient de se marier avec cette fille, Allie. Elle a déjà deux gosses. La petite fille a l'âge de Cody, et il adore jouer avec elle. C'est toujours Shelley par-ci, Shelley par-là…

Elle avait l'air triste en disant ça.

David Cleary faisait partie d'une véritable tribu. J'avais eu sa cousine, Pharr, dans ma classe pendant toute ma scolarité. J'espérais, pour le patrimoine génétique de Cody, que David était plus intelligent que Pharr – ce qui n'était pas bien difficile.

— J'aimerais te poser quelques questions plutôt… personnelles, Holly.

Elle n'a pas caché sa surprise.

— Eh bien, on n'a pas précisément gardé les cochons ensemble, mais demande toujours.

J'ai bien réfléchi : il s'agissait de demeurer discrète sur ce que je ne voulais pas révéler, et de la faire parler sur ce que je voulais savoir, sans la blesser.

— Il paraît que tu es une sorcière ?

J'étais un peu gênée d'utiliser un mot pareil : ça faisait un peu trop théâtral à mon goût.

— Je suis plutôt une wiccan.

— Tu veux bien m'expliquer la différence ?

Mon regard a brièvement croisé le sien, mais je me suis empressée de détourner la tête pour admirer le bouquet de fleurs séchées sur la télé. Holly pensait qu'on ne pouvait lire dans les pensées des gens que si on les regardait dans les yeux (comme le contact physique, le regard facilite les choses, c'est vrai, mais il n'a rien d'indispensable).

— Eh bien, je ne vois pas pourquoi je ne le ferais pas…

Elle parlait lentement, comme si elle réfléchissait en même temps.

— Tu n'es pas du genre à jouer les commères.

— Tout ce que tu me diras restera entre nous, lui ai-je assuré, en lui lançant un coup d'œil que j'espérais convaincant.

— Bon, d'accord. Eh bien, quand on est une sorcière, on pratique des rituels magiques, forcément. On tire ses pouvoirs d'une force que les gens n'utilisent jamais en temps ordinaire. Une sorcière n'est pas malveillante. Normalement, du moins. Quand on est wiccan, on est adepte d'une religion. Un culte païen, mais un culte quand même. Nous vénérons la Déesse Mère, et nous avons notre propre calendrier de jours sacrés. Tu peux être à la fois une sorcière et une wiccan, ou plutôt l'un que l'autre. C'est une pratique très individuelle qui ne regarde que toi. Je fais un peu de magie, mais je suis surtout attirée par le mode de vie des wiccans. La devise wiccan est : « Tant que tu ne fais de mal à personne, fais ce que tu veux. »

Curieusement, je me suis tout d'abord sentie gênée lorsque Holly m'a révélé qu'elle n'était pas chrétienne. Je n'avais jamais rencontré qui que ce soit qui ne fasse au moins semblant d'être chrétien – ou, au minimum, d'approuver les principes de base du christianisme. Je n'avais même jamais rencontré de juif, à ma connaissance, même si j'étais à peu près certaine qu'il se trouvait une synagogue à Shreveport. J'étais en train de découvrir de nouveaux horizons.

— Je vois. Et tu connais beaucoup de sorcières ?

— Quelques-unes.

Holly hochait la tête avec conviction, évitant toujours mon regard. J'avais remarqué l'ordinateur sur la petite table branlante, dans un coin.

— Est-ce que vous avez des trucs genre forums, ou un site communautaire sur le Net ?

— Oui, bien sûr.

— Tu n'aurais pas entendu parler de l'arrivée d'une bande de sorcières à Shreveport, par hasard ?

Du coin de l'œil, j'ai vu son visage adopter une expression grave et sérieuse. Elle a froncé les sourcils.

— Dis-moi que tu n'as rien à voir avec elles, a-t-elle soufflé.

— Non, pas directement. Mais je connais quelqu'un à qui elles ont fait du mal, et j'ai peur qu'elles n'aient enlevé Jason.

— Alors, il est dans de sales draps, m'a-t-elle dit sans ménagement. La sorcière qui est à la tête de cette bande est d'une férocité implacable. Son frère ne vaut pas mieux. Ces sorcières-là n'ont rien de commun avec nous. Elles ne cherchent pas une façon de vivre qui soit meilleure, ni la voie qui permet de communier avec la nature, ni les sorts qui mènent à la paix intérieure. Elles ne sont pas adeptes de la Wicca. Elles sont le Mal.

— Sais-tu comment je pourrais les trouver ?

Il me fallait mobiliser toutes mes forces pour conserver un visage impassible, car, dans l'esprit de Holly, je lisais que pour elle, si les sorcières qui venaient de débarquer à Shreveport avaient enlevé Jason, il avait déjà été torturé, voire assassiné.

114

Absorbée dans ses pensées, elle a tourné la tête vers la fenêtre. Elle avait peur. En me donnant les renseignements que je lui demandais, elle craignait de mettre la vie de son fils en danger. Si jamais les sorcières de Shreveport remontaient jusqu'à elle, elles le lui feraient payer, peut-être en lui enlevant Cody. Ces sorcières-là n'étaient pas de celles qui cherchaient à agir sans nuire aux autres. Bien au contraire. Elles ne vivaient que pour accroître leurs pouvoirs, et pour ça, elles étaient prêtes à tout.

— Ce sont toutes des femmes ?

Je sentais bien qu'elle était sur le point de renoncer. Il fallait la relancer d'une façon ou d'une autre.

— Si tu crois que Jason peut jouer de son charme pour les amadouer, tu te mets le doigt dans l'œil.

Elle n'y allait peut-être pas par quatre chemins, mais elle était bien décidée à me faire comprendre à quel point ces gens-là étaient dangereux.

— Il y a également des hommes. Sookie, ce ne sont pas des sorcières normales. Je veux dire, ce ne sont même pas des personnes normales.

Je n'avais pas de mal à le croire. J'avais dû avaler bien d'autres couleuvres depuis que Bill Compton avait poussé la porte du *Merlotte* pour la première fois.

J'avais pensé obtenir des informations d'ordre général sur cette bande de sorcières, mais Holly parlait comme si elle en savait bien plus que je ne le pensais. Je l'ai incitée à continuer :

— Qu'est-ce qui les rend si différentes ?

— Elles ont ingéré du sang de vampire.

Elle a soudain jeté un coup d'œil en biais, comme si elle avait senti la présence de quelqu'un à ses côtés. Ça m'a glacé le sang.

— Avec les sorcières – les vraies, celles qui détiennent de véritables pouvoirs et qui sont prêtes à les utiliser pour en obtenir coûte que coûte davantage –, on est déjà mal. Mais quand elles sont aussi puissantes et qu'en plus, elles sont droguées au sang de vampire… Sookie, tu ne peux pas savoir à quel point elles sont dangereuses. Il y a même des loups-garous dans le tas. Je t'en prie, ne t'en approche pas.

Des loups-garous! Ce n'étaient pas seulement des sorcières, mais aussi des loups-garous? Et elles buvaient du sang de vampire? Je me suis sentie glacée de terreur. Le mélange ne pouvait pas être plus vénéneux.

— Où sont-elles?

— Tu as entendu ce que je viens de te dire?

— Parfaitement, mais j'ai besoin de savoir où elles se trouvent.

— Elles se sont installées dans un ancien magasin, pas très loin du centre commercial Pierre-Bossier.

Elle y était allée : je captais clairement l'image de l'endroit en question dans sa tête. Elle les avait vues. Elle avait tout gardé en mémoire, et je pouvais puiser dans son stock de souvenirs à volonté.

— Qu'est-ce que tu es allée faire là-bas?

Elle a tressailli.

— Je savais bien que je n'aurais pas dû te parler! Je n'aurais même pas dû te laisser entrer. Mais je suis sortie avec Jason et… Tu vas finir par me faire tuer, Sookie Stackhouse. Et mon fils avec moi.

— Non, certainement pas.

— Je suis allée là-bas parce que leur supérieure a envoyé un message à toutes les sorcières de la région pour leur demander d'assister à une réunion au sommet. En fait, elle ne cherchait qu'à nous imposer son autorité. Quelques sorcières ont été plutôt impressionnées par sa détermination et ses pouvoirs, mais nous autres, les wiccans des environs, on n'a pas aimé la place que la drogue prenait dans ses pratiques – parce qu'il ne faut pas se voiler la face: boire du sang de vampire, ça revient à se droguer –, ni son attirance pour le côté sombre de la sorcellerie. Et je n'irai pas plus loin là-dessus.

— Merci, Holly.

J'ai essayé de trouver quelque chose à lui dire pour apaiser ses craintes, mais tout ce qu'elle voulait, c'était me voir partir au plus vite. Je l'avais déjà suffisamment perturbée. Rien que le fait de m'avoir laissée entrer avait été une énorme concession de sa part, car elle était consciente de mes capacités de télépathe et y croyait sincèrement. Contrairement à la plupart des gens, qui s'obstinent à croire que le contenu de leur esprit reste privé, même s'ils ont toutes les preuves du contraire.

Même moi, je persiste à le croire.

Je lui ai tapoté l'épaule en signe de gratitude, puis je me suis levée. Mais Holly n'a pas quitté sa place sur le vieux canapé défoncé. Elle a rivé sur moi ses grands yeux bruns. Il y avait un désespoir sans nom dans ses prunelles, comme si quelqu'un allait débarquer chez elle d'une minute à l'autre pour lui trancher la gorge.

Cette détresse sur son visage m'a réellement terrorisée. Plus que tout ce qu'elle m'avait dit, plus que tout ce que j'avais pu lire dans son esprit. Et j'ai quitté le Kingfisher Arms aussi rapidement que j'ai pu. J'ai essayé de prendre note de chaque visage qui m'observait tandis que je manœuvrais pour sortir du parking. Je n'en reconnaissais aucun.

Tout en roulant, je me suis de nouveau demandé pourquoi les sorcières de Shreveport auraient enlevé Jason. Comment auraient-elles pu faire le rapprochement entre la disparition d'Eric et mon frère ? Et comment m'y prendre pour le savoir ? Pourrais-je compter sur Pam et Chow pour m'aider, ou avaient-ils déjà pris des mesures de leur côté ?

Et à qui appartenait le sang de vampire que buvaient les sorcières ?

Depuis que les vampires avaient révélé au monde entier leur présence parmi nous, ils étaient pourchassés par de nouveaux prédateurs. Non seulement ils risquaient de se faire planter un pieu dans le cœur par des Van Helsing en puissance, mais ils étaient devenus la proie de brigands d'un nouveau genre : les dealers. Ces derniers travaillaient en équipe. Ils employaient tout un tas de méthodes – embuscades et autres guet-apens minutieusement préparés – pour isoler les vampires, les ligoter avec des chaînes d'argent et les vider de leur sang pour revendre celui-ci au marché noir. Le prix d'une fiole de sang pouvait valoir de deux cents à quatre cents dollars, selon l'âge du vampire. Les effets de cette substance ? Totalement imprévisibles une fois le sang extrait de son vampire, ce qui faisait sans doute partie du jeu, d'ailleurs. En général, pendant plusieurs semaines, le consommateur voyait ses forces, son acuité visuelle, sa résistance physique et son pouvoir de séduction décuplés. Tout dépendait de l'âge du vampire et de la fraîcheur du produit. Évidemment, ces effets finissaient par disparaître, à moins de reprendre une nouvelle dose.

Parmi ceux qui goûtaient au sang de vampire, certains devenaient rapidement accros. Prêts à tout pour obtenir leur drogue, ces junkies d'un nouveau genre étaient de vrais dangers publics, d'autant plus qu'ils jouissaient d'une forme olympique et d'une force surhumaine. La police était bien contente d'engager des vampires pour s'occuper d'eux. Confrontés à ce type de délinquants, les policiers de base étaient sûrs de finir en bouillie.

Il arrivait, de temps à autre, qu'un de ces drogués à l'hémoglobine perde tout simplement la raison. Parfois sans faire d'étincelles : il plongeait dans la catégorie baveuse et bredouillante. À d'autres occasions, toutefois, la folie pouvait s'avérer beaucoup plus spectaculaire et meurtrière. Ce genre de réaction se produisait de manière totalement imprévisible et pouvait survenir dès la première prise.

C'est ainsi qu'on se retrouvait avec de véritables bêtes furieuses, au regard étincelant de dément, bouclées dans des cellules capitonnées, ou bien avec des stars au charme envoûtant et qui électrisaient les foules. Les uns comme les autres devaient leur triste sort ou leur gloire aux dealers. Ceux-ci exerçaient une profession à haut risque. Il arrivait qu'un vampire parvienne à se libérer de ses chaînes, avec les conséquences que l'on imagine. Une cour de Floride avait qualifié ces représailles de la gent vampirique d'homicide justifiable. Le cas faisait désormais jurisprudence. Il était de notoriété publique que les dealers abandonnaient leurs victimes sur place, et c'était probablement ce qui avait ému les jurés. Les dealers laissaient derrière eux un vampire exsangue, trop faible pour bouger, gisant là où il était tombé. À moins d'avoir la chance d'être découverte par une bonne âme compatissante qui la transportait en lieu sûr pendant la nuit, la victime mourait dans d'atroces souffrances dès que le soleil se levait. Il fallait à un vampire des années entières pour récupérer après une telle agression, des années pendant lesquelles ses congénères devaient le prendre totalement en charge. Bill m'avait expliqué qu'il existait des refuges pour les vampires saignés, et que leurs emplacements étaient un secret bien gardé.

Donc, des sorcières dotées de la force des vampires... C'était là une combinaison redoutable.

Il était midi passé. La nuit ne tomberait pas avant 18 heures, ce qui me laissait largement le temps de faire un aller-retour à Shreveport avant qu'Eric se réveille. De toute façon, je n'avais pas de meilleur plan d'action en tête et je ne pouvais pas rester tout bonnement chez moi, à attendre d'hypothétiques nouvelles. Même si je me faisais un sang d'encre pour mon frère, je préférais encore user du carburant plutôt que de rentrer. J'aurais pu au moins m'arrêter pour déposer le fusil de Jason, mais, tant qu'il n'était pas chargé, je pouvais probablement le transporter dans ma voiture en toute légalité.

Pour la première fois de ma vie, j'ai jeté un coup d'œil dans le rétroviseur pour m'assurer qu'on ne me suivait pas. Je ne connais pas grand-chose aux techniques de filature, mais si quelqu'un m'a prise en chasse, je ne m'en suis pas aperçue. Je me suis arrêtée pour faire le plein à une station-service et m'acheter à boire, juste pour voir si une voiture se garait derrière moi. Personne. «Jusque-là, tout va bien», en ai-je conclu, en espérant que Holly était en sécurité.

En chemin, j'ai eu tout le temps de repenser à ce qu'elle m'avait dit. Elle n'avait pas prononcé une seule fois le nom de Danielle dans la conversation : une première. Les parents de Danielle, de vraies grenouilles de bénitier, auraient eu une attaque s'ils avaient su que leur fille était une wiccan. Pas étonnant que Holly se soit montrée si discrète.

Notre bonne petite ville de Bon Temps avait ouvert ses portes aux vampires – on les y tolérait, du moins –, et les homosexuels, longtemps persécutés, n'avaient plus vraiment à se cacher – tant qu'ils se comportaient discrètement… Mais pour les wiccans, ces mêmes portes pourraient bien se fermer.

La belle et énigmatique Claudine m'avait avoué que c'était le caractère mystérieux de Bon Temps qui l'avait attirée chez nous. Je me demandais bien ce qui pouvait s'y tapir, attendant le bon moment pour se révéler.

5

Puisqu'elle était ma piste la plus prometteuse – pour ne pas dire la seule –, Carla Rodriguez passait en premier. J'ai cherché l'adresse de Dovie, que j'avais notée dans mon agenda à l'époque où nous échangions parfois des cartes de Noël. Elle vivait assez loin des rues les plus commerçantes de Shreveport – mes repères habituels. C'était un quartier de petites maisons étroites, tout en hauteur, collées les unes aux autres, dont certaines auraient eu bien besoin d'un ravalement de façade.

C'est Carla elle-même qui m'a ouvert la porte. Elle avait un œil au beurre noir et une gueule de bois carabinée – signes manifestes qu'elle n'avait pas passé la soirée de la veille à regarder tranquillement la télévision.

— Tiens! Sookie, a-t-elle marmonné, après m'avoir examinée un moment, le temps de mettre un nom sur mon visage. Qu'est-ce que tu fais là? Je suis passée au *Merlotte* hier soir, mais je ne t'ai pas vue. Tu travailles toujours là-bas?

— Toujours. C'est mon jour de congé.

Maintenant que j'étais devant elle, je ne savais pas bien comment lui présenter les choses. J'ai décidé d'aller droit au but.

— Écoute, Jason ne s'est pas présenté à son boulot, ce matin, et je me demandais s'il… s'il n'avait pas passé la nuit avec toi.

— J'ai rien contre toi, mon chou, m'a-t-elle assuré, mais Jason est bien le dernier type avec qui je coucherais.

Je l'ai regardée droit dans les yeux, toutes antennes dehors : elle était sincère.

— Chat échaudé craint l'eau froide, a-t-elle renchéri. J'ai bien jeté un coup d'œil au comptoir, en me disant que je risquais de l'y trouver. Mais si je l'avais vu, j'aurais tourné la tête de l'autre côté.

J'ai acquiescé en silence. Le chapitre était clos. Nous avons échangé des politesses et j'ai bavardé avec Dovie, qui a surgi avec un bébé dans les bras. Il ne me restait plus qu'à prendre congé. Ma piste la plus prometteuse venait juste de me claquer entre les doigts. En moins de deux phrases, Carla lui avait réglé son compte.

Tout en essayant de refouler ma déception, j'ai roulé jusqu'à une station-service et je me suis garée pour étudier mon plan de la ville. Je devais pouvoir gagner le *Fangtasia* en moins d'un quart d'heure.

Installé dans un centre commercial, juste à côté d'un *Toys "R" Us*, le bar ouvrait tous les jours à 18 heures, du 1er janvier au 31 décembre. Bien entendu, les vampires n'arrivaient jamais avant la nuit tombée, et l'heure variait selon la saison. Sur la façade peinte en gris mat clignotait le nom du bar en néons rouge vif. « Le Bar à Vampires le plus prestigieux de Shreveport », disait une nouvelle enseigne en lettres lumineuses plus petites. J'ai fait la grimace en détournant le regard.

Deux ans auparavant, un été, une petite bande de vampires de l'Oklahoma avait voulu monter un bar concurrent dans le centre commercial voisin. Après une nuit d'août particulièrement chaude et courte, on ne les avait plus jamais revus. À la place du bâtiment qu'ils étaient en train de faire rénover, on n'avait retrouvé qu'un tas de cendres...

Les touristes raffolaient de ces histoires qu'ils trouvaient si « croustillantes », si « pittoresques ». Elles ne faisaient que décupler cette fébrile excitation qu'ils éprouvaient à commander un verre – hors de prix et servi par des serveuses humaines déguisées en vampires – en contemplant d'authentiques suceurs de sang morts-vivants. Eric renouvelait le stock de figurants en assignant, aux vampires de la Cinquième Zone, un certain nombre d'heures de présence obligatoires au *Fangtasia* chaque semaine. La plupart de ses subalternes ne s'exhibaient pas de gaieté de cœur. Mais ça leur donnait l'occasion de draguer quelques fangbangers qui, bien évidemment, ne demandaient que ça – ces fans inconditionnels des vampires ne rêvaient que d'une chose : que leurs idoles leur plantent leurs crocs dans le cou. De telles étreintes étaient, bien sûr, interdites sur place. Il y avait un règlement intérieur, au *Fangtasia*, et Eric veillait à ce qu'il soit respecté. Les seules morsures tolérées par la loi se faisaient entre adultes consentants et en privé.

Machinalement, j'ai fait le tour pour me garer devant l'entrée de service – Bill et moi étions toujours arrivés par là. À l'arrière du bâtiment, on ne voyait guère qu'un grand mur gris percé d'une unique ouverture sur laquelle un gros panneau blanc indiquait « Réservé au personnel ». Je levais déjà la main pour frapper quand j'ai remarqué que la porte était entrouverte.

Le verrou n'avait pas été poussé.

Oh oh. Pas bon du tout.

Les cheveux sur ma nuque se sont soudain hérissés – il faisait jour, pourtant. J'ai soudain regretté que Bill ne soit pas là. Et ce n'était pas son amour qui me manquait. Ce n'est pas bon signe, quand votre ex-petit ami vous manque parce qu'il représente une arme de destruction létale…

À l'avant du bâtiment se pressait une foule affairée. Mais ici, dans l'allée déserte, le silence grouillait de menace, terrifiante et malfaisante. J'ai appuyé mon front contre la porte grise. Après un instant, j'ai opté pour la solution la plus incroyablement intelligente : remonter dans ma vieille guimbarde et déguerpir pendant qu'il en était encore temps.

Et c'est ce que j'aurais fait, si je n'avais pas entendu les gémissements.

Même à ce moment-là, si j'avais vu une cabine téléphonique, je me serais contentée d'appeler le 911 et je serais restée dehors, en attendant la police. Mais il n'y avait pas de téléphone dans les environs, et il m'était insupportable de penser que quelqu'un avait peut-être besoin de moi et que je ne me portais pas à son secours parce que j'avais trop peur.

J'ai ouvert la porte d'un coup et me suis aussitôt jetée sur le côté pour éviter tout ce qui aurait pu surgir de l'intérieur. Puis, par sécurité, j'ai tiré le container à ordures rangé contre le mur pour bloquer la porte. En franchissant le seuil, j'avais la chair de poule.

Il n'y a pas de fenêtres, au *Fangtasia*. L'établissement est donc éclairé à la lumière électrique vingt-quatre heures sur vingt-quatre. Aucun des néons n'étant allumé, à l'intérieur régnait l'obscurité la plus totale. La morne luminosité hivernale qui filtrait par la porte ouverte ne parvenait pas à percer les ténèbres du couloir qui conduisait au bar proprement dit. Mais j'étais déjà venue assez souvent pour savoir que la première porte à droite donnait sur le bureau d'Eric, la seconde sur celui du comptable, et l'unique porte à gauche sur la réserve, où se trouvaient également les toilettes et les vestiaires du personnel. Une grosse porte blindée dissuadait les petits malins – ou les couples un peu trop pressés – de s'introduire dans la partie interdite au public. Cette porte-là non plus n'était pas fermée. C'était anormal. De l'autre côté de la porte s'ouvrait la caverne silencieuse du bar.

Je retenais mon souffle, attentive au moindre bruit. Au bout d'un instant, j'ai cru percevoir une sorte de grattement et une nouvelle plainte étouffée. Ça venait de la réserve. Je me suis dirigée à pas prudents vers la porte de gauche. Elle était entrebâillée. Quand j'ai tâtonné dans le noir à la recherche de l'interrupteur, mon cœur battait si fort dans ma poitrine que tout mon corps semblait vibrer au rythme de ses coups.

La lumière m'a éblouie.

Une des barmaids du *Fangtasia*, Belinda – la seule fangbanger avec une once de bon sens que j'aie jamais rencontrée –, était étendue sur le sol dans une position pour le moins étrange : les jambes repliées sur les côtés, les talons touchant les hanches. En dehors de cette posture de contorsionniste, je ne discernais rien d'anormal, aucune trace de sang qui aurait pu expliquer ses gémissements de douleur. Apparemment, elle ne souffrait que d'une énorme crampe.

Je me suis agenouillée près d'elle, en lançant des coups d'œil alarmés en tous sens. La pièce était encombrée de piles de cartons remplis de bouteilles d'alcool et d'un cercueil que l'on utilisait parfois dans l'un des spectacles. Je n'ai détecté aucun mouvement suspect. La porte des toilettes était fermée. Celle de la douche aussi.

— Belinda. Belinda, regarde-moi.

Ce n'était qu'un murmure, mais elle m'a entendue.

Elle avait les yeux rouges et tout gonflés derrière ses lunettes. Des larmes ruisselaient sur ses joues.

Elle a cligné des paupières et m'a dévisagée avec une mine épouvantée.

— Ils sont encore là ? lui ai-je demandé.

Je savais qu'elle comprendrait implicitement « ceux qui t'ont fait ça ».

— Sookie, a-t-elle ânonné.

Elle avait la voix cassée, si faible que j'ai dû me pencher pour l'écouter. Depuis combien de temps gisait-elle là, priant désespérément pour qu'on lui vienne en aide ?

— Dieu merci ! Dis au maître qu'on a essayé de les retenir…

Toujours dans son jeu de rôle, jusque dans le martyre… Le genre : « Dites à notre capitaine que nous nous sommes battus jusqu'à la mort. »

— Qui avez-vous essayé de retenir ?

— Les sorcières. Elles sont venues cette nuit, après la fermeture. Pam et Chow étaient déjà partis. Il ne restait plus que Ginger et moi…

— Qu'est-ce qu'elles voulaient ?

J'avais eu le temps de remarquer qu'elle portait son uniforme de serveuse – un long fourreau noir et vaporeux, fendu jusqu'à la hanche – et qu'elle arborait encore de fausses morsures artistiquement peintes dans le cou.

— Elles voulaient savoir où était le maître. Elles semblaient penser qu'elles lui avaient fait… quelque chose, qu'il s'était enfui, qu'on le cachait.

Elle a alors marqué une longue pause. Son visage s'était crispé. Il était évident qu'elle endurait un véritable calvaire. Je ne voyais pourtant pas ce qu'elle avait.

— Mes jambes, a-t-elle gémi. Oh !

— Mais vous ne le saviez pas. Donc, vous n'avez rien pu leur dire, ai-je enchaîné, suivant obstinément le fil de mes pensées.

— Jamais je ne trahirais mon maître.

126

Et dire que c'était la moins bête du lot!

— Est-ce qu'il y avait quelqu'un d'autre ici, en dehors de Ginger, Belinda?

Un spasme de douleur l'avait saisie: elle souffrait trop pour me répondre. Tout son corps s'était bandé comme un arc, et de petits gémissements déchirants lui échappaient.

J'ai appelé le 911 du bureau d'Eric. La pièce était sens dessus dessous, et une sorcière un peu joueuse avait peint à la bombe un grand pentacle rouge sur le mur. Eric allait adorer.

Je suis retournée auprès de Belinda pour lui annoncer qu'une ambulance était en route.

— Mais que t'est-il arrivé, exactement? lui ai-je finalement demandé.

— Elles ont rétréci les muscles de mes cuisses de moitié...

Et elle a recommencé à geindre.

— C'est comme ces crampes épouvantables qu'on a quand on est enceinte.

Je ne savais pas qu'elle avait déjà eu un enfant.

J'ai attendu qu'elle parvienne à reprendre son souffle pour lui demander:

— Où est Ginger?

— Elle était aux toilettes.

Ginger, une jolie blonde évaporée et bête à manger du foin, était toujours dans la salle de bains. Les sorcières n'avaient sans doute pas sciemment voulu la tuer. Apparemment, on lui avait jeté le même sort qu'à Belinda: ses jambes présentaient la même torsion caractéristique. Elle gisait sur le carrelage, les yeux vitreux, les cheveux tout poisseux de sang coagulé. Elle avait une plaie à la tempe. Elle devait être en train de se laver les mains quand le sort l'avait frappée: elle avait basculé, et sa tête avait heurté le bord du lavabo.

De toute évidence, il n'y avait plus rien à faire pour elle. Je n'en ai pas soufflé mot à Belinda, qui avait replongé trop profondément dans la douleur pour comprendre quoi que ce soit, de toute façon. Elle a quand même eu deux ou trois éclairs de lucidité, avant que je parte. J'en ai profité pour lui demander l'adresse de Pam et Chow. Il fallait les prévenir. Mais elle m'a dit qu'ils arrivaient tous les soirs au bar, à la tombée de la nuit, et qu'elle n'en savait pas plus.

Elle a tout de même réussi à me fournir le nom et la description de la sorcière qui l'avait ensorcelée : une certaine Hallow. Elle mesurait près d'un mètre quatre-vingts, avait les cheveux bruns et courts et arborait un symbole noir sur le visage.

— Elle m'a dit qu'elle… était aussi puissante qu'un vampire, a hoqueté Belinda dans un nouveau spasme de douleur. Tu vois…

Elle a pointé le doigt derrière moi. J'ai fait volte-face, persuadée qu'on m'attaquait par-derrière. Rien d'aussi alarmant ne m'attendait. Mais ce que j'ai vu l'était à peine moins. Belinda désignait la poignée du chariot que le personnel utilisait pour transporter les casiers de bouteilles. La longue tige d'acier avait été pliée en forme de U.

— Je suis sûre que… le maître va la tuer… quand il reviendra, a affirmé Belinda d'une voix chevrotante, après un long silence entrecoupé de plaintes.

— Sans aucun doute, lui ai-je répondu avec conviction.

J'ai marqué un temps d'hésitation, avant de reprendre :

— Belinda, il faut que je m'en aille. Je ne veux pas que les flics me trouvent ici. Ils risqueraient de me garder pour m'interroger. Je t'en prie, ne leur parle pas de moi. Ne mentionne pas mon nom. Dis-leur juste qu'une passante t'a entendue crier et s'est arrêtée pour t'aider, OK ?

— Où est le maître ? Est-ce qu'il a vraiment disparu ?

— Je n'en sais rien, Belinda, lui ai-je répondu, honteuse de ma duplicité. Désolée, il faut que je me sauve.

— Vas-y, m'a-t-elle dit. On a déjà eu de la chance que tu viennes.

Il fallait que je décampe au plus vite. J'ignorais tout de ce qui s'était passé au *Fangtasia*, et je ne pouvais pas me permettre de subir un interrogatoire de plusieurs heures, pas avec la disparition de mon frère.

En repartant, j'ai croisé la police et l'ambulance, toutes sirènes hurlantes. J'avais essuyé les poignées de porte pour effacer mes empreintes. Je ne voyais pas ce que j'avais touché d'autre ou, du moins, je ne m'en souvenais pas, pas même après avoir passé scrupuleusement en revue tous mes faits et gestes depuis mon arrivée. De toute façon, il y avait des milliers d'empreintes là-bas : c'était un bar.

Au bout d'une minute, je me suis rendu compte que je conduisais sans but : j'avais été sévèrement secouée par ce que je venais de voir. Je me suis de nouveau garée sur le parking d'une station-service pour me remettre de mes émotions.

Je pourrais appeler Alcide, pensais-je, irrésistiblement attirée par la cabine téléphonique, et lui demander où Pam et Chow passent leurs journées. *Comme ça, je pourrais leur laisser un message pour les avertir.*

Je me suis forcée à respirer calmement et à bien réfléchir à ce que je faisais. Il était fort peu probable que les vampires révèlent à un loup-garou l'endroit où ils se réfugiaient pour échapper à la lumière du jour. Ce n'est pas le genre d'information qu'ils donnent au premier venu. Sans compter qu'Alcide n'avait pas des relations très cordiales avec les vampires de Shreveport : ils l'avaient menacé d'encaisser les faramineuses dettes de jeu de son père s'il refusait de faire leurs quatre volontés. Si je l'appelais, il viendrait – c'était un chic type. Mais en l'impliquant dans mes histoires, je risquais de mettre en danger sa réputation professionnelle, ses relations familiales, et même sa vie. Cependant, si cette Hallow constituait réellement une triple menace – un loup-garou doué de pouvoirs de sorcellerie qui buvait du sang de vampire –, elle n'était pas seulement dangereuse pour les vampires. Les loups-garous de Shreveport devaient donc être prévenus. Soulagée d'avoir enfin abouti à une décision, j'ai sorti la carte de visite d'Alcide de mon portefeuille.

Alcide était à son bureau – un miracle. Je lui ai décrit l'endroit où je me trouvais, et il m'a indiqué le plus court itinéraire pour le rejoindre. Il m'a proposé de venir me chercher, mais je ne voulais pas qu'il me prenne pour une idiote.

Le combiné à peine raccroché, j'ai appelé Bud Dearborn, mais il n'avait eu aucune nouvelle de Jason.

Suivant les instructions d'Alcide à la lettre, je suis arrivée chez Herveaux et Fils moins de vingt minutes plus tard. Ce n'était pas très loin de l'autoroute, à l'est de Shreveport, à la limite de la ville.

L'immeuble, un bâtiment de brique, appartenait aux Herveaux et abritait le siège de leur société. Je me suis garée devant, dans le petit parking réservé aux visiteurs – les Herveaux se déplaçaient pour rencontrer leurs clients et non le contraire. Celui du personnel, beaucoup plus grand, se situait à l'arrière du bâtiment. Le Dodge Ram d'Alcide s'y trouvait.

Un peu intimidée et plutôt nerveuse, j'ai poussé la porte d'entrée et jeté un regard circulaire. Il y avait un bureau juste devant moi et une salle d'attente sur le côté. Plus loin se trouvaient cinq ou six postes de travail dont trois étaient occupés. L'hôtesse assise derrière le bureau d'accueil gérait également le standard. C'était une femme brune aux cheveux courts à l'allure très distinguée, à la coupe et au brushing impeccables. Maquillée avec soin, elle portait un très joli pull. Elle devait avoir dépassé la quarantaine, mais ça ne lui ôtait rien de sa prestance, bien au contraire.

— Je viens voir Alcide, lui ai-je annoncé d'une voix mal assurée.

— Votre nom, s'il vous plaît ?

Elle m'a souri, mais avec une légère crispation au coin des lèvres qui laissait deviner sa réprobation. Elle ne semblait pas juger convenable qu'une jeune fille, manifestement peu au fait de la mode et totalement dépourvue d'élégance, ait le front de se présenter sur le lieu de travail de son patron. C'est vrai que je portais un pull jaune et bleu un peu voyant sous mon vieux manteau bleu marine et un jean franchement fatigué avec mes Reebok. Quand je m'étais habillée, je pensais que j'allais rechercher mon frère, pas subir une inspection de la brigade du Bon Goût.

— Stackhouse.

— Mme Stackhouse demande à vous voir, a miaulé Mme Crispée dans l'interphone.

— Oh ! Parfait !

Alcide semblait ravi. Ça m'a soulagée.

Mme Crispée demandait déjà : « Dois-je la congédier ? » quand Alcide a poussé une porte à gauche du bureau, les bras grands ouverts.

— Sookie ! s'est-il écrié avec un sourire jusqu'aux oreilles.

Il s'est arrêté brusquement, comme s'il ne savait plus très bien quoi faire. Puis il m'a serrée contre lui.

Le cœur soudain léger, je lui ai rendu la pareille en souriant. J'étais tellement contente de le voir ! Je l'ai trouvé magnifique. Alcide est un grand brun aux yeux verts avec une carrure d'athlète et une crinière noire en bataille qu'aucune brosse n'est encore parvenue à discipliner.

Nous nous étions débarrassés d'un cadavre ensemble. Ça crée des liens.

Il a gentiment tiré sur ma tresse.

— Viens par ici, m'a-t-il glissé à l'oreille, sous le regard indulgent de Mme Crispée.

Je me doutais que cette apparente bienveillance n'était destinée qu'à son patron. J'en étais même sûre, car, au même instant, Mme Crispée se disait que je n'avais ni l'allure ni l'éducation nécessaires pour fréquenter un Herveaux. D'ailleurs, elle pensait que le père d'Alcide (avec qui elle couchait depuis deux ans) ne serait pas vraiment ravi d'apprendre que son fils s'était acoquiné avec une fille de rien. Aïe. Encore une information que j'aurais préféré ne pas savoir. Bill m'avait poussée à m'entraîner. Maintenant, je ne le voyais plus et je me relâchais : mon bouclier mental donnait manifestement des signes de faiblesse. Enfin, ce n'était pas vraiment ma faute : Mme Crispée était une puissante émettrice.

Je n'aurais pas pu en dire autant d'Alcide. Et pour cause : c'est un loup-garou.

Alcide m'a fait passer par un long couloir moquetté avec des photos encadrées aux murs – d'insipides clichés de paysages et de jardins – choisies avec soin par quelque décorateur hors de prix, j'imagine (ou peut-être par Mme Crispée). Il m'a fait entrer dans son bureau, une pièce lumineuse et vaste mais si encombrée qu'elle avait perdu toute prétention à l'élégance. Elle était littéralement envahie de plans, de dossiers, de casques de chantier et de matériel de bureau. Très fonctionnel, comme endroit. Un fax crépitait dans un coin et, sur la table, à côté d'une pile de factures, une grosse calculatrice affichait des chiffres fluorescents.

— Je te dérange. Tu es occupé, ai-je dit avec un air contrit.

— Tu plaisantes ? Ta visite est la meilleure chose qui me soit arrivée de la journée !

C'était manifestement un cri du cœur. Ça m'a instantanément rendu le sourire.

— J'ai quelque chose à te dire, a-t-il aussitôt enchaîné, quelque chose dont je ne t'ai pas parlé quand je suis venu te rapporter tes affaires, après ton départ de Jackson. Je me sens si mal à cause de ça que je n'ai jamais eu le courage de revenir te voir pour en discuter face à face.

Oh, non. Il sortait de nouveau avec sa pourriture de fiancée, Debbie Pelt. La garce. J'entendais son nom dans ses pensées.

— Oui ?

Je me suis efforcée de paraître calme, attentive.

Il m'a pris la main.

— Je te dois des excuses, un milliard d'excuses.

Allons bon.

— Des excuses ?

J'ai levé vers lui un regard incertain, les yeux plissés. J'étais venue pour lui raconter tout ce que j'avais sur le cœur, et c'était lui qui s'épanchait.

— Cette nuit-là, au *Club Dead*... alors que tu comptais sur moi, au moment même où tu avais plus que jamais besoin d'aide et de protection, je...

Ah ! Je voyais où il voulait en venir. Alcide s'était changé en loup au lieu de rester dans la boîte pour me porter secours, après que je m'étais fait transpercer par un pieu. J'ai posé la main sur sa bouche. Il était si chaud ! Quand on est habitué à toucher des vampires, la peau d'un humain vous fait l'effet d'une vraie plaque chauffante. Quant à celle des loups-garous, c'est encore mieux, car ils ont une température supérieure de quelques degrés à celle d'un humain ordinaire.

Mon pouls s'est brusquement accéléré. Je savais qu'il s'en apercevrait. Les animaux sentent ce genre de chose.

— Ne me parle plus jamais de ça, Alcide. Tu n'as pas pu faire autrement. Et puis, tout s'est bien terminé, de toute façon.

Enfin, plus ou moins. Mon cœur était en miettes, brisé par la perfidie de Bill. Mais bon.

Il m'a longtemps dévisagée en silence.

— Merci de te montrer si compréhensive, a-t-il finalement répondu. Mais je crois que j'aurais encore préféré que tu veuilles m'arracher les yeux.

Il devait se demander si je faisais juste un effort pour donner le change ou si j'étais sincère. Et il avait envie de m'embrasser, je le sentais. Mais il hésitait : il n'était pas très sûr que j'apprécierais ce baiser, ni même que je l'autoriserais à m'approcher de si près.

En fait, je ne savais pas trop comment réagir. J'ai préféré ne pas me donner l'occasion de vérifier.

— Bon, d'accord. Je t'en veux à mort, mais je suis très bonne comédienne.

Il s'est détendu en voyant mon sourire – il avait intérêt à en profiter : ce serait probablement le dernier de la journée.

— Écoute, ton bureau ne me paraît pas être le meilleur endroit pour te dire ce que j'ai à te dire, ai-je repris.

J'avais adopté un air grave et une voix solennelle pour qu'il comprenne bien que je n'étais pas en train de lui faire des avances.

Non seulement je l'aimais beaucoup, mais je pensais également que c'était un type formidable. Cependant, tant qu'il n'aurait pas définitivement coupé les ponts avec Debbie Pelt, pour moi, il était hors concours. Debbie s'était certes fiancée à un autre métamorphe, mais cela ne semblait pas pour autant avoir mis un terme à ses problèmes sentimentaux avec Alcide.

En tout cas, je n'avais aucune envie de me retrouver au milieu de tout ça – surtout pas après l'infidélité de Bill. Cette douleur-là ne s'était toujours pas éteinte.

— Et si on allait prendre un café au bout de la rue, chez *Applebee* ? m'a-t-il proposé.

Il a informé Mme Crispée par l'interphone qu'il s'absentait et m'a fait sortir par l'arrière du bâtiment.

Il était environ 14 heures, et le restaurant était pratiquement désert. Alcide a demandé au garçon qui nous plaçait de nous trouver un coin tranquille. Je me suis calée au fond d'une banquette. Je m'attendais à voir Alcide s'asseoir sur l'autre, mais il s'est glissé à côté de moi.

— Si tu as des secrets à me confier, il vaut mieux que je sois près de toi, m'a-t-il expliqué devant mon regard interrogateur.

Nous avons tous les deux commandé du café et Alcide a demandé au garçon de nous en apporter une petite cafetière. Je lui ai demandé des nouvelles de son père pendant que le serveur s'activait autour de nous. Alcide m'a rendu la politesse en m'interrogeant sur Jason. À la seule mention du nom de mon frère, j'ai senti ma gorge se serrer. J'ai suivi le manège du garçon sans lui répondre, incapable de parler. Dès que le serveur s'est éloigné après nous avoir servis, Alcide s'est tourné vers moi.

— Que se passe-t-il ?

J'ai respiré un bon coup avant de me lancer.

— Il y a un clan de sorcières malveillantes à Shreveport, ai-je annoncé sans prendre de gants. Elles se shootent au sang de vampire, et une partie d'entre elles sont des métamorphes.

Alcide aussi a eu besoin de reprendre sa respiration avant de pouvoir répondre, mais j'ai levé la main pour le faire taire : je ne lui avais pas encore tout dit.

— Elles se sont installées à Shreveport pour faire main basse sur l'empire financier des vampires. Elles ont ensorcelé Eric ou lui ont jeté une malédiction quelconque qui l'a rendu amnésique. Elles ont mis le *Fangtasia* à sac pour essayer de découvrir où se réfugiaient les vampires du bar pendant la journée. Leur leader, une certaine Hallow, a jeté un sort aux deux serveuses. L'une d'entre elles est à l'hôpital. L'autre est morte.

Alcide sortait déjà son portable de sa poche.

— Pam et Chow ont caché Eric chez moi, et je dois rentrer avant la tombée de la nuit pour m'occuper de lui. Et Jason a disparu. Je ne sais pas qui l'a enlevé, ni où il est, ni s'il est...

Toujours vivant. Mais je n'ai pas réussi à le dire.

Alcide a relâché bruyamment son souffle et m'a regardée fixement, le téléphone à la main. Il ne savait manifestement pas qui appeler en premier. Ça ne m'a pas franchement étonnée.

— Je n'aime pas ça, a-t-il grommelé. Qu'Eric soit chez toi. Ça te met en danger.

J'étais touchée qu'il pense d'abord à ma sécurité.

— En fait, Jason a demandé un paquet d'argent pour moi en contrepartie, et Pam et Chow ont accepté, ai-je précisé, les yeux obstinément rivés à ma tasse de café.

— Oui, mais ce n'est pas Jason qui est sous pression. C'est toi.

C'était la plus stricte vérité. Mais, à la décharge de Jason, il n'avait probablement pas prévu que les choses allaient se passer comme ça. J'ai parlé à Alcide de la tache de sang sur le ponton.

— C'est peut-être pour brouiller les pistes. Si l'analyse de la tache révèle que le groupe sanguin est le même que celui de Jason, là, tu pourras commencer à t'inquiéter.

Il s'est interrompu pour boire une gorgée de café, l'air préoccupé.

— J'ai des coups de fil à passer, m'a-t-il annoncé.

— C'est toi le chef de meute à Shreveport, Alcide ?

— Oh, non, non ! Je suis loin d'en avoir la stature !

Ça me paraissait improbable, et je le lui ai dit. Il m'a pris la main.

— D'abord, les chefs de meute sont généralement beaucoup plus âgés que moi. Ensuite, ce sont des durs à cuire. C'est un poste qui demande un sacré tempérament.

— Est-ce qu'il faut se battre pour devenir chef de meute ?

— Non. On est élu. Mais les candidats doivent faire preuve d'une intelligence, d'une force de caractère et d'une force physique exceptionnelles. Ils subissent une sorte de... euh... d'examen.

— Oral ou écrit ?

Mon sourire a eu l'air de le détendre un peu.

— À moins que ce ne soit un test d'endurance ?

— C'est plutôt ça.

— Tu ne crois pas que ton chef de meute devrait être mis au courant ?

— Si.

L'espace d'une minute, nous sommes restés plongés dans nos pensées.

— Pourquoi ces sorcières font-elles ça, Alcide ? Et pourquoi à Shreveport ? Si elles ont tant d'atouts que ça, avec leur sang de vampire et leurs pouvoirs, et puisqu'elles semblent bien décidées à faire du grabuge, pourquoi ne pas choisir une ville beaucoup plus importante ?

— Très bonne question.

Alcide réfléchissait, derrière ses grands yeux verts plissés de concentration.

— Je n'ai jamais entendu parler d'une sorcière aussi puissante, ni d'une sorcière-métamorphe. Je peux me tromper, mais je crois que ce n'est jamais arrivé.

— Jamais ?

— Qu'une sorcière tente de prendre le contrôle d'une ville en s'appropriant les biens des vampires et des SurNat ? À ma connaissance, c'est une première.

— Où se situent les sorcières, dans la hiérarchie des SurNat ?

— Eh bien, ce sont des êtres humains. Des humains qui restent des humains, a-t-il renchéri avec un haussement d'épaules éloquent. La plupart des SurNat considèrent qu'elles se la jouent. Il faut cependant les garder à l'œil, parce qu'elles sont ambitieuses. Cependant…

— Elles ne constituent pas vraiment une menace ?

— Exact. Mais visiblement, on va devoir réviser notre jugement là-dessus. Si leur leader prend du sang de vampire… Est-ce qu'elle saigne les vampires elle-même ? m'a-t-il demandé en composant un numéro sur son portable.

— Je n'en sais rien.

— Et en quoi elle se change ?

Théoriquement, les métamorphes sont polymorphes : ils peuvent adopter la forme qu'ils veulent. Mais chacun a un animal fétiche, celui avec lequel il se sent le plus d'affinités. C'est d'ailleurs par le nom de cet animal qu'ils se désignent entre eux : lynx-garou, chauve-souris-garou… mais jamais à portée de voix d'un loup-garou. Les loups-garous ne supportent pas que d'autres métamorphes s'approprient la déno-

138

mination « garou », qu'ils estiment leur être strictement réservée.

— Eh bien… euh… comme toi.

Les loups-garous ont une très haute opinion d'eux-
mêmes et se considèrent comme l'élite de la communauté des hybrides au grand complet : ils ne se
transforment qu'en un seul animal, et c'est le meilleur.
Les autres hybrides se vengent en les traitant de
voyous et de bons à rien.

— Oh, non !

Alcide était atterré. C'est à ce moment-là que son
chef de meute a répondu.

— C'est Alcide.

Un silence.

— Je suis désolé de vous déranger pendant que
vous jardinez, mais j'ai une nouvelle importante
à vous communiquer. J'ai besoin de vous voir dès
que possible.

Nouveau silence.

— Oui, monsieur. Avec votre permission, je viendrai
accompagné.

Au bout d'une ou deux secondes, Alcide a mis fin
à la communication.

— Bill sait sûrement où habitent Pam et Chow,
non ? a-t-il repris en se tournant vers moi.

— J'en suis certaine, mais il n'est pas là pour me le
dire.

— Où est-il ? a demandé Alcide d'un ton un peu
trop calme.

— Au Pérou.

Je m'étais absorbée dans la contemplation de ma
serviette, que j'avais pliée en éventail. Lorsque j'ai
levé les yeux vers Alcide, il me dévisageait avec une
flagrante incrédulité.

— Il est parti au Pérou ? Il t'a laissée toute seule
ici ?

— Eh bien, il ne pouvait pas prévoir ce qui allait se passer, ai-je rétorqué, un peu agacée.

Puis je me suis reprise, consternée par mon attitude.

— Alcide, je n'ai pas revu Bill depuis mon retour de Jackson, sauf quand il est venu m'annoncer qu'il quittait le pays.

— Mais elle m'a dit que tu étais retournée avec lui, a soufflé Alcide d'un ton étrange.

— Qui t'a dit ça ?

— Debbie, bien sûr.

Je crains que ma réaction n'ait pas été très diplomate.

— Et tu l'as crue ? Tu as cru Debbie ?

— Elle m'a raconté qu'elle s'était arrêtée au *Merlotte* en venant chez moi et qu'elle vous avait vus, Bill et toi, vous comporter d'une manière très... euh... amicale...

— Et tu l'as crue ! ai-je répété, atterrée.

Si je me répétais suffisamment, peut-être allait-il m'annoncer qu'il plaisantait...

— OK, c'était idiot de ma part, a-t-il admis. Je vais régler ça avec elle.

— C'est ça, ai-je marmonné d'un ton ouvertement sceptique.

— Mais Bill est vraiment au Pérou ?

— Pour autant que je le sache.

— Et tu es toute seule avec Eric ?

— Eric ne sait pas qu'il est Eric.

— Il ne se rappelle pas qui il est ?

— Non. Il ne se souvient ni de son nom, ni des caractéristiques du personnage qui vont avec.

— Encore une chance !

Alcide n'avait jamais regardé Eric avec la même distance amusée que moi. Je m'étais toujours méfiée d'Eric, mais j'aimais bien son petit côté espiègle et son humour corrosif. Pour un vampire, il était para-doxalement bourré de joie de vivre…

— Allons voir mon chef de meute, a subitement décrété Alcide, soudain d'humeur plus sombre.

Il a payé les consommations et, sans se donner la peine d'appeler son bureau – « À quoi bon être le patron, si je ne peux pas m'éclipser sans rien dire à personne, de temps en temps ? » –, il m'a aidée à monter dans son Dodge Ram, et nous sommes retour-nés dans le centre de Shreveport. J'étais certaine que Mme Crispée allait supposer que nous étions partis dans un motel ou à l'appartement d'Alcide, mais c'était préférable au fait qu'elle découvre que son patron était un loup-garou.

Tout en conduisant, Alcide m'a raconté que son chef de meute était un colonel de l'armée de l'air à la retraite. Il avait été posté à la base aérienne de Barksdale, dans la ville de Bossier, qui jouxtait Shre-veport. Sa fille unique avait épousé un gars du coin. Du coup, le colonel Flood s'était installé à Shreveport pour être près de ses petits-enfants.

— Sa femme est un loup-garou aussi ?

Si Mme Flood était également un loup-garou, leur fille en était nécessairement un. Si les bébés loups-garous réussissent à passer le cap des premiers mois, ils ont une longue vie devant eux – sauf accident.

— Elle l'était. Elle est décédée récemment.

Le colonel Flood habitait un quartier modeste, où les maisons, ressemblant à des ranchs miniatures, trônaient au milieu de petites parcelles de terrain toutes identiques. Lorsque nous sommes arrivés, il était en train de ramasser des pommes de pin dans son jardin, tâche domestique et paisible, bien inno-cente pour un loup-garou de cette importance. Je l'avais imaginé dans son uniforme d'officier supé-rieur, mais, bien sûr, il était en civil et portait des vêtements on ne peut plus classiques pour jardiner. Il avait d'épais cheveux blancs coupés très court et une moustache qui avait dû être taillée avec une règle tant elle était nette.

Bien que sa curiosité ait dû être piquée par le coup de fil d'Alcide, il nous a invités à entrer avec un calme olympien. Il avait tendance à tapoter Alcide dans le dos quand il lui parlait et se montrait d'une parfaite courtoisie avec moi.

— Puis-je vous offrir quelque chose ? Un café ? Un chocolat chaud ? Un soda ? nous a-t-il proposé en agitant la main vers la cuisine, comme s'il y avait là une ordonnance au garde-à-vous attendant ses ordres.

— Non, merci.

J'avais eu ma dose de café pour la semaine. Le colonel a insisté pour que nous allions nous asseoir dans le salon, une pièce rectangulaire et très étroite, avec une salle à manger coincée dans le fond. De toute évidence, feu Mme Flood aimait les oiseaux de porcelaine. Elle les aimait même beaucoup. Je me demandais comment faisaient ses petits-enfants. Quant à moi, je préférais garder mes mains sur mes genoux, de peur de casser quelque chose.

— Alors, que puis-je faire pour toi, Alcide ? a lancé le colonel. Viendrais-tu solliciter l'autorisation de te marier ?

— Pas aujourd'hui, lui a répondu Alcide avec un petit sourire amusé.

J'ai baissé les yeux pour ne rien laisser voir de ma réaction.

Le sourire d'Alcide a disparu tandis qu'il poursuivait :

— Mon amie détient certaines informations dont elle m'a fait part. Des informations de première importance. Il faut que vous l'écoutiez.

— Et pourquoi le ferais-je ?

Une manière comme une autre pour le colonel de demander à qui il avait affaire : s'il était censé m'accorder son attention, il devait d'abord s'assurer de ma bonne foi. Mais Alcide a pris la mouche.

— Je ne l'aurais pas amenée ici si je ne l'avais pas jugé nécessaire, et je ne vous l'aurais pas présentée si je n'étais pas prêt à donner mon sang pour elle.

Il semblait s'agir d'une façon officielle d'exprimer qu'Alcide se portait garant pour moi et proposait même de payer son erreur de son sang si je me révélais indigne de sa confiance. Décidément, rien n'était simple, dans le monde des SurNat.

— Bon. Voyons ce que vous avez à dire, jeune fille, a fait le colonel d'un ton énergique.

Je lui ai répété tout ce que j'avais raconté à Alcide, en laissant de côté les points trop personnels.

— Où ce clan s'est-il établi ? m'a-t-il demandé, au terme de mon récit.

Je lui ai décrit ce que j'avais vu dans l'esprit de Holly.

— Pas assez précis, a-t-il décrété. Alcide, nous allons devoir faire intervenir les Traqueurs.

— Bien, mon colonel.

Une étincelle s'était allumée dans les yeux verts de mon voisin : la perspective de passer à l'action le galvanisait.

— Je vais les contacter, a repris le colonel Flood. Ce que je viens d'apprendre me pousse à interpréter différemment un fait troublant survenu hier soir : Adabelle n'a pas assisté à la réunion du comité.

Alcide a paru surpris par la nouvelle.

— C'est mauvais signe, ça.

Ils essayaient de rester discrets devant moi, mais je parvenais à lire entre les lignes – d'autant plus facilement que je percevais leurs émotions. Ils se demandaient si Adabelle – leur vice-présidente ? – avait raté la réunion pour quelque vague raison personnelle sans intérêt ou si son absence avait un rapport avec l'arrivée des fameuses sorcières à Shreveport. Ces dernières l'avaient-elles contactée ? Avaient-elles tenté de la corrompre pour la convaincre de trahir les siens ?

— Adabelle rue dans les brancards, depuis quelque temps, a repris le colonel avec un petit rictus. J'espérais qu'après avoir été appelée à me seconder, elle se calmerait. Son élection aurait dû satisfaire ses ambitions.

D'après les quelques éléments que je parvenais à capter dans l'esprit du colonel, la meute de Shreveport semblait fonctionner sur un mode fortement patriarcal. Sous l'autorité du colonel Flood, Adabelle, une femme bien de son temps, étouffait.

— En admettant qu'on lui fasse miroiter un nouveau régime, elle pourrait fort bien se laisser tenter, a poursuivi le colonel, après un temps de réflexion. Si l'ennemi a des vues sur notre meute et entend saper notre organisation de l'intérieur, c'est Adabelle qu'il contactera.

— Quelle que puisse être sa frustration, je ne crois pas qu'Adabelle nous trahirait.

Alcide y mettait les formes, mais son opinion sur la question ne faisait aucun doute.

— Mais si elle n'est pas venue à la réunion, hier soir, a-t-il enchaîné, et que vous ne parvenez pas à la joindre par téléphone, alors je m'inquiète.

— Je voudrais que tu essaies de la trouver, pendant que je me charge d'alerter les membres de la meute et que je mets au point un plan d'action avec eux, a déclaré le colonel avec autorité. Si ton amie n'y voit pas d'inconvénient.

Peut-être que l'amie en question aurait bien aimé rentrer à Bon Temps. Peut-être qu'elle avait un invité dont elle devait s'occuper. Peut-être qu'elle avait aussi un frère à rechercher – même si, pour être honnête, en ce qui concernait Jason, je ne voyais pas vraiment comment j'aurais pu faire avancer les choses et, pour ce qui était d'Eric, il me restait encore deux heures avant son réveil.

— Colonel, Sookie n'est pas des nôtres : elle n'est pas soumise aux règles de la meute et n'a donc pas à endosser les responsabilités d'un de ses membres, a alors déclaré Alcide. Bien qu'elle ait ses propres soucis, elle s'est donné la peine de venir nous informer que nous avions de gros problèmes, des problèmes dont nous aurions dû être avertis : quelqu'un dans la meute n'a pas fait son travail… ou ne nous a pas tout dit.

Le visage du colonel Flood s'était crispé durant cette tirade. À voir sa grimace, on aurait pu croire qu'il venait d'avaler une anguille vivante.

— C'est vrai, a-t-il admis. Merci, mademoiselle Stackhouse, d'avoir bien voulu prendre le temps de venir à Shreveport pour informer Alcide de ce problème. Dont nous aurions dû être conscients.

J'ai hoché la tête.

— Et je pense que tu as raison, Alcide : l'un d'entre nous devait forcément savoir qu'une meute rivale était arrivée en ville.

— Je vous appellerai, au sujet d'Adabelle, a conclu Alcide.

Le colonel s'est alors saisi d'un petit carnet recouvert de cuir rouge et a décroché le téléphone. Il a composé un numéro, puis a jeté à Alcide un regard en coin.

— Pas de réponse à son magasin.

Il dégageait autant de chaleur qu'un radiateur électrique, ce qui tombait bien car il faisait un froid de canard chez lui.

— Sookie devrait être nommée « alliée » de la meute, a soudain lâché Alcide.

J'ai tout de suite compris que ce n'était pas juste un conseil. Alcide venait de dire quelque chose de très important. Mais il n'allait vraisemblablement pas m'expliquer ce que cela signifiait...

Ces dialogues énigmatiques devenaient lassants.

— Excusez-moi, Alcide, colonel... Peut-être Alcide pourrait-il me raccompagner à ma voiture, puisque vous semblez tous les deux avoir beaucoup de choses à faire.

— Bien sûr, a aussitôt répondu le colonel.

J'ai lu dans son esprit qu'il serait ravi de ne plus m'avoir dans les pattes.

— Alcide, je te revois ici dans... disons quarante minutes. Nous reparlerons de tout ça plus tranquillement.

Alcide a consulté sa montre, avant d'acquiescer sans enthousiasme.

— Je ne comprends pas pourquoi Adabelle ne répond pas à la boutique et, contrairement au colonel, je ne crois pas qu'elle soit passée à l'ennemi, m'a dit Alcide en démarrant. Adabelle habite chez sa mère, et elles ne s'entendent pas très bien. Mais c'est d'abord là-bas qu'on va aller faire un tour. Adabelle est le bras droit de Flood, et c'est aussi notre meilleure Traqueuse.

— Qu'est-ce que les Traqueurs vont faire, au juste?

— Ils vont aller au *Fangtasia* pour essayer de suivre la piste des sorcières. Ça devrait les mener à leur repaire. S'ils perdent leur trace, on pourra peut-être contacter les autres clans de Shreveport pour tenter d'en savoir un peu plus. Après tout, les sorcières de ces clans-là ne doivent pas en mener large, elles non plus.

— J'ai bien peur que toutes les empreintes et les traces olfactives ne soient effacées par les services de secours.

Dommage. J'aurais bien aimé voir un loup-garou renifler une piste à travers toute la ville.

— Et, à titre d'information, Hallow a déjà contacté toutes les sorcières des environs. J'ai parlé avec une wiccan de Bon Temps qui a été convoquée à Shreveport pour rencontrer Hallow et sa bande.

— Alors, c'est encore plus grave que je ne le pensais. Mais je suis sûr que la meute saura gérer le problème.

Alcide avait l'air confiant.

Puis il a manœuvré pour sortir de l'allée du colonel et nous sommes repartis à travers Shreveport. Je n'avais jamais autant visité cette ville qu'aujourd'hui.

— Qui a eu l'idée d'envoyer Bill au Pérou ? m'a-t-il soudain demandé.

Sa question m'a prise de court. Et un peu troublée, je dois bien l'avouer.

— Je n'en sais rien. Sa reine, je suppose.

— Mais il ne te l'a pas dit comme ça.

— Non.

— On a pu lui en donner l'ordre.

— J'imagine.

— Qui en a le pouvoir ? a-t-il insisté, sur le ton du type qui vous tend une perche.

— Eric, évidemment.

En tant que shérif de la Cinquième Zone, Eric était le supérieur direct de Bill.

— Et la reine, ai-je ajouté.

La reine de Louisiane. C'était elle, le supérieur d'Eric. Les vampires sont persuadés d'avoir mis au point une structure à la pointe de la modernité…

— Et maintenant, Bill est parti et tu te retrouves seule avec Eric, installé chez toi.

Je commençais à voir où il voulait en venir.

— Parce que tu penses qu'Eric a tout manigancé ? Tu crois qu'il a envoyé Bill à l'étranger, attiré les sorcières à Shreveport pour les pousser à lui jeter un sort et couru dans la nuit, à moitié à poil, par un froid sibérien, au moment où il avait deviné que je passerais sur la route ? En espérant que je m'occuperais de lui ? Et il aurait aussi prévu que Pam et Chow s'arrangeraient avec Jason pour que lui, Eric, finisse hébergé chez moi ?

Alcide paraissait décontenancé.

— Tu veux dire que tu y avais déjà pensé ?

— Alcide, je n'ai peut-être pas fait d'études, mais je ne suis pas née de la dernière pluie.

Essayez donc de suivre un cursus scolaire normal, quand vous pouvez lire dans les pensées de tous vos petits camarades ! Sans parler de celles des enseignants. Mais j'aime bien les livres et j'ai lu beaucoup de choses très bien. D'accord, maintenant, je fais surtout dans le polar et le roman d'amour. Mais j'ai quand même appris énormément, sur tout un tas de sujets, et j'ai beaucoup de vocabulaire.

— Quoi qu'il en soit, Eric ne se donnerait pas tant de mal pour me mettre dans son lit – c'est bien à ça, que tu pensais ?

Il ne pensait même qu'à ça. Tout loup-garou qu'il était, je le voyais très clairement dans son esprit.

— Évidemment, présenté comme ça...

Mais je savais qu'il n'était toujours pas convaincu. Bon, il ne fallait pas oublier qu'il avait cru Debbie Pelt, lorsqu'elle lui avait raconté que je sortais de nouveau avec Bill...

Je me suis distraitement demandé si je ne pourrais pas trouver une sorcière pour jeter un sort de vérité à Debbie. Cette garce de Debbie que je méprisais, parce qu'elle s'était montrée cruelle envers Alcide, insultante envers moi, avait brûlé mon châle favori avec une cigarette et – ah, oui ! – avait essayé de me tuer. Et puis, elle avait une coupe de lévrier afghan.

Alcide était complètement naïf. Elle le menait par le bout de la truffe.

Si Alcide avait su que Bill et moi étions séparés, serait-il venu me rendre une petite visite? La discussion nous aurait-elle menés au lit?

Mais bien sûr que oui. Et maintenant, je serais coincé avec un gars qui était assez naïf pour croire une Debbie Pelt.

Je me suis tournée vers mon chauffeur en soupirant. Cet homme était pratiquement parfait: je le trouvais beau, je comprenais sa façon de penser, et il me traitait avec égards et respect. D'accord, c'était un loup-garou. J'étais cependant prête à renoncer à une ou deux nuits par mois. Il est vrai, d'après ce qu'il m'avait expliqué, que j'aurais des problèmes pour mener une grossesse à terme, mais au moins, je pouvais théoriquement avoir des enfants avec lui. Ce qui n'était pas vraiment prévu au programme, avec les vampires.

Holà! Du calme! Alcide ne m'avait jamais proposé d'être le père de mes enfants! Et il voyait toujours Debbie Pelt. Mais qu'étaient donc devenues ses fiançailles avec le petit blondinet qui se changeait en hibou?

J'espérais qu'un jour Alcide verrait Debbie telle qu'elle est et qu'il finirait par en tirer les conséquences qui s'imposaient. Qu'il vienne ensuite vers moi ou pas, il méritait mieux qu'une Debbie Pelt.

Adabelle Yancy et sa mère vivaient au fond d'une impasse, dans un quartier résidentiel plutôt bourgeois, pas très loin du *Fangtasia*. La maison, posée sur une pelouse vallonnée, était surélevée par rapport au niveau de la rue. L'allée qui y conduisait montait en pente douce à travers le jardin pour disparaître ensuite derrière le bâtiment. Je pensais qu'Alcide allait se garer dans la rue et que nous emprunterions le petit chemin de brique qui menait à la porte d'entrée. Mais il semblait ne pas vouloir que l'on voie son Dodge. J'ai jeté un coup d'œil dans l'impasse : personne à l'horizon, encore moins de gens surveillant la maison pour lorgner les visiteurs.

Perpendiculaire à la maison, le garage à trois emplacements était si propre qu'on aurait pu manger par terre. Une rutilante Subaru s'y trouvait déjà.

— C'est la voiture de la mère d'Adabelle, m'a dit Alcide à voix basse, comme il m'aidait à descendre de son pick-up. Elle est propriétaire d'une boutique de mariage, Verena Rose. Verena est à la retraite, maintenant, et c'est Adabelle qui a pris le relais. Verena passe encore à la boutique de temps en temps, juste assez pour rendre Adabelle complètement dingue.

Je n'avais jamais vu cette boutique, mais dans la région, toutes les mariées qui prétendaient avoir un certain niveau social se faisaient un devoir d'aller y acheter leur robe. Le commerce devait bien marcher : la maison, une belle construction de briques plutôt récente, était parfaitement entretenue, tout comme le jardin paysagé.

Quand Alcide a frappé à la porte de derrière, celle-ci s'est ouverte à la volée. La femme qui se tenait sur le seuil était aussi propre et nette que sa propriété. Ses cheveux gris acier étaient retenus en un élégant chignon, et elle portait un tailleur vert olive et des escarpins marron. Elle nous a dévisagés tour à tour, avant d'afficher une mine déçue.

— Alcide, quel plaisir de vous voir, a-t-elle menti, visiblement gagnée par le désespoir.

Alcide l'a longuement regardée en silence.

— Nous avons des ennuis, Verena.

Si sa fille appartenait à la meute, Verena était forcément un loup-garou. Je l'ai examinée avec curiosité. Elle me faisait penser à certaines des amies les plus fortunées de ma grand-mère. Malgré sa soixantaine bien sonnée, Verena Rose Yancy était encore une très belle femme, qui bénéficiait en outre d'une retraite aisée dans une charmante demeure qui lui appartenait. Je ne parvenais pas à l'imaginer courant les champs à quatre pattes.

En tout cas, il était clair que Verena se fichait éperdument des problèmes d'Alcide.

— Avez-vous vu ma fille ? lui a-t-elle demandé d'une voix fébrile.

Il y avait de la terreur dans ses yeux :

— Il est impossible qu'elle ait trahi la meute !

— Non. Mais le chef de meute nous a envoyés la chercher. C'est une réunion d'officier de meute, qu'elle a raté hier soir.

— Elle m'a appelée de la boutique, hier soir. Elle m'a dit qu'elle avait un rendez-vous de dernière minute avec une cliente étrangère qu'elle avait eue au téléphone, juste à l'heure de la fermeture, nous a raconté Verena en se tordant littéralement les mains. J'ai pensé qu'elle avait peut-être prévu de sortir avec cette sorcière…

— Avez-vous eu des nouvelles d'elle depuis ? ai-je demandé avec le plus de douceur possible.

— Je me suis couchée en la maudissant, m'a répondu Verena en me regardant comme si elle découvrait subitement ma présence. J'étais folle de rage. Je me suis dit qu'elle allait encore passer la nuit avec une de ses amies. De ses ami-e-s, a-t-elle articulé, en haussant les sourcils pour que je comprenne bien où elle voulait en venir.

J'ai hoché la tête en silence.

— Elle ne prévenait jamais, a poursuivi Verena. Tout ce qu'elle disait, c'était « Je rentrerai quand je rentrerai » ou « Je te verrai à la boutique demain ».

Un brusque tressaillement l'a secouée des pieds à la tête.

— Mais elle n'est pas rentrée, et je ne parviens pas à la joindre à la boutique…

— Était-elle censée ouvrir aujourd'hui ? s'est enquis Alcide.

— Non. Le mercredi est notre jour de fermeture hebdomadaire. Mais Adabelle s'y rend toujours l'après-midi pour s'occuper des comptes et de la paperasserie.

— Pourquoi n'irions-nous pas vérifier sur place, Alcide et moi ? lui ai-je gentiment proposé. Elle a peut-être laissé un message.

Ce n'était pas le genre de femme dont on tapote le bras avec commisération. J'ai doucement repoussé la porte pour qu'elle comprenne qu'elle ne devait pas nous accompagner. Elle n'a que trop bien compris.

La boutique des Yancy avait été installée dans une ancienne maison de ville, au milieu d'une rue où tous les bâtiments en brique d'un étage avaient été également rénovés et convertis en magasins. Celui-ci faisait manifestement l'objet d'un soin tout aussi méticuleux que la demeure des Yancy. Il avait été repeint en blanc, et les volets vert foncé, la balustrade en fer forgé d'un noir lustré ainsi que les finitions en laiton de la porte, tout respirait l'élégance et le raffinement.

Situé un peu en retrait de la rue, avec un parking derrière le magasin, le bâtiment possédait une large baie vitrée en façade. Dans cette vitrine était présenté un mannequin sans visage portant une perruque de cheveux bruns étincelants et dont les bras s'incurvaient gracieusement pour tenir un magnifique bouquet de fleurs blanches. Même de là où j'étais, assise dans le Dodge, je pouvais me rendre compte que la robe, avec sa longue traîne brodée, était absolument féerique.

À peine nous étions-nous garés dans la rue que je sautai sur le trottoir. Alcide et moi avons remonté la petite allée qui reliait la rue à la porte de la boutique. Nous n'en avions pas parcouru la moitié que, déjà, Alcide poussait un juron. Pendant un quart de seconde, j'ai cru à une invasion de bestioles qui se seraient faufilées en masse dans la vitrine pour partir à l'ascension des pentes immaculées de la robe. Puis j'ai compris que je voyais là des taches de sang. Le brocart blanc en était tout éclaboussé, comme si le mannequin avait été blessé. Pendant un quart de seconde, je me suis même demandé si c'était le cas – j'avais vu tellement de choses impossibles, au cours des derniers mois.

— Adabelle, a soufflé Alcide.

C'était presque une prière.

Nous nous étions arrêtés au pied des marches du perron, les yeux obstinément fixés sur le sinistre spectacle qu'offrait la devanture. Une pancarte «Fermé» était suspendue au centre de la vitre ovale sertie dans le bois de la porte d'entrée, laissant apercevoir les stores baissés. Aucune activité cérébrale n'était perceptible dans tout le bâtiment – j'ai pris le temps de m'en assurer. J'avais appris, à mes dépens, que de telles précautions n'étaient jamais superflues.

— Des choses mortes, a prononcé Alcide, le visage levé pour humer la brise glacée, les yeux fermés pour mieux se concentrer. Des choses mortes, à l'intérieur et dehors.

Je me suis cramponnée à la rampe en fer forgé et j'ai gravi une marche, puis j'ai jeté un coup d'œil autour de moi. Quelque chose a arrêté mon regard dans le parterre de fleurs, devant la vitrine. Quelque chose de pâle qui ressortait sur le paillis brun d'écorce de pin. J'ai donné un petit coup de coude à Alcide, tout en désignant du doigt ma macabre découverte.

Au pied d'une azalée gisait une main. J'ai senti Alcide frissonner lorsqu'il a compris ce qu'il avait sous les yeux.

— Attends-moi ici, m'a-t-il ordonné d'une voix rauque.

Pas de problème.

Malheureusement, quand il a ouvert la porte du magasin – qui, bizarrement, n'était pas fermée à clé –, j'ai aperçu ce qu'il y avait par terre. J'ai dû plaquer la main sur ma bouche pour étouffer un cri.

Alcide a immédiatement appelé le colonel Flood sur son portable pour lui apprendre ce qui s'était passé et lui demander d'aller prévenir Mme Yancy – je préférais que ce soit lui plutôt que moi. Puis il a fait le 911. Impossible d'y échapper : c'était un quartier animé, et il y avait de grandes chances pour qu'on nous ait vus nous diriger vers la boutique.

Décidément, la journée regorgeait de cadavres. Et pas seulement de mon côté. Pour les policiers de Shreveport, aussi. Je savais qu'il y avait des vampires dans leurs rangs, mais ils n'étaient de service que la nuit, naturellement. C'est donc à des policiers tout à fait ordinaires que nous avons eu affaire. Pas un seul loup-garou parmi eux, pas un métamorphe, pas un télépathe. Et tous ces officiers humains nous trouvaient un rien suspects, Alcide et moi.

— Pourquoi vous êtes-vous arrêté dans le coin, mon gars ? a demandé le lieutenant Coughlin, un homme brun au visage buriné, avec une imposante bedaine de buveur de bière.

Alcide a eu l'air surpris. Il n'avait pas poussé la réflexion jusque-là. Cela n'avait rien d'étonnant, avec le choc qu'il venait de subir. Contrairement à lui, je n'avais pas connu Adabelle de son vivant et je n'étais pas entrée dans la boutique : j'étais moins choquée que lui et c'était à moi de prendre les choses en main.

154

— C'était mon idée, lieutenant. Ma grand-mère, qui est morte l'an dernier, m'a toujours dit : « Quand on veut une robe de mariée, Sookie, on va chez Verena Rose. » Je n'ai pas pensé à appeler pour vérifier si c'était ouvert aujourd'hui.

— Alors, comme ça, vous et M. Herveaux, vous allez vous marier ?

— Oui, a confirmé Alcide en m'attirant contre lui pour m'enlacer. Je lui passe la bague au doigt.

J'ai souri avec toute la retenue qui s'imposait.

— Eh bien, félicitations ! a répondu le lieutenant Coughlin, sans cesser de nous dévisager d'un air songeur. Donc, vous n'aviez jamais vu Adabelle Yancy auparavant, mademoiselle Stackhouse ?

— Il n'est pas impossible que j'aie rencontré sa mère quand j'étais petite, mais je ne m'en souviens plus, ai-je prudemment précisé. En revanche, la famille d'Alcide connaît les Yancy. C'est un peu normal. Alcide a toujours vécu ici.

Et puis, ce sont tous des loups-garous.

Coughlin a paru concentrer toute son attention sur moi.

— Et vous n'êtes pas entrée dans la boutique ? Du tout ? Juste M. Herveaux, ici présent ?

— Alcide a poussé la porte pendant que j'attendais dehors.

J'essayais de jouer les jouvencelles effarouchées, ce qui n'était pas évident : je suis plutôt le genre de fille sportive, bien campée sur ses deux jambes – je ne suis pas une top model XL comme Emme, mais je n'ai rien d'une Kate Moss non plus.

— J'avais vu la… la main, vous comprenez…

— Vous avez bien fait, a approuvé le lieutenant Coughlin. Ce qu'il y a là-dedans… personne ne devrait voir ça.

Il a semblé prendre vingt ans d'un coup. J'ai presque eu pitié de lui. C'est vrai qu'il n'avait pas un métier facile. Ces corps mutilés, à l'intérieur, ces deux vies perdues pour rien le rendaient malade et il n'avait qu'une idée en tête : arrêter l'assassin.

— L'un d'entre vous aurait-il une petite idée sur la raison qui aurait pu pousser quelqu'un à réduire deux femmes en bouillie comme ça ?

— Deux ? s'est étonné Alcide, manifestement stupéfait.

— Deux ? ai-je répété.

— Eh bien... oui, a acquiescé le lieutenant d'un ton soupçonneux.

Il avait délibérément cherché à obtenir nos réactions. Je n'entendais pas encore ce qu'il en pensait.

— Les pauvres, ai-je murmuré, les larmes aux yeux.

Et ce n'étaient pas des larmes de crocodile.

Ce n'était pas désagréable d'avoir la poitrine d'Alcide à disposition pour pouvoir cacher mes accès de faiblesse. Comme s'il avait lu dans mes pensées, il a ouvert son blouson de cuir pour me serrer plus étroitement contre lui et l'a refermé sur moi pour me réchauffer.

Je n'ai pas perdu le nord pour autant :

— Mais si l'une des deux était Adabelle Yancy, qui était l'autre ?

— Il n'en reste pas assez pour le dire, a soupiré Coughlin, avant de songer qu'il aurait mieux fait de se taire.

— Les corps étaient un peu... mélangés, m'a expliqué Alcide à l'oreille.

Il était écœuré.

— Je n'ai pas réalisé... a-t-il marmonné. Si j'avais réellement pris conscience de ce que je voyais...

Je ne pouvais pas lire clairement dans son esprit, mais j'en comprenais suffisamment pour entendre qu'Adabelle avait réussi à abattre l'un de ses attaquants.

156

Et que le reste de la bande n'avait pas emporté tous les morceaux du corps en partant.

— Donc, vous êtes de Bon Temps, mademoiselle Stackhouse? a repris le lieutenant d'un ton détaché.

— Oui, lieutenant, ai-je répondu, le souffle court.

Je m'efforçais de ne pas imaginer les derniers moments d'Adabelle Yancy.

— Et vous travaillez…

— Au *Merlotte*, un bar aux abords de la ville. Je suis serveuse.

Tandis que le lieutenant Coughlin notait avec intérêt la différence de statut social entre Alcide et moi, j'ai posé la tête sur la poitrine d'Alcide en fermant les yeux. Le lieutenant Coughlin se demandait si j'étais enceinte et si le père d'Alcide, un riche notable de Shreveport, approuverait pareille union. Il comprenait tout à fait que je veuille me faire offrir une belle robe de mariée, puisque j'épousais un Herveaux.

— Vous ne portez pas de bague de fiançailles, mademoiselle Stackhouse?

— Nous n'envisageons pas de longues fiançailles, a riposté Alcide.

Je sentais sa voix gronder dans sa poitrine.

— Elle aura son diamant le jour où elle m'épousera.

— Oh! L'odieux personnage! ai-je protesté tendrement en le bourrant de coups de poing dans les côtes.

— Aïe!

Par miracle, cette petite scène de ménage improvisée a fini par convaincre le lieutenant Coughlin. Il a pris nos numéros de téléphone et nos adresses, puis il nous a libérés. Alcide était aussi soulagé que moi.

Nous avons roulé jusqu'au premier endroit qui offrait un minimum d'intimité – un petit square, désert par ce froid glacial. Alcide est sorti du pick-up pour rappeler le colonel Flood. J'ai attendu dans la cabine pendant qu'il faisait les cent pas sur le gazon pelé, gesticulant, vociférant, sans doute pour évacuer l'horreur et la révolte qui bouillaient en lui. J'avais senti sa colère monter. Alcide avait du mal à exprimer ses sentiments, comme beaucoup d'hommes. Ça ne le rendait que plus humain et plus cher à mes yeux…

Cher ? Il valait mieux que j'arrête ça tout de suite. Nos fiançailles avaient été inventées pour le bénéfice exclusif du lieutenant Coughlin. Si Alcide était le fiancé de quelqu'un, c'était de la perfide Debbie.

Quand il est remonté dans le pick-up, il faisait grise mine.

— Je crois que je ferais mieux de retourner au bureau et de te ramener à ta voiture, m'a-t-il annoncé. Je suis désolé pour tout ça.

— C'est moi qui suis désolée.

— Nous ne sommes pas à l'origine de ce qui s'est passé, a-t-il fermement rectifié. Si nous avions pu l'éviter, nous ne nous serions pas mêlés de tout ça, ni l'un ni l'autre.

— Tu as raison, ai-je admis.

Après m'être absorbée quelques minutes dans une brève méditation sur les complexités du monde des SurNat, j'ai demandé à Alcide quels étaient les plans du colonel Flood.

— Nous allons gérer la situation, m'a-t-il répondu, mystérieux. Ne m'en veux pas, Sookie, mais je ne peux pas t'en dire plus.

— Tu ne vas pas mettre ta vie en danger ?

C'était sorti tout seul. Je n'avais pas pu m'en empêcher.

Entre-temps, nous étions arrivés au siège de la société Herveaux et Fils. Alcide s'est garé le long de ma vieille guimbarde. Puis il s'est tourné vers moi et m'a pris la main.

— Tout va bien se passer, m'a-t-il assuré avec douceur. Je t'appellerai.

— Tu as intérêt. Avant qu'on se sépare, il faut que je te raconte ce que les sorcières ont fait pour retrouver Eric.

Je ne lui avais pas encore parlé des affiches et de la récompense. Il a froncé les sourcils. Son visage s'est encore assombri.

— Debbie est censée passer cet après-midi, vers 18 heures, m'a-t-il annoncé en consultant sa montre. Il est trop tard pour me décommander.

— Si vous avez l'intention de lancer une grande offensive, elle pourra vous aider, lui ai-je fait remarquer.

Il m'a fusillée du regard.

— Elle est métamorphe, pas loup-garou.

Je me suis fugitivement demandé en quoi elle se transformait. En hyène ? En rat ?

— Euh… oui, évidemment.

Je me suis littéralement mordu la langue pour retenir les quelques petites observations que j'avais juste sur le bout de la langue.

— Alcide, l'autre corps dans la boutique, qui crois-tu que c'était ? La petite amie d'Adabelle ? Quelqu'un qui s'est trouvé là au mauvais moment ?

— Je pense que c'était une sorcière. Du moins, je l'espère. Je préférerais qu'Adabelle soit morte en combattant.

J'ai hoché la tête pour clore le sujet.

— Je ferais mieux de rentrer. Eric va bientôt se réveiller. Au fait… n'oublie pas de prévenir ton père, pour nos fiançailles.

À voir l'expression sur son visage, j'ai failli mourir de rire.

Le seul rayon de soleil de toute la journée.

6

J'ai repensé à ma journée à Shreveport durant tout le trajet jusqu'à Bon Temps. J'avais demandé à Alcide d'appeler le bureau de Bud Dearborn avec son portable. Malheureusement, il n'avait eu que des réponses négatives à m'apporter : non, ils n'avaient pas eu de nouvelles de Jason depuis la dernière fois ; non, ils n'avaient reçu aucun coup de fil de quelqu'un qui l'aurait aperçu. Je ne suis donc pas passée au commissariat en arrivant à Bon Temps. Mais j'avais quand même quelques courses à faire avant de rentrer : du pain et de la margarine pour moi, du sang pour mon hôte.

La première chose que j'ai vue, en poussant la porte de la supérette, c'est une petite rangée de bouteilles de sang. Je n'aurais donc pas besoin de chercher plus loin. La seconde, c'est le portrait d'Eric en gros plan. Ce devait être la fameuse photo qu'il avait fait faire à l'occasion de l'ouverture du *Fangtasia* : le cliché le présentait sous son jour le plus inoffensif. Il offrait l'image même de l'homme affable et distingué au sourire engageant. À le voir, personne au monde n'aurait voulu croire une seule seconde qu'il ait pu avoir ne serait-ce que l'intention de mordre quelqu'un. Au-dessus de la photo était écrit en gros caractères : « Avez-vous vu ce vampire ? »

J'ai lu le texte qui suivait avec la plus grande attention. Tout ce que Jason nous en avait dit était exact. Cinquante mille dollars, c'est une belle somme. Cette Hallow devait vraiment être raide dingue d'Eric, pour être prête à débourser une somme pareille juste pour coucher avec lui. Parce qu'il fallait être lucide : elle avait peu de chances de réussir à faire assez de bénéfices avec le *Fangtasia* pour compenser le versement d'une si lourde récompense. De toute évidence, il me manquait des pièces pour assembler le puzzle. Et de toute évidence, j'étais impliquée et je risquais ma peau.

Hoyt Fortenberry, le grand copain de Jason, était en train de remplir son chariot de pizzas, au rayon des surgelés.

— Hé, Sookie ! s'est-il écrié en me voyant. Tu n'aurais pas une petite idée de l'endroit où se cache Jason ?

Hoyt – le style grand costaud bedonnant qui n'a pas inventé la poudre – avait l'air sincèrement inquiet.

— Je voudrais bien le savoir !

Je me suis rapprochée : inutile que tout le magasin profite de la conversation.

— Je me fais vraiment un sang d'encre pour lui.

— Tu ne crois pas qu'il s'est juste laissé embarquer par une jolie fille qu'il aurait rencontrée ? La nana avec qui il était, au Jour de l'An, était plutôt canon.

— Comment elle s'appelait, déjà ?

— Crystal. Crystal Norris.

— Et d'où elle sortait ?

— De Hotshot, par là.

Il pointait le menton vers le sud.

Le village de Hotshot était encore plus petit que Bon Temps – dont il n'était éloigné que d'une petite vingtaine de kilomètres – et avait mauvaise réputation : les gens du village étaient… bizarres. Les gamins de Hotshot, qui étaient scolarisés à Bon Temps, restaient toujours entre eux et étaient tous un peu… différents. Je n'étais pas surprise que Crystal soit de là-bas.

— Donc, a insisté Hoyt, Crystal a très bien pu lui demander de rester chez elle.

Mais son cerveau révélait qu'il n'en croyait pas un mot. Il essayait seulement de nous réconforter, lui et moi. Nous savions l'un comme l'autre que, même au lit avec la plus belle fille du monde, Jason aurait déjà appelé.

Mais j'ai tout de même décidé de passer un petit coup de fil à Crystal quand j'aurais dix minutes devant moi. Peut-être pas ce soir. J'ai demandé à Hoyt de transmettre les coordonnées de Crystal à la police. Ça n'a pas eu l'air de l'enthousiasmer, mais il me l'a néanmoins promis. Si ça n'avait pas été pour Jason, il aurait refusé tout net. Largement plus intelligent et plus imaginatif que Hoyt, Jason avait toujours représenté pour son copain une intarissable source de divertissement, le sel de sa morne existence. Si Jason devait ne plus jamais reparaître, la vie, pour Hoyt Fortenberry, deviendrait tout à coup bien fade.

La nuit commençait à tomber quand je suis arrivée chez moi. Je suis passée par la porte de derrière et j'ai appelé Eric, tout en allumant la lumière de la cuisine. Pas de réponse. J'ai rangé les courses et j'ai posé une bouteille de sang sur la table pour son petit-déjeuner. Je suis ensuite retournée chercher le fusil de Jason et les cartouches dans la voiture. J'ai chargé le Benelli et l'ai camouflé derrière le chauffe-eau. Puis j'ai pris le temps de rappeler le bureau du shérif.

— Pas de nouvelles, m'a annoncé la standardiste.

Je dois bien avouer que j'ai eu un moment de découragement. Je me suis affalée contre le mur et je suis restée là sans bouger un long moment. Mais comme ce n'est pas mon style de broyer du noir sans rien faire, j'ai fini par me ressaisir. Et si j'allais dans le salon choisir une cassette vidéo ? Peut-être que ça distrairait Eric. Il avait déjà vu toutes mes cassettes de *Buffy*, et je n'en avais aucune d'*Angel* à lui proposer. Et si je lui mettais *Autant en emporte le vent* ? Il l'avait sans doute déjà vu, mais comme il était amnésique... En un sens, c'était pratique : tout était neuf, pour lui.

En sortant dans le couloir, j'ai entendu du bruit. J'ai poussé la porte de mon ancienne chambre, avec l'intention d'aller vider le placard pour aider Eric à s'en extraire, au cas où il s'était réveillé. Oh ! Euh... il l'était déjà. Il était même en train d'enfiler son jean. Il me tournait le dos et il n'avait pas pris la peine de mettre un slip, pas même l'infime morceau de tissu écarlate qui lui servait de cache-sexe. Brusquement, j'ai manqué d'air et j'ai émis un son étranglé. Je me suis forcée à fermer les yeux, et j'ai serré les poings.

S'il y avait, un jour, un concours international des plus belles fesses, Eric était sûr de remporter le premier prix haut la main. On lui remettrait un trophée inoubliable. Je n'avais jamais imaginé qu'une femme pourrait avoir à lutter pour ne *pas* toucher un homme : j'enfonçais les ongles dans mes paumes, fixant l'intérieur de mes paupières dans l'espoir qu'elles deviennent transparentes.

Il était presque dégradant de désirer quelqu'un si... voracement, juste parce que, physiquement, il était la perfection incarnée. J'avais toujours pensé que ce n'était pas un comportement féminin.

— Sookie ? Ça ne va pas ?

J'ai tenté de retrouver ma santé mentale au fond du bourbier de lubricité (un « mot du jour » de l'année précédente) dans lequel je m'étais enfoncée. Eric se tenait juste devant moi, les mains posées sur mes épaules. J'ai levé les yeux et rencontré l'azur de son regard, qui me dévisageait avec une manifeste anxiété.

Ma bouche se trouvait au niveau de ses mamelons durcis, qui ressemblaient à de petites gommes toutes roses. Je me suis mordu l'intérieur des joues. Non, je ne me pencherais pas pour les mordiller.

— Excuse-moi, je...

Je murmurais. J'avais peur de parler : ma voix aurait pu me trahir. Je n'osais même pas remuer un orteil, de crainte de lui sauter dessus.

— J'aurais dû frapper.

— Tu n'as rien découvert que tu n'aies déjà vu.

Euh... pas sous cet angle.

— Oui, mais ce n'était pas très poli de ma part.

— Pas de problème. De mon côté, du moins. En revanche, toi, tu as l'air contrariée.

Tu crois ?

— Eh bien, j'ai eu une sale journée. Mon frère a disparu, et les sorcières-loups-garous de Shreveport ont tué la... la vice-présidente de la meute de loups-garous locale. J'ai vu sa main dans le parterre de fleurs de sa boutique – enfin, la main de quelqu'un, en tout cas. Belinda est à l'hôpital et Ginger est morte. Je crois que je vais prendre une douche.

J'ai tourné les talons *illico* et filé dans ma chambre. À peine arrivée dans la salle de bains, j'ai enlevé mes vêtements et les ai jetés en tas dans un coin en serrant les dents pour essayer de me calmer, assez du moins pour parvenir à rire de ma propre crise d'hystérie, avant de me glisser sous le jet d'eau bouillante.

Je sais, c'est plutôt la douche froide qu'on recommande, dans ces cas-là, mais la chaleur me détendait. La tête sous la cascade fumante, j'ai tendu la main pour attraper le savon.

— Je m'en charge, a déclaré Eric en tirant le rideau pour venir me rejoindre.

J'ai hoqueté et retenu de justesse un hurlement d'effroi. Il était nu comme un ver et... visiblement dans le même état d'esprit que moi. Avec Eric, c'était extrêmement… visible. Ses crocs étaient légèrement sortis. J'étais embarrassée, horrifiée… et à deux doigts de le violer. Pendant que, paralysée par toutes ces émotions contradictoires, je restais figée, Eric s'est savonné les mains. Il a reposé le savon dans sa niche et a commencé à me laver les bras, les soulevant l'un après l'autre pour caresser mes aisselles, redescendant le long de mes côtes sans jamais ne serait-ce qu'effleurer mes seins – qui ne demandaient que ça.

— Avons-nous déjà fait l'amour ? a-t-il murmuré.

Je fis non de la tête en silence – j'étais absolument incapable d'articuler le moindre mot.

— Alors j'étais un idiot, a-t-il constaté en faisant glisser sa main sur mon ventre dans un lent mouvement de rotation. Retourne-toi, ma belle amante.

J'ai obéi, et il a recommencé côté pile ce qu'il venait de terminer côté face. Ses gestes étaient sûrs, habiles. Un vrai massage ! À la fin, j'avais les omoplates les plus propres et les plus décontractées de toute la Louisiane.

Mais c'était bien tout ce que j'avais de décontracté. Ma libido jouait les montagnes russes. Est-ce que j'allais vraiment faire ça ? Inutile de me voiler la face : ça paraissait de plus en plus évident. Si l'homme qui se trouvait avec moi sous la douche avait été le véritable Eric, j'aurais eu le courage de le repousser. Je l'aurais même jeté dehors à la seconde où il avait mis les pieds dans la cabine. Au véritable Eric étaient associés la soif de pouvoir, l'amour de l'argent, le désir de posséder, autant de choses que j'avais un peu de mal à comprendre et qui ne m'intéressaient absolument pas.

Mais l'Eric qui se tenait là n'avait pas du tout la même personnalité – personnalité à laquelle, d'une manière un peu perverse sans doute, je m'étais malgré tout peu à peu attachée. C'était un Eric magnifique, qui me cajolait, me dévorait des yeux, me désirait de tout son corps, dans un monde où l'on me rejetait et où l'on me faisait trop souvent savoir qu'on se passerait bien de cinglées dans mon genre. J'avais conscience d'être à deux doigts de lâcher prise, de débrancher le moteur en pleine explosion qui me tenait lieu de cerveau et de laisser mon corps prendre les commandes... Je sentais une certaine partie du corps d'Eric qui se pressait contre moi – et pourtant il ne se tenait pas si près de moi... Argh. Youpi. Miam.

— Est-ce parce que tu as peur de moi que tu trembles? m'a-t-il demandé tout en me lavant les cheveux.

J'ai réfléchi à la question. Oui et non. Mais je n'avais pas l'intention d'entamer une discussion sur le sujet. Oui, je sais, le moment n'aurait pu être mieux choisi pour avoir, avec Eric, une conversation sérieuse sur les rapports sexuels basés uniquement sur le désir physique et les dilemmes moraux qu'ils entraînent. Et peut-être n'y aurait-il pas d'autres occasions de fixer, une fois pour toutes, les règles du jeu entre nous, notamment en ce qui concernait les précautions avec lesquelles il fallait me traiter. Non pas qu'Eric soit une brute épaisse, mais sa... « virilité » (comme on dit dans les romans sentimentaux – dans ce cas précis, les adjectifs « palpitante » et « turgescente » s'imposaient) avait de quoi intimider une femme aussi peu expérimentée que moi. J'avais l'impression d'être une voiture qui n'a connu qu'un seul conducteur, et que son nouveau propriétaire voudrait emmener au Daytona 500.

Oh! Et puis, zut! Fini de réfléchir!

À mon tour, je me suis savonné les mains. Puis je me suis approchée de lui, repliant plus ou moins Monsieur l'Impatient contre le ventre de son proprié-taire, pour atteindre ce fessier hors concours dont j'avais eu un si bref et si bouleversant aperçu. Je ne pouvais pas voir ses yeux, mais il m'a fait comprendre

166

qu'il était ravi de me voir répondre à ses avances. Il a docilement écarté les jambes et je l'ai savonné, soigneusement, très méticuleusement. Pour son plus grand plaisir, à en croire les petits cris inarticulés qui lui échappaient et l'imperceptible mouvement de balancier qui agitait ses reins. Encouragée par ces résultats, je me suis attaquée à la face nord et suis partie d'emblée à la conquête des mamelons jumeaux dont les cimes roses avaient tant attiré mes lèvres, tout à l'heure. Cette initiative a semblé ravir Eric, qui m'a enserré la nuque à deux mains.

— Mords-moi, a-t-il murmuré. Juste un peu.

Il ne m'a repoussée que pour mieux me rendre la pareille. Pendant que sa bouche se refermait sur mon sein, sa main s'est immiscée entre mes cuisses. J'ai laissé échapper un profond soupir, en accompagnant instinctivement le mouvement de sa main. Il avait de très longs doigts…

Quand j'ai repris mes esprits, l'eau avait cessé de couler et Eric m'essuyait avec une serviette. Je lui ai retourné la politesse. Puis nous nous sommes embrassés, encore et encore.

— Le lit, a-t-il soufflé d'une voix rauque.

J'ai hoché la tête, trop haletante pour parler. Il m'a prise dans ses bras pour retourner dans la chambre. Il y a eu un léger cafouillage lorsque j'ai essayé de tirer les couvertures, alors que, trop pressé, Eric voulait juste m'allonger sur le couvre-lit. Mais j'ai fini par l'emporter – il faisait tout simplement trop froid pour ne pas se glisser sous les draps. À peine couchés, nous avons repris les choses où nous les avions laissées, mais à un rythme légèrement accéléré.

J'avais le corps en feu. Il m'électrisait tellement que je m'étonnais de ne pas voir ma peau crépiter sous ses doigts. J'ai refermé ma main sur lui et j'ai commencé à le caresser.

Il s'est alors brusquement dressé au-dessus de moi. Je l'ai guidé doucement, profitant du mouvement pour effleurer le bourgeon de mon désir avec le sien.

— Ma belle amante, a-t-il haleté d'une voix enrouée.

Et il nous a unis d'un puissant coup de reins. Je m'étais crue on ne peut plus prête – je mourais de désir pour lui –, mais j'ai hurlé sous la violence du choc.

— Ne ferme pas les yeux, a-t-il chuchoté. Regarde-moi, ma belle amante.

Il avait une façon de dire « amante » qui changeait le mot en caresse, comme s'il m'appelait par un nom secret, intime, qui n'appartenait qu'à nous, un nom qu'aucun autre homme n'avait utilisé avant lui et qu'aucun autre homme ne prononcerait après lui. Ses canines étaient complètement sorties, et je me suis cambrée pour les lécher. Je pensais qu'il allait me mordre dans le cou, comme Bill le faisait presque systématiquement.

— Regarde-moi, a-t-il répété à mon oreille, en se retirant brutalement.

J'ai poussé un cri et j'ai essayé de le retenir. Mais il a recommencé à promener ses lèvres sur mon corps, faisant en chemin des pauses stratégiques, et quand il est arrivé au bout du trajet, je vacillais déjà au sommet de la vague. Sa bouche était experte, et ses doigts ont pris la place de son pénis. Puis, tout à coup, il a relevé la tête pour s'assurer que je le regardais – il n'a pas été déçu – et il a posé sa bouche à l'intérieur de ma cuisse, léchant, embrassant, aspirant. Ses doigts s'activaient de plus en plus vite, et soudain, sans crier gare, il m'a mordue.

Ai-je laissé échapper un cri, un juron, un serment ? Je suis sûre que j'ai réagi, mais j'avais déjà basculé, emportée par la plus puissante lame de plaisir que j'aie jamais ressentie. Et, à la seconde où j'ai repris contact avec la réalité, grisée et éblouie, Eric a recommencé à m'embrasser, avec le goût de mon corps sur les lèvres. Puis il m'a de nouveau pénétrée, et la terre s'est remise à trembler, la lave à bouillonner. Pour lui, l'éruption s'est produite alors que j'en étais déjà aux répliques. Il a hurlé quelque chose dans une langue inconnue et il s'est abattu sur moi. L'instant d'après, il relevait la tête, et je plongeais dans l'azur limpide de son regard. J'aurais aimé qu'il feigne de respirer, comme le faisait toujours Bill dans ces moments-là – ça me rassurait. J'ai essayé de refouler cette idée. Bill avait été mon unique amant, et je suppose que c'était normal de penser à lui. Mais, à vrai dire, ça me faisait mal de savoir que je n'étais plus la femme d'un seul homme, que plus jamais je ne le serais…

Je me suis forcée à vivre le moment présent, à être tout entière dans l'instant. J'ai contemplé mon nouvel amant. Je lui ai caressé les cheveux, j'ai repoussé une mèche derrière son oreille. Il avait toujours les yeux rivés aux miens, le regard fixe, intense, comme s'il attendait que je dise quelque chose.

— On devrait pouvoir garder ses orgasmes dans une boîte en prévision de l'avenir, ai-je dit d'une voix rêveuse. J'aurais pu commencer à faire des réserves, parce que je crois que j'ai eu un peu de surplus.

Eric m'a dévisagée avec des yeux ronds. Puis, tout à coup, il a éclaté de rire. C'était si bon. Ça m'a rappelé le vrai Eric : je me suis soudain sentie en terrain connu avec ce bel étranger aux traits si familiers. Il a roulé sur le dos, m'entraînant avec lui pour que je le chevauche.

— Si j'avais su que tu serais si belle dans le plus simple appareil, j'aurais tenté ma chance plus tôt, a-t-il commenté.

— Tu l'as fait. Une bonne vingtaine de fois, ai-je précisé en lui souriant.

— Ça prouve que j'ai toujours eu bon goût.

Il a semblé hésiter. Le plaisir et la joie qui illuminaient son visage ont peu à peu disparu, laissant place à une gravité inattendue.

— Parle-moi de nous, a-t-il subitement demandé d'une voix sourde. Je te connais depuis longtemps?

La lumière de la salle de bains éclairait son profil, pailletant d'or ses cheveux étalés sur l'oreiller.

— J'ai froid, ai-je murmuré en frissonnant.

Il m'a laissée glisser pour que je puisse m'allonger près de lui, puis a rabattu les couvertures sur nous. Je me suis redressée sur un coude pour le regarder, et il s'est tourné sur le côté pour me faire face.

— Attends, laisse-moi réfléchir… Je t'ai rencontré l'année dernière dans ton propre bar, le *Fangtasia*, à Shreveport. Ah! Pendant que j'y pense, vous avez subi une attaque, cette nuit. Je suis désolée, j'aurais dû te prévenir plus tôt, mais je m'inquiétais tellement pour mon frère…

— Tu me raconteras ça tout à l'heure… Ça m'intéresse, bien sûr, a-t-il ajouté en voyant mon air ahuri, mais tu m'as appâté: je suis trop impatient de connaître la suite.

Décidément, je n'étais pas au bout de mes surprises. Pour le véritable Eric, les affaires passaient en premier. Le relationnel devait arriver au… je ne sais pas, moi… allez, disons au dixième rang de ses préoccupations. C'était très étrange.

— Tu es le shérif de la Cinquième Zone, ai-je docilement repris, et le supérieur de Bill, mon ex, qui est au Pérou en ce moment. Je t'ai déjà parlé de lui, non?

— Le petit copain qui t'a trompée avec celle qui l'a vampirisé, Lorena?

— C'est ça, ai-je répondu d'un ton bref. Donc, je t'ai rencontré au *Fangtasia* avec Bill…

Ça m'a pris plus longtemps que je ne l'avais prévu, et ses mains se sont vite montrées plus impatientes que lui. J'avais à peine fini mon récit qu'il me mordait le sein, m'arrachant un cri étouffé et une goutte de sang. Puis il s'est mis à aspirer puissamment, avalant goulûment mon sang et la pointe de mon sein, provoquant une sensation indéfinissable, un mélange de douleur et d'intense excitation. C'était comme s'il aspirait toute la moiteur qui venait du creux de mon ventre. J'ai eu un hoquet de surprise, un spasme de désir. Soudain, il a soulevé ma jambe pour s'enfoncer en moi.

Le choc a été moins violent, cette fois, et le mouvement plus lent. Il m'a de nouveau demandé de le regarder dans les yeux. Ça l'embrasait.

Lorsque ça a été fini, j'étais épuisée. Comblée mais épuisée. J'avais entendu dire que beaucoup d'hommes ne s'occupaient pas du plaisir de leur partenaire. Peut-être supposaient-ils que s'ils étaient satisfaits, elle devait l'être aussi. Mais aucun des deux hommes que j'avais intimement connus n'avait fait preuve d'un tel égoïsme envers moi. J'ignorais si c'était parce qu'ils étaient tous les deux des vampires ou parce que j'avais de la chance, ou les deux.

Eric m'avait couverte de compliments, au cours des dernières heures, et je me suis rendu compte qu'à aucun moment je ne lui avais fait part de mon admiration. C'était injuste.

— Tu es si beau, ai-je chuchoté dans son cou.

— Quoi ?

Il semblait abasourdi.

— Tu m'as dit que tu me trouvais jolie…

Ce n'était pas tout à fait l'adjectif qu'il avait employé, bien sûr, mais ça m'aurait gênée de répéter ses mots exacts.

— Je voulais juste te faire savoir que je pensais la même chose de toi.

Sa poitrine a été secouée par un petit rire silencieux.

— Et quelle partie de mon corps préfères-tu ?

— Oh! Tes fesses, sans hésiter, ai-je aussitôt répondu.

— Mes...

— ... fesses, oui.

— J'aurais pensé que ton choix se porterait sur une autre partie de mon anatomie...

— Eh bien, elle est assurément... intéressante, ai-je bredouillé en me blottissant contre sa poitrine.

J'ai su instantanément que je n'avais pas choisi le mot approprié.

— *Intéressante* ?

Il m'a pris la main pour la poser sur la partie en question – qui a aussitôt réagi – et lui a imprimé un léger mouvement de va-et-vient. J'ai obligeamment refermé mes doigts sur l'objet du délit.

— C'est ça, ce que tu appelles « intéressant » ? a-t-il demandé.

— J'aurais peut-être dû parler de... Corne d'abondance ?

— Corne d'abondance... L'image me plaît assez.

Il était de nouveau prêt, mais, honnêtement, je ne savais pas si j'allais pouvoir suivre. Je lui ai gentiment fait comprendre que je ne serais pas contre une variante, en laissant glisser mes lèvres vers le bas. Il a semblé ravi de me rendre la pareille. Après un nouvel instant de libération sublime, j'ai cru que tous mes muscles s'étaient liquéfiés. Je n'ai pas reparlé de l'inquiétude que me causait mon frère, ni des choses terribles qui s'étaient passées à Shreveport, ni de rien d'aussi déplaisant. Nous avons échangé des compliments qui venaient du fond du cœur (de mon côté, du moins), puis la fatigue m'a submergée. Je ne sais pas ce qu'Eric a fait le reste de la nuit : je dormais.

J'avais un tas de problèmes qui m'attendaient au réveil, mais pendant quelques heures au moins, grâce à Eric, j'avais tout oublié.

7

Le soleil brillait quand je me suis réveillée le lendemain matin. Je me suis un peu attardée au lit pour
savourer le merveilleux bien-être qui m'envahissait.
Je flottais dans un état de béatitude inconsciente.
J'avais mal partout, mais c'étaient juste des courbatures, de celles qui vous arrachent un petit sourire
rétrospectif. Les marques de crocs généralement si
révélatrices ne se trouvaient pas sur mon cou, comme
par le passé. Personne n'allait donc pouvoir deviner
que j'avais bénéficié des attentions d'un vampire.

Une nouvelle douche s'imposait. Je me suis donc
péniblement glissée hors du lit et me suis traînée
sur des jambes flageolantes jusqu'à la salle de bains,
que nous avions laissée dans un état lamentable.
Serviettes mouillées par terre, rideau de douche à
moitié décroché (ah bon?)... Mais ça ne m'ennuyait
pas de ranger. J'ai ramassé les serviettes et remis le
rideau en place, des étoiles plein les yeux et une chan-
son d'amour dans la tête.

En laissant l'eau couler dans mon dos, je me suis
dit que je n'étais pas vraiment difficile comme fille.
Il m'en fallait peu pour être heureuse : une longue
nuit avec un déterré faisait l'affaire. Ce n'était pas seulement le sexe si dynamique qui m'avait donné tant

de plaisir (même si je me souviendrais de certains moments jusqu'à la fin de mes jours), mais la présence de quelqu'un à mes côtés, sa compagnie. L'intimité partagée, en fait.

C'est sans doute une réaction très ordinaire... Mais j'avais passé la nuit avec un homme qui m'avait dit que j'étais belle, un homme qui avait pris du plaisir avec moi et me l'avait rendu au centuple. Il m'avait caressée, m'avait tenue dans ses bras, avait ri avec moi. Je ne risquais pas de tomber enceinte, pour la bonne raison que les vampires ne pouvaient pas avoir d'enfants. Je n'avais trompé personne – même si j'avais eu quelques petits pincements au cœur en pensant à Bill, en cours de route – et Eric non plus. Alors, je ne voyais pas où était le mal.

Tout en me lavant les dents, je me suis dit que le révérend Fullenwilder ne serait peut-être pas tout à fait de cet avis...

Eh bien, je n'allais pas le lui raconter... Tout se jouerait entre Dieu et moi. Puisque Dieu avait fait de moi une télépathe et m'avait créée avec cette infirmité, il pouvait bien me lâcher un peu de ce côté-là.

Je ne me résignais pas à ce style de vie sans regret, évidemment. J'aurais adoré me marier et avoir des enfants. J'aurais été d'une fidélité exemplaire. Et j'aurais fait une bonne mère, en plus. Mais je ne pouvais pas me marier avec un humain standard. Parce que j'aurais toujours su s'il me mentait, quand il était en colère avec moi, chaque petite pensée qu'il avait à mon sujet. Je n'avais même jamais réussi à sortir avec un homme ordinaire. Quant aux vampires, ils ne peuvent pas se marier. Enfin, pas encore, pas légalement. *Non pas qu'un vampire t'ait déjà demandé de l'épouser*, m'a aimablement rappelé ma petite voix intérieure préférée. J'ai jeté une serviette dans le panier à linge sale un peu plus violemment que je ne l'aurais dû. Peut-être pourrais-je supporter une relation suivie avec un loup-garou ou un métamorphe, puisque leurs pensées ne m'étaient que rarement accessibles – et quand elles me parvenaient, elles étaient le plus souvent brouillées. Mais on en revenait toujours au même point : y avait-il un volontaire dans la salle ?

Voilà pourquoi j'avais tout intérêt à profiter du moment présent. J'étais devenue très douée pour cela. Ce que j'avais sous la main, c'était un vampire beau comme un dieu, qui avait temporairement perdu la mémoire et, par là même, une grande partie de sa véritable personnalité. Un vampire qui avait besoin qu'on le rassure, tout comme moi.

Tout en me maquillant, j'ai réalisé qu'Eric avait de quoi se réjouir, lui aussi. Après avoir passé plusieurs jours sans aucun souvenir de son identité, sans jouir de ses biens, sans exercer son pouvoir et harceler ses sous-fifres, des jours à ne plus s'appartenir lui-même, toute une nuit durant, il avait possédé une femme qui avait été tout à lui : moi, sa « belle amante ».

Figée devant la glace, une boucle d'oreille à la main, je ne voyais qu'une chose : que, pour l'heure, j'étais tout ce qu'Eric avait au monde, la seule bouée à laquelle il pouvait se raccrocher.

Je n'avais pas intérêt à le lâcher.

J'étais en train de passer du « bonheur tranquille » à la « détermination coupable et morose » quand la sonnerie du téléphone a retenti. J'ai accueilli cette diversion avec soulagement. J'avais la présentation du numéro : c'était Sam, qui m'appelait du bar.

— Sookie ?

— Salut, Sam.

— Je suis désolé pour Jason. Des nouvelles ?

— Non. J'ai appelé le bureau du shérif en me levant, mais la standardiste m'a dit qu'Alcee Beck me contacterait s'il y avait du nouveau. Ça fait vingt fois qu'elle me répond la même chose.

— Tu veux que je te fasse remplacer ?

— Non. Il faut que je m'occupe. Ça m'évitera de me ronger les sangs, enfermée chez moi. Les flics savent où me joindre, de toute façon.

— Tu es sûre ?

— Oui. Merci de me l'avoir proposé.

— Si je peux faire quoi que ce soit…

— Justement, il y a quelque chose que tu peux faire pour moi.

— Tu n'as qu'à demander.

— Tu te souviens de la fille qui était au bar avec Jason, le soir du Jour de l'an ?

Il y a eu un bref silence.

— Oui, a-t-il répondu d'une voix hésitante. Une des filles Norris. Elles sont de Hotshot.

— C'est ce que Hoyt m'a dit.

— Fais attention avec ces gens-là, Sookie. C'est une communauté fermée, installée dans le coin depuis des siècles. Il y a trop de consanguinité chez eux.

Je ne voyais pas trop où il voulait en venir.

— Tu ne pourrais pas être un peu plus clair ? Je n'ai pas la tête aux devinettes, aujourd'hui.

— Je ne peux pas. Pas maintenant.

— Oh ! Tu n'es pas seul ?

— Non. J'ai un livreur avec moi. Mais sois prudente, OK ? Ces gens-là sont vraiment différents.

— D'accord, ai-je acquiescé, toujours dans le flou le plus total. Je ferai attention. On se voit à 16 h 30. À tout à l'heure.

J'ai raccroché, un peu contrariée et pour le moins troublée.

J'avais tout le temps de faire un saut à Hotshot et de revenir à l'heure pour le travail. Je me suis habillée à la hâte – jean, tennis et gros pull – et j'ai enfilé mon sempiternel manteau bleu marine. J'ai cherché l'adresse de Crystal Norris dans l'annuaire. Il a fallu que je sorte ma vieille carte pour localiser l'endroit. J'ai toujours vécu dans le Comté de Renard et je pensais connaître la région comme ma poche. Mais les alentours de Hotshot constituaient un trou noir pour moi.

J'ai pris la direction du nord et tourné à droite à l'embranchement. Je suis passée devant la scierie – le premier employeur de Bon Temps –, un atelier de tapissier, la compagnie des eaux, puis plus rien. J'ai bien aperçu un ou deux débits de boissons et une petite épicerie, à un carrefour, avec une pancarte « Bière fraîche et asticots » oubliée sur le bord de la route depuis l'été précédent, mais rien d'autre. J'ai de nouveau tourné à droite et roulé vers le sud.

Plus je m'enfonçais dans la campagne, plus l'état de la route se dégradait. Visiblement, les services de voirie et les cantonniers n'étaient pas passés ici depuis la fin de l'été. Soit les élus de Hotshot n'avaient strictement aucune influence sur le conseil régional, soit ses habitants ne voulaient tout simplement pas voir de visiteurs. De temps à autre, la route plongeait entre les bayous : en cas de forte pluie, elle devait être partiellement inondée. Je n'aurais pas été étonnée d'apprendre qu'il arrivait aux gens du coin de tomber, à l'occasion, sur un alligator égaré.

Finalement, je suis arrivée à un autre croisement, à côté duquel celui du vendeur d'asticots faisait figure de centre commercial. Il y avait quelques habitations alentour – moins d'une dizaine en tout. C'étaient de petites maisons, modestes non seulement par la taille, mais aussi par les matériaux employés. Aucune n'était en brique. La plupart étaient néanmoins dotées d'une cour sur le devant – qui faisait, apparemment, office de parking. Certaines arboraient un portique rouillé avec des balançoires ou un panier de basket et, dans deux d'entre elles, j'ai remarqué des antennes paraboliques. Bizarrement, toutes les maisons étaient en retrait de la route. La zone autour de l'intersection proprement dite était déserte, comme si quelqu'un avait attaché une corde à un piquet planté au milieu et avait tracé un cercle. À l'intérieur du périmètre, il n'y avait rien. À l'extérieur, les maisons s'agglutinaient, tapies comme des bêtes fauves attendant leur proie.

Je savais d'expérience qu'en général, dans ce genre de bled, on retrouvait toujours les mêmes gens : certains étaient pauvres, bons et fiers, d'autres pauvres, bêtes et méchants, mais tous se connaissaient par cœur et chacun était au courant des moindres faits et gestes du voisin.

Par cette froide journée de janvier, aucun des villageois ne semblait vouloir mettre les pieds dehors. Je ne savais même pas s'il s'agissait d'une communauté noire ou blanche – certainement pas un mélange des deux. Je me demandais encore si j'étais au bon endroit quand une pancarte verte rivée à un poteau devant l'une des habitations a balayé mes doutes. En grosses lettres blanches était écrit « Hotshot ».

Il ne me restait plus qu'à localiser la maison de Crystal Norris.

À force de tourner en rond, j'ai réussi à repérer un numéro sur une boîte aux lettres rouillée. En procédant par élimination, j'ai fini par trouver la bonne adresse. Rien ne distinguait la maison des Norris des autres. Elle avait une petite terrasse en bois avec un vieux fauteuil et deux transats. Deux voitures étaient stationnées dans la cour : une Ford Fiesta et une Buick hors d'âge.

Quand je suis descendue de voiture, j'ai compris ce qui me paraissait si étrange à Hotshot : il n'y avait pas un seul chien.

Dans tout autre petit hameau de ce style, une bonne douzaine de chiens seraient venus tournoyer autour de moi, et j'aurais eu du mal à sortir de ma voiture. Ici, aucun jappement ne venait briser le silence glacé.

J'ai traversé la cour en terre battue avec l'impression d'être épiée à chaque pas. J'ai ouvert le battant grillagé à moitié éventré qui protégeait la lourde porte en bois et j'ai frappé. Trois grands carreaux étaient sertis dans la partie supérieure de la porte. Des yeux sombres m'observaient derrière le plus bas.

Le battant s'est ouvert juste au moment où je commençais à me sentir angoissée.

Crystal Norris était moins pimpante que le soir du réveillon, avec son jean noir et son tee-shirt beige. Ses bottes sortaient tout droit du magasin discount Payless, et ses cheveux bouclés étaient d'un drôle de noir poussiéreux. Toute mince et menue, avec un regard pénétrant, elle ne faisait vraiment pas ses vingt et un ans (j'avais vérifié sa carte d'identité, comme je le fais avec tous les nouveaux clients qui paraissent un peu trop jeunes pour passer la moitié de la nuit dans un bar).

— Crystal Norris ?

— Oui.

Elle n'avait pas l'air particulièrement hostile, plutôt préoccupée.

— Je suis la sœur de Jason Stackhouse, Sookie.

— Ah, oui ? Entrez.

Elle s'est effacée pour me laisser passer. J'ai découvert un petit salon, encombré de plus de meubles qu'il n'en pouvait contenir : deux fauteuils et un canapé en faux cuir marron, avec de gros boutons qui séparaient le vinyle tout fripé en petits monticules bien lisses au creux desquels s'accumulent les miettes – en été, ça colle, et en hiver, on glisse dessus. Le tout était posé sur un tapis maculé dans les rouge, jaune et marron, quasiment recouvert d'une couche de jouets. Une reproduction de la Cène était suspendue au-dessus du poste de télévision, et il flottait, dans toute la maison, une agréable odeur de haricots rouges, de riz et de pain de maïs. Un bambin jouait avec des Duplo sur le seuil de la cuisine – à première vue, j'aurais dit que c'était un petit garçon, mais ni la coupe de cheveux, ni la salopette qu'il portait ne donnaient vraiment d'indice révélateur sur la question.

— Votre enfant ? lui ai-je demandé en m'efforçant de prendre un ton engageant.

— Non, celui de ma sœur.

Elle a agité la main en direction d'un des fauteuils.

— Crystal, si je suis ici… Savez-vous que Jason a disparu ?

Elle était assise sur l'extrême bord du canapé et examinait obstinément ses mains. À ces mots, elle a levé les yeux vers moi. Je ne lui apprenais rien, apparemment.

— Depuis quand ?

Sa voix un peu rauque retenait immanquablement l'attention – celle des hommes, surtout, j'imagine.

— Depuis le 1er janvier. Il est parti de chez moi dans la soirée et, le lendemain matin, il ne s'est pas présenté à son travail. Il y avait du sang sur le ponton près de l'étang, derrière chez lui. Son pick-up était garé devant la maison, mais la portière était restée ouverte.

— Je ne sais rien de tout ça.

Elle mentait.

— Qui vous a dit que j'avais quelque chose à voir là-dedans ? a-t-elle protesté, bien décidée à se la jouer sale teigne, tout à coup. J'ai des droits. Je n'ai pas à vous répondre.

Mais oui, c'est ça ! Amendement 29 de la Constitution : les métamorphes n'ont pas à répondre aux questions de Sookie Stackhouse.

— Oh que si !

Puisque c'était comme ça, moi aussi j'allais changer de ton.

— Je ne suis pas comme vous : je n'ai ni sœur ni neveu, ai-je rétorqué en désignant le gamin du doigt – j'avais une chance sur deux de me tromper. Je n'ai ni père ni mère. Personne. Je n'ai que mon frère.

J'ai pris une profonde inspiration.

— Je veux retrouver Jason. Et si vous savez quelque chose, vous feriez mieux de me le dire.

— Sinon quoi ? Qu'est-ce que vous ferez ?

Son fin visage se tordait en une grimace hargneuse. De ses pensées montait le besoin de savoir ce que j'avais dans le ventre.

— Oui, que ferez-vous ? a répété une voix plus grave et beaucoup plus calme.

Je me suis retournée vers la porte et j'ai découvert un homme d'une quarantaine d'années. Il avait un petit bouc bien taillé parsemé de poils gris et les cheveux ras. Il était petit – dans les un mètre soixante-cinq – et bâti tout en finesse, mais avec des bras puissamment musclés.

— Tout ce que je dois faire.

Je l'ai regardé droit dans les yeux. Les siens étaient d'un étrange vert doré.

— Qui êtes-vous ?

Si je devais recommencer mon histoire, autant que ce ne soit pas pour un type qui ne m'écouterait que d'une oreille. Cependant, vu l'autorité naturelle de mon interlocuteur et son refus délibéré d'opter pour la guerre ouverte, j'étais prête à parier que je ne perdrais pas ma salive pour rien.

— Je suis Calvin Norris, l'oncle de Crystal.

D'après son schéma mental, c'était aussi un métamorphe quelconque. Peut-être un loup-garou, étant donné l'absence insolite de chiens dans le secteur.

181

— Monsieur Norris, je suis Sookie Stackhouse.

Curieusement, ses traits ont paru montrer un soudain regain d'intérêt.

— Votre nièce Crystal a passé le réveillon au *Merlotte*, avec mon frère, Jason. La nuit suivante, mon frère a disparu. Je veux juste savoir si Crystal peut me dire quoi que ce soit qui serait susceptible de m'aider à le retrouver.

Calvin Norris s'est penché pour caresser la tête du bambin, puis il est venu s'asseoir à côté de Crystal sur le canapé. Il a posé ses coudes sur ses genoux, laissant ses mains pendre entre ses jambes, dans une attitude des plus décontractées. Il a légèrement incliné la tête pour regarder sa nièce dans les yeux.

— Cette fille veut retrouver son frère, Crystal. Si tu sais quelque chose, dis-le-lui.

— Pourquoi je lui parlerais ? a répliqué Crystal sèchement. Elle débarque ici sans prévenir, elle me menace…

— Parce que c'est la moindre des choses d'aider les gens qui ont des ennuis. Tu ne t'es pas montrée très coopérative, n'est-ce pas ?

— C'est que je ne pensais pas qu'il avait simplement disparu. Je croyais qu'il…

Elle s'est arrêtée net : de toute évidence, elle venait de faire une gaffe.

Calvin s'était raidi. Il n'avait pas cru que Crystal savait vraiment quelque chose au sujet de la disparition de Jason. Il avait juste voulu qu'elle fasse preuve d'un minimum de politesse à mon égard. Ça, je pouvais encore le capter. Mais rien de plus. Je ne parvenais pas à déterminer la nature exacte de leur relation, notamment. Il avait de l'emprise sur elle, ça se voyait au premier coup d'œil, mais quelle sorte d'emprise exactement ? C'était plus que la simple autorité qu'il pouvait avoir, en tant qu'oncle, vis-à-vis de

182

sa nièce. Il avait plutôt l'assurance d'un chef, d'un gouvernant. Il avait beau porter de vieux vêtements de travail avec des rangers, et ressembler à n'importe quel ouvrier de la région, Calvin Norris était beaucoup plus que ça.

Il me faisait l'effet d'un chef de meute. Mais où était la meute, dans ce trou perdu ? Il n'y avait donc que Crystal ? Puis je me suis souvenue de l'avertissement énigmatique de Sam, et j'ai eu une illumination : les habitants de Hotshot étaient tous des hybrides.

Était-ce vraiment possible ? Je n'étais pas absolument certaine que Calvin soit un loup-garou. Mais il ne se transformait certainement pas en petit lapin. Je luttais contre la tentation impérieuse de me pencher vers lui pour poser ma main sur son bras, toucher sa peau directement et lire ainsi dans son esprit avec plus de clarté.

J'étais certaine d'une chose : en aucun cas je ne voudrais me trouver dans les environs de Hotshot pendant les trois nuits de la pleine lune.

— Vous êtes la serveuse du *Merlotte*, m'a dit Calvin, en me regardant dans les yeux aussi fixement qu'il avait regardé sa nièce.

— Je suis *une* des serveuses du *Merlotte*.

— Vous êtes une amie de Sam.

— Oui, ai-je répondu avec prudence. Je suis aussi une amie d'Alcide Herveaux. Et je connais le colonel Flood.

Ces noms-là voulaient manifestement dire quelque chose pour Calvin Norris. Je n'étais pas étonnée qu'il connaisse les noms des plus éminents loups-garous de Shreveport. Et il connaissait Sam, bien sûr. Mon boss avait mis du temps avant d'établir un contact avec la communauté hybride locale, mais il avait fini par y venir.

Crystal avait suivi cet échange avec de grands yeux sombres, et l'étincelle de rage qui habitait son regard ne la quittait toujours pas. Une fille en salopette venant de l'arrière-cour est apparue sur le seuil de la cuisine. Elle a soulevé le gamin, l'arrachant à sa montagne de Duplo. Le visage était plus rond et moins remarquable, la silhouette plus enrobée, mais c'était indubitablement la sœur cadette de Crystal. Et elle était manifestement enceinte.

— Tu as besoin de quelque chose, oncle Calvin ? a-t-elle lancé en me dévisageant par-dessus l'épaule du bambin.

— Non, Dawn. Occupe-toi de Matthew.

Dawn a aussitôt disparu dans le fond de la maison avec son fils. Je ne m'étais pas trompée sur le sexe de l'enfant.

— Maintenant, Crystal, tu vas nous dire ce que tu as fait, a repris Calvin Norris d'une voix posée, mais sur un ton à vous faire dresser les cheveux sur la tête.

La plus flagrante incrédulité s'est peinte sur le visage de Crystal, qui croyait visiblement s'en être sortie à bon compte. Elle était choquée que son oncle lui ordonne de se confesser devant une étrangère, mais elle n'avait pas le choix : elle devait obéir. Et c'est ce qu'elle a fait, après avoir fulminé un bon moment en silence, en gigotant sur son siège.

— Je suis sortie avec Jason, le soir du Nouvel An. Je l'avais rencontré au supermarché de Bon Temps en allant m'acheter un sac, a-t-elle commencé.

J'ai soupiré. Jason pouvait lever une fille n'importe où. Un jour, il allait attraper une sale maladie (si ce n'était pas déjà fait) ou se retrouver avec une recherche de paternité sur le dos. Et je ne pouvais rien y faire, à part attendre que ça finisse par arriver.

— Il m'a demandé si je voulais passer la soirée avec lui. J'ai eu l'impression que sa cavalière l'avait laissé

184

tomber au dernier moment : ce n'est pas le genre de type à rester seul pour une fête pareille.

J'ai haussé les épaules. Tel que je le connaissais, Jason pouvait fort bien avoir donné et annulé au moins cinq rendez-vous différents pour la soirée du Nouvel An. Et il n'était pas rare que ses dernières conquêtes en date, exaspérées par son comportement de coureur de jupons invétéré, le plantent là, réveillon ou pas.

— Il est plutôt beau gosse, et comme j'aime bien sortir de Hotshot, j'ai accepté. Il voulait venir me chercher, mais je savais que les voisins n'auraient pas apprécié, alors je lui ai dit de me retrouver à la station Fina, que, de là, on partirait ensemble dans son pick-up. C'est ce qu'on a fait. Et je me suis vraiment bien amusée. Quand il m'a proposé de passer la nuit avec lui, j'ai dit oui, et je ne l'ai pas regretté. Vous voulez savoir comment il est au lit ?

Ses yeux luisaient de malignité.

J'ai cru percevoir un mouvement et, soudain, du sang est apparu au coin de sa bouche. La main de Calvin avait déjà repris sa place. Je n'avais même pas eu le temps de la voir bouger.

— Sois polie, Crystal. Ne montre pas ton mauvais côté à cette femme, lui a-t-il ordonné, sur un tel ton que je me suis immédiatement promis de me montrer, moi aussi, d'une politesse exemplaire avec lui, juste au cas où.

— Bon, d'accord, ce n'était peut-être pas très sympa de ma part, a-t-elle admis d'une voix nettement moins agressive. Donc, je voulais le revoir le lendemain, et comme il voulait me revoir aussi, je suis sortie d'ici en douce, et je suis allée chez lui. Il devait aller voir sa sœur. Vous ? Il n'en a pas d'autres ?

J'ai secoué la tête.

— Il m'a dit de l'attendre, qu'il ne serait pas long. Comme j'insistais pour l'accompagner, il m'a dit que si sa sœur n'avait pas eu de la compagnie, ça n'aurait pas posé de problème. Mais elle recevait souvent des vamp's sous son toit, et il ne voulait pas que je sois mêlée à tout ça.

Je croyais plutôt que, sachant ce que j'aurais pensé en le voyant avec Crystal Norris, Jason avait préféré éviter de nous mettre en présence – et de devoir supporter mon sermon, par la même occasion. Il l'avait donc laissée chez lui.

— Est-il rentré après cette visite ? a demandé Calvin pour sortir sa nièce de sa rêverie.

— Oui.

Je me suis raidie.

— Que s'est-il passé ensuite ? a insisté Calvin, comme elle retombait dans son mutisme.

— Je ne sais pas trop. J'étais dans la maison et je commençais à m'impatienter quand j'ai entendu son pick-up arriver. Je me suis dit : « Génial ! Le voilà ! On va pouvoir recommencer à s'amuser. » Et puis, comme je n'entendais pas ses pas sur les marches de la véranda, je me suis demandé ce qu'il fabriquait. La lumière extérieure était allumée, mais je ne suis pas allée voir à la fenêtre. Pas la peine : je savais que c'était lui.

Bien sûr, un métamorphe aurait forcément reconnu le pas de Jason, peut-être même son odeur.

— Finalement, je l'ai entendu passer par-derrière, a-t-elle poursuivi. J'en ai conclu qu'il avait peut-être de la boue sur ses bottes, ou un truc comme ça…

J'ai respiré un grand coup pour contenir mon impatience. Dans moins d'une minute, elle allait en venir au fait, c'était certain…

— Et tout à coup, j'ai entendu du bruit derrière la maison, et encore un peu plus loin : des cris, et puis plus rien.

186

Seul un métamorphe avait l'ouïe assez fine pour percevoir ce genre de chose. Si Crystal avait été une fille normale, elle n'aurait rien entendu – je savais bien que je finirais par lui trouver un bon côté, si je m'en donnais la peine.

Calvin a repris son interrogatoire :

— Es-tu allée voir dehors ?

Il lui passait sa main burinée dans ses boucles brunes, comme s'il caressait son chien préféré.

— Non, m'sieur, je n'y suis pas allée.

— Tu as flairé quelque chose ?

— Je ne me suis pas approchée assez, a-t-elle reconnu, la mine renfrognée. Le vent soufflait dans le mauvais sens. J'ai senti l'odeur de Jason, une odeur de sang, et un ou deux autres trucs.

— De quel genre ?

Crystal s'est replongée dans l'examen de ses mains.

— Un métamorphe, peut-être. Certains d'entre nous peuvent se transformer en dehors de la pleine lune. Pas moi, hein, mais d'autres. Sinon, j'aurais pu suivre sa trace.

C'était presque une excuse, à mon intention.

— Un vampire ? a demandé Calvin.

— Je n'ai jamais senti de vampire. Je ne sais pas.

— Une sorcière ? lui ai-je demandé.

— Est-ce qu'elles ont une odeur particulière ? s'est-elle enquis d'un ton dubitatif.

J'ai haussé les épaules. Je l'ignorais.

— Qu'est-ce que tu as fait ensuite ? a repris Calvin.

— Je savais qu'une créature avait emmené Jason dans les bois. J'ai juste… J'ai eu peur. Je ne suis pas très courageuse, a-t-elle ajouté d'un ton penaud. Après ça, je suis rentrée. Je ne pouvais plus rien faire, de toute façon.

J'ai essayé de retenir mes larmes. Trop tard : elles coulaient déjà sur mes joues. Pour la première fois, je devais bien m'avouer que je ne reverrais peut-être jamais mon frère. Pourtant, si son agresseur avait eu l'intention de le tuer, n'aurait-il pas abandonné son corps derrière la maison? Comme Crystal nous l'avait rappelé, la lune n'était pas pleine, le soir du Nouvel An. Mais certaines créatures n'ont pas besoin d'attendre la pleine lune...

Le problème, quand on commence à découvrir toutes les créatures qui cohabitent avec nous sur cette terre, c'est qu'il devient facile d'imaginer n'importe quoi. Il ne me paraissait pas impossible qu'il y ait des êtres capables de faire une seule bouchée d'un homme ou de le dévorer en quelques coups de dents...

Non. Je ne pouvais pas me permettre d'y penser.

Je me suis efforcée de sourire à travers mes larmes.

— Merci mille fois, ai-je dit poliment. C'était très aimable à vous de prendre le temps de me recevoir. Mais vous devez avoir des tas de choses à faire...

Crystal m'a lancé un regard soupçonneux, mais son oncle m'a tapoté la main – à la surprise générale, apparemment, y compris la sienne.

Il m'a raccompagnée à ma voiture. Le ciel se couvrait, la température chutait, et le vent commençait à agiter les branches nues des gros arbustes qui se dressaient dans la cour – des forsythias, des spirées, et même un tulipier. À leurs pieds, sous la terre craquelée, devaient sommeiller des jonquilles, des iris... les mêmes fleurs que ma grand-mère avait plantées dans son jardin, les mêmes arbustes qui poussaient dans tous les jardins du Sud depuis des générations et des générations. Évidemment, maintenant, le décor semblait triste et gris. Mais, au printemps, le spectacle devait être enchanteur, plein de couleurs et de gaieté: la décrépitude et la pauvreté transcendées par la magnificence de Mère Nature.

Deux ou trois maisons plus loin, un homme est sorti d'une petite cabane, au fond de sa cour. Il a jeté un coup d'œil dans notre direction, a poursuivi son chemin, puis s'est arrêté brusquement pour nous regarder. Au bout d'un long moment, il a finalement regagné son logis d'un pas souple et bondissant. J'étais trop loin pour voir ses traits, mais il avait une épaisse crinière décolorée et se déplaçait avec une grâce étonnante. En tout cas, sa réaction en disait long sur l'attitude des villageois envers les étrangers : ce n'était pas seulement de l'aversion qu'on éveillait chez eux, c'était de l'allergie.

— Vous voyez cette maison ? m'a demandé Calvin en désignant une bâtisse récemment repeinte. C'est la mienne.

Bien que petite et plutôt trapue, la maison en question était beaucoup plus grande que celle de ses nièces. Tout paraissait en parfait état, chez Calvin Norris. L'allée et le parking étaient bien dessinés : la cabane à outils, du même blanc immaculé que la façade, se dressait sur une large dalle de béton.

J'ai hoché la tête.

— Sympa, ai-je commenté d'une voix presque assurée.

— J'ai une proposition à vous faire…

Je me suis tournée vers lui en m'efforçant de prendre l'air intéressée.

— Vous êtes une femme seule, maintenant, a-t-il aussitôt enchaîné. Votre frère n'est plus là. Je souhaite que vous le retrouviez, mais, en attendant, vous n'avez personne pour vous défendre.

J'aurais eu quelques petites rectifications à apporter à ce beau discours, mais je n'étais pas d'humeur à le contredire. Et puis, il m'avait rendu service en contraignant sa nièce à parler. Je suis donc restée plantée là, dans le froid, à le regarder avec une attention polie, en m'efforçant de paraître réceptive.

— Si vous avez besoin d'un endroit où vous réfugier, de quelqu'un pour veiller sur vous ou pour vous défendre, je suis votre homme.

Son regard vert et doré plongeait directement dans le mien.

Je n'ai pas refusé sa proposition d'un simple ricanement : son attitude ne démontrait pas la moindre arrogance. Calvin Norris suivait ses propres coutumes et se proposait galamment de me servir de bouclier, d'étendre sa protection de chef de meute jusqu'à moi. C'était un rare privilège. Certes, il espérait être « mon homme » dans tous les sens du terme, mais il ne s'était montré ni trop pressant, ni trop explicite, et encore moins vulgaire. Calvin Norris était prêt à risquer sa peau pour moi, et ce n'est pas le genre de chose qu'on prend à la légère.

— Merci, ai-je murmuré. Je saurai m'en souvenir.

— J'ai entendu parler de vous, a-t-il soudain lâché. Entre métamorphes et loups-garous, on se parle. J'ai cru comprendre que vous étiez... différente.

— C'est vrai.

En ce qui me concernait, les hommes normaux pouvaient bien trouver l'emballage attirant, le contenu les faisait fuir. Si jamais je commençais à attraper la grosse tête, avec toute cette attention que m'accordaient Eric, Bill ou même Alcide, je n'aurais qu'à écouter les pensées de quelques clients du bar pour que mes chevilles dégonflent instantanément, et mon ego avec. Je me suis emmitouflée dans mon vieux manteau bleu. Comme la majorité des hybrides, Calvin bénéficiait d'un organisme plus résistant aux variations de température que mon pauvre métabolisme cent pour cent humain.

— Mais je n'ai pas deux natures, ai-je aimablement précisé. Ce qui ne m'empêche pas d'apprécier votre… euh… gentillesse.

— Je sais, a-t-il répondu, avec un petit hochement de tête pour m'indiquer qu'il était touché par ma délicatesse. À vrai dire, ça ne vous rend que plus… intéressante. Le fait est qu'ici, à Hotshot, nous sommes restés trop longtemps en cercle fermé, avec les conséquences de consanguinité qui en découlent. Vous avez entendu Crystal ? Elle ne peut se changer qu'à la pleine lune et, franchement, même ces soirs-là, elle est loin d'être au maximum de ses capacités.

Il a pointé l'index vers son visage.

— Et mes yeux peuvent difficilement passer pour humains. Nous avons besoin de sang neuf, de nouveaux gènes. Vous n'êtes pas une hybride, mais vous n'êtes pas vraiment une femme ordinaire non plus. Les femmes ordinaires ne font pas long feu ici.

Eh bien, c'était une façon pour le moins ambiguë et un rien alarmante de présenter les choses. Mais je faisais mon possible pour paraître compréhensive. Je comprenais, d'ailleurs. Et je pouvais partager son inquiétude. Calvin Norris était manifestement le chef de cette petite colonie, et il se sentait responsable de son avenir.

Je l'ai vu froncer les sourcils, en regardant la maison où j'avais aperçu l'homme aux cheveux si pâles. Puis il s'est de nouveau tourné vers moi pour achever ce qu'il avait à me dire :

— Je crois que vous aimeriez les gens d'ici. Et vous feriez une bonne génitrice. Je sais ce que je dis. J'ai l'œil.

Pour le moins curieux, comme compliment. Et pas courant.

— Je suis flattée et j'apprécie votre proposition. Je saurai m'en souvenir, ai-je répété, faute de mieux, avant de m'interrompre pour rassembler mes idées. Vous savez, les flics découvriront que Crystal était avec Jason, ce soir-là, si ce n'est déjà fait. Tôt ou tard, vous allez les voir débarquer ici.

— Ils ne trouveront rien, a affirmé Calvin Norris, une petite lueur ironique dans ses yeux mordorés. Ils sont déjà venus par le passé, et ils n'ont jamais rien trouvé. J'espère que vous retrouverez bientôt votre frère. Si vous avez besoin de quoi que ce soit, n'hésitez pas. J'ai un bon job à Norcross. Je suis un type installé.

Je l'ai remercié une fois de plus, avant de remonter dans ma voiture, avec une impression d'immense délivrance. Je lui ai adressé un signe de tête et j'ai démarré. Alors, comme ça, il travaillait à la scierie de Bon Temps ? Eh bien, Norcross faisait de gros bénéfices et pratiquait la promotion interne : j'avais déjà vu pire comme parti.

Tout en roulant vers Bon Temps, je me suis demandé si Crystal avait essayé de se faire faire un enfant par Jason. Ça n'avait pas eu l'air de contrarier beaucoup Calvin d'apprendre que sa nièce avait couché avec un inconnu. Alcide m'avait affirmé que les loups-garous devaient se croiser entre eux pour avoir un descendant qui présentait les mêmes caractéristiques. Apparemment, les habitants de Hotshot cherchaient à se diversifier. Comme l'espèce semblait s'étioler, peut-être essayaient-ils de se reproduire à l'extérieur, c'est-à-dire d'avoir des enfants avec des humains de base. Ce serait tout de même mieux pour eux que d'engendrer des métamorphes dégénérés qui seraient non seulement incapables de fonctionner avec leurs pleins pouvoirs et de vivre normalement dans leur seconde peau, mais qui ne pourraient pas non plus se satisfaire d'une existence de gens ordinaires.

Mon retour au *Merlotte* m'a fait l'effet d'un voyage dans le temps : j'ai eu l'impression de sauter allègrement d'un siècle à l'autre. Je me suis demandé depuis combien de temps les habitants de Hotshot s'agglutinaient autour de ce carrefour et quelle signification cet emplacement particulier revêtait pour eux. Je ne pouvais pas m'empêcher d'éprouver une certaine curiosité à leur égard, mais j'étais assurément soulagée, en rentrant, d'abandonner ces préoccupations derrière moi pour revenir dans le monde réel tel que je le connaissais.

Cet après-midi-là, l'ambiance au *Merlotte* était au calme. J'ai mis mon tablier noir, lissé ma queue de cheval et me suis lavé les mains. Sam était derrière le comptoir. Les bras croisés, il regardait dans le vide. Holly apportait une bière à une table à laquelle était assis un client solitaire.

— Alors, c'était comment, Hotshot ? s'est enquis Sam.

Nous pouvions bien bavarder deux minutes : il n'y avait personne au bar.

— Très bizarre.

Il m'a tapoté l'épaule dans un geste réconfortant.

— As-tu découvert quelque chose d'intéressant ?

— En fait, oui. C'est juste que je ne sais pas quelles conclusions en tirer.

Sam avait besoin d'aller chez le coiffeur : ses boucles d'un beau blond cuivré lui faisaient comme une auréole autour de la tête, un peu dans le genre angelot Renaissance.

— Tu as vu Calvin Norris ?

— Oui. C'est grâce à lui que Crystal s'est finalement décidée à me parler. Et puis, il m'a fait une proposition.

— Quoi donc ?

— Je te dirai ça une autre fois.

Je ne savais vraiment pas comment présenter la chose. J'ai baissé les yeux vers mes mains, qui s'affairaient à rincer une chope, et j'ai senti mes joues s'empourprer.

— D'après ce que je sais, Calvin est un type sans histoire, m'a dit Sam d'un ton dégagé. Il travaille à Norcross, où il est chef d'équipe : bon salaire, bonne assurance, plan d'épargne retraite... la totale. Certains des autres mecs de Hotshot ont monté un atelier de soudure. Il paraît qu'ils font du bon boulot. Mais je ne sais pas ce qui se passe quand ils rentrent le soir chez eux – je ne pense pas que quelqu'un d'autre le sache, d'ailleurs. Tu connaissais John Dowdy ? Il était shérif avant mon arrivée ici, je crois.

— Oui. Je me souviens de lui. Il a coincé mon frère pour vandalisme, une fois, et il lui a fait la leçon. Gran a dû le sortir de tôle. Il lui a tellement fichu la trouille que ça l'a dissuadé de recommencer – pendant un petit moment, du moins.

— Sid Matt m'a raconté une histoire, un soir. D'après lui, un jour, John Dowdy est allé à Hotshot pour arrêter le frère aîné de Calvin Norris, Carlton.

— Pour quelle raison ?

Sid Matt Lancaster était un vieil avocat du cru. Tout le monde le connaissait, et il avait la réputation d'avoir le bras long.

— Détournement de mineur. La fille était consentante et il n'était pas vraiment le premier, mais elle était mineure. Elle avait un nouveau beau-père qui avait estimé que Carlton lui avait manqué de respect.

— Et alors, qu'est-ce qui s'est passé ?

— Personne ne le sait. Tard dans la nuit, le véhicule de patrouille de John Dowdy a été retrouvé à mi-chemin entre ici et Hotshot. Il était vide. Pas de sang. Pas d'empreinte. On n'a jamais revu Dowdy depuis. Et

194

aucun des habitants de Hotshot ne se souvient qu'il leur ait rendu une petite visite, ce jour-là.

— Comme Jason, ai-je murmuré d'une voix blanche. Il s'est juste évanoui dans la nature.

— Oui, mais Jason était chez lui et, d'après ce que tu m'as dit, Crystal ne semble pas impliquée dans sa disparition.

— Tu as raison. Est-ce qu'on a finalement découvert ce qui était arrivé au shérif Dowdy ?

— Non. Mais personne n'a jamais revu Carlton Norris non plus.

Ah ! La chute était plus surprenante.

— Et la morale de l'histoire ?

— Les gens de Hotshot se font justice eux-mêmes.

— Il vaut donc mieux les avoir avec soi que contre soi.

Ça, c'était ma morale à moi.

— Exactement. Tu ne te rappelles pas cette histoire ? Ça a dû arriver il y a une quinzaine d'années.

— J'avais d'autres chats à fouetter, à l'époque.

J'étais alors une petite orpheline de neuf ans qui devait apprendre à gérer ses pouvoirs télépathiques en plein développement.

Peu après, les gens ont commencé à s'arrêter au bar en revenant du travail. Nous n'avons pas pu souffler, Sam et moi, même pour bavarder deux minutes. Ce qui m'allait très bien, je l'avoue. J'aimais beaucoup Sam – qui avait souvent tenu le premier rôle dans quelques-uns de mes fantasmes les plus torrides –, mais au point où j'en étais, j'avais tellement de soucis que j'étais arrivée à saturation. La coupe était pleine.

Ce soir-là, j'ai découvert pas mal de choses dans l'esprit de mes concitoyens. En particulier que certains, dans cette bonne petite ville, pensaient que la disparition de Jason était une bénédiction pour la communauté. Parmi eux se trouvaient Andy Bellefleur et sa sœur Portia, qui étaient venus dîner au *Merlotte* parce que leur grand-mère, Caroline, recevait chez eux et qu'ils préféraient ne pas la déranger. Andy était lieutenant de police, et Portia avocate, et aucun des deux ne figurait sur la liste de mes clients favoris. Pour commencer, quand Bill avait découvert qu'ils étaient ses descendants, il avait mis au point tout un stratagème pour leur léguer anonymement une partie de sa fortune, et les Bellefleur avaient profité de cette manne providentielle au maximum. Mais ils ne pouvaient pas supporter Bill, et ça m'agaçait prodigieusement de voir leurs belles voitures, leurs vêtements hors de prix et la nouvelle toiture de la propriété familiale, alors qu'ils méprisaient Bill – et moi aussi, par la même occasion, puisque je sortais avec lui.

Andy avait toujours été plus ou moins correct avec moi, avant que je commence à fréquenter Bill. Il était aimable, du moins, et il me laissait un bon pourboire. Mais pour Portia, j'étais invisible. J'avais entendu dire qu'elle avait réussi à se trouver un prétendant et je me demandais, mauvaise langue que j'étais, si ce miracle tardif n'était pas dû à la toute nouvelle fortune des Bellefleur. Il m'arrivait aussi de me demander si le bonheur d'Andy et de Portia croissait proportionnellement à mon propre malheur. Ils semblaient en grande forme, ce soir-là, et mangeaient leurs hamburgers avec appétit.

— Désolé pour ton frère, Sookie, m'a lancé Andy, comme je remplissais son verre de thé.

Je l'ai regardé, impassible. *Menteur !* Au bout d'une seconde, Andy a détourné les yeux pour s'abîmer dans la contemplation de la salière.

— Avez-vous vu Bill récemment ? m'a demandé Portia en se tapotant la bouche avec sa serviette.

Elle avait juste essayé de rompre le silence pesant qui s'était installé en posant une question banale.

Mais ça n'avait pas vraiment eu l'effet escompté : ça n'avait fait que m'énerver davantage.

— Non, lui ai-je sèchement répondu. Vous désirez autre chose ?

Elle a précipitamment refusé :

— Non, merci, c'est parfait.

J'ai tourné les talons et je me suis dirigée vers le comptoir. Puis j'ai senti un petit sourire se dessiner sur mes lèvres. Juste au moment où je me disais : « La garce ! », Portia pensait : « Quelle garce ! »

Là-dessus, Andy a renchéri : « Elle a un cul de rêve ! ». La télépathie est une véritable malédiction. Je ne souhaiterais pas cela à mon pire ennemi. J'envie ceux qui n'entendent qu'avec leurs oreilles.

Kevin et Kenya sont arrivés peu après. Comme d'habitude, ils ont clairement affiché leur intention de ne pas boire d'alcool : « Jamais pendant le service. » Les deux coéquipiers avaient longtemps provoqué l'hilarité générale : Kevin, avec son teint laiteux, ses taches de rousseur et son corps sec et mince de coureur de fond – l'équipement qu'il devait accrocher à son ceinturon semblait presque trop lourd pour lui –, était tout l'opposé de Kenya, sa partenaire au teint d'ébène, qui le dépassait de cinq centimètres et pesait un paquet de kilos de plus que lui. Étaient-ils devenus amants ? Depuis deux ans, les paris étaient ouverts au comptoir. En termes plus vulgaires, bien entendu.

Je savais, bien malgré moi, que Kenya – avec ses menottes et sa matraque – jouait un rôle majeur dans les films que se faisaient bon nombre de clients, et je savais aussi que c'étaient ceux qui se moquaient le plus souvent de Kevin qui nourrissaient les fantasmes les plus débridés. Comme je posais leurs hamburgers devant les deux policiers, j'ai appris que Kenya se demandait si elle ne devrait pas suggérer au shérif de faire venir les chiens policiers du comté voisin pour rechercher Jason, tandis que Kevin s'inquiétait pour sa mère, dont le cœur faisait de plus en plus de caprices.

— Sookie, m'a lancé Kevin au moment où je leur apportais une bouteille de ketchup, je voulais vous dire : on est venus au poste, aujourd'hui, coller des avis de recherche pour un vampire.

— Oui, j'en ai vu un à la supérette.

— Je me doute bien que ce n'est pas parce que vous fréquentez un vampire que ça fait de vous une experte en la matière, mais...

Kevin a toujours été adorable avec moi. Son tact, les précautions qu'il prenait n'ont fait que renforcer la bonne opinion que j'avais de lui.

— ... vous ne l'auriez pas déjà vu quelque part ? Avant sa disparition, je veux dire.

Kenya a levé les yeux vers moi, son regard noir sondant le mien avec insistance. Elle était en train de se dire que je devais attirer la poisse : dès qu'il se passait quelque chose d'un peu louche, j'étais toujours dans le coin, même si j'étais une fille bien (merci Kenya). Elle espérait pour moi que Jason était vivant. Kevin, pour sa part, pensait que je m'étais toujours montrée sympa avec lui. Et il pensait aussi que, même si on le payait, il ne me toucherait jamais, même avec une perche de trois mètres de long. J'ai laissé échapper un gros soupir – pas trop gros, j'espère.

Bon. Ils attendaient ma réponse. J'hésitais. J'essayais de voir quelles options s'offraient à moi. Il s'agissait de choisir la meilleure. Le plus simple était encore de dire la vérité.

— Eric tient le vamp'bar de Shreveport. Je l'ai vu là-bas, quand j'y suis allée avec Bill.

— Vous ne l'avez pas revu récemment ?

— Je ne l'ai pas kidnappé au beau milieu du *Fangtasia*, ça, je peux vous le jurer ! ai-je lancé – d'un ton plutôt sarcastique, je le reconnais.

Kenya m'a jeté un regard noir. Je ne l'avais pas volé.

— Personne n'a jamais rien prétendu de tel, a-t-elle rétorqué, avec un air du genre : « Si tu cherches les ennuis, tu vas les trouver. »

Je me suis contentée de hausser les épaules et je me suis éloignée.

On ne chômait pas, à cette heure-là, au *Merlotte* : tandis qu'une partie des clients en étaient encore au dîner (pour certains, sous forme liquide), les habitués venaient boire un verre après avoir dîné chez eux. Holly a même dû se précipiter avec une serpillière quand l'un des clients a renversé sa bière, ce qui l'a mise en retard sur ses tables. Je l'ai vue arriver devant la table de Sid Matt Lancaster avec sa consommation. Comme elle tournait le dos à l'entrée, elle a raté le spectacle. Pas moi. Le petit jeune que Sam avait embauché pour desservir pendant le coup de feu était en train de replacer deux tables qu'on avait rapprochées pour accueillir toute une équipe d'ouvriers de la commune. Quant à moi, je débarrassais celle des Bellefleur. Andy bavardait avec Sam, en attendant Portia qui s'était éclipsée aux toilettes. Je venais d'empocher mon pourboire : quinze pour cent, au centime près – les pourboires des Bellefleur avaient augmenté (très légèrement) en même temps que le montant de leur compte en banque. J'ai levé les yeux en sentant un courant d'air froid pénétrer dans la salle.

La femme qui venait de franchir le seuil était mince, mais si grande et si carrée que j'ai jeté un coup d'œil à sa poitrine pour vérifier que je ne m'étais pas trompée sur son sexe. Brune aux cheveux courts, elle ne portait absolument aucun maquillage. Elle était accompagnée d'un homme, mais je ne l'ai aperçu que lorsqu'elle s'est écartée pour le laisser passer. Il n'avait rien à lui envier, question carrure, et les manches de son tee-shirt blanc moulaient les plus gros biceps que j'avais jamais vus : des heures – non, des années entières à pousser de la fonte. Des boucles châtain foncé tombaient sur ses épaules, mais sa barbe et sa moustache tiraient sur le roux. Aucun des deux ne portait de manteau. Il faisait pourtant un froid de canard, dehors.

Les deux nouveaux venus se sont dirigés droit sur moi.

— Où est le patron ? m'a demandé la femme.

— Sam ? Il est derrière le bar.

J'ai baissé les yeux aussitôt et recommencé à essuyer la table avec une énergie décuplée. L'homme m'a dévisagée curieusement, mais c'était une réaction habituelle. Comme ils passaient devant moi, j'ai remarqué qu'il avait des posters sous le bras et une grosse agrafeuse dans la main droite.

Je me suis tournée vers Holly. Elle s'était figée, la tasse de café qu'elle tenait à la main à mi-chemin de la table de Sid Matt Lancaster. Le vieil avocat l'a regardée d'un air interrogateur, avant de suivre son regard, rivé au couple étrange qui se frayait un chemin entre les tables jusqu'au comptoir. Une tension palpable a soudain envahi le bar. Holly a posé la tasse de café sans brûler le vétéran du barreau et a filé comme une flèche vers la cuisine.

Il n'en a pas fallu davantage pour confirmer mes soupçons.

Les deux inconnus ont hélé Sam, avant de commencer à s'entretenir avec lui à voix basse. Andy tendait l'oreille, parce qu'il se trouvait dans les parages et qu'il n'avait rien de mieux à faire. Je suis passée à côté d'eux, en allant poser une pile d'assiettes sales sur le passe-plat. J'ai entendu la femme dire, d'une profonde voix d'alto :

— ... mettre ces affiches en ville, juste au cas où quelqu'un l'aurait aperçu...

C'était bel et bien Hallow, la sorcière qui poursuivait Eric de ses assiduités. C'était probablement elle qui avait assassiné ou fait assassiner Adabelle Yancy. C'était la femme qui avait peut-être enlevé Jason. J'ai été prise d'un mal de tête épouvantable, comme si j'avais un petit démon dans le crâne qui essayait d'en sortir à coups de marteau.

Pas étonnant que Holly soit dans tous ses états : elle s'était rendue au meeting de Shreveport, et son clan avait rejeté la proposition de la sorcière.

— Pas de problème, disait Sam. Vous pouvez en mettre une ici.

Il indiquait un coin du mur à côté de la porte qui menait aux toilettes et à son bureau.

Juste au même moment, Holly a pointé la tête hors de la cuisine, pour disparaître aussitôt. Les yeux de Hallow se sont braqués sur les portes battantes, mais pas assez vite pour surprendre Holly – je l'espérais, du moins.

J'ai bien pensé à sauter sur la sorcière et à la rouer de coups jusqu'à ce qu'elle m'avoue ce qu'elle avait fait de mon frère – le martèlement dans ma tête me poussait à agir à tout prix. Mais j'ai eu un sursaut de lucidité. Non seulement Hallow était grande et puissante, mais elle était épaulée par un bodybuilder qui pouvait m'écrabouiller d'un seul coup de poing. D'autre part, Kevin et Kenya me forceraient à m'arrêter avant qu'elle n'ait parlé.

C'était rageant de l'avoir là, en face de moi, de savoir qu'elle détenait sans doute la clé du mystère qui entourait mon frère et, en même temps, de ne pas pouvoir l'interroger. J'ai abaissé mes barrières mentales et déployé tous mes sens.

Mais elle a dû sentir quelque chose quand j'ai touché l'intérieur de son crâne.

Tout à coup, elle a dressé la tête, l'air vaguement intrigué, et a jeté un regard circulaire. Ça m'a suffi. J'ai immédiatement battu en retraite, et aussi vite que j'ai pu. J'ai poursuivi mon chemin derrière le comptoir, comme si de rien n'était. Je suis passée à moins d'un mètre d'elle, tandis qu'elle se tenait sur le qui-vive, essayant de comprendre d'où venait cette impression étrange qu'elle avait eue, comme si quelqu'un avait effleuré son esprit…

Cela faisait des années que je lisais dans les pensées des gens, et personne, absolument personne ne s'était jamais aperçu de rien. Je me suis accroupie derrière le comptoir pour attraper la grande boîte de sel et je me suis concentrée pour remplir la salière que j'avais récupérée sur la table de Kevin et de Kenya. Quand, en dépit de mes efforts pour prolonger l'opération, j'ai bien dû me résoudre à constater qu'elle était achevée, l'affiche avait été placardée. Pourtant, Hallow s'attardait, poursuivait sa discussion avec Sam, tout en continuant à jeter des coups d'œil soupçonneux autour d'elle. Manifestement, elle essayait toujours d'identifier la personne qui avait osé s'immiscer dans ses pensées. Quant à Monsieur Muscle, j'ai senti son regard me suivre tandis que je retournais poser la salière à sa place, mais comme n'importe quel homme qui reluque une femme à son goût. Holly n'avait toujours pas reparu.

C'est à ce moment-là que Sam m'a interpellée :

— Sookie !

Oh, non ! Mais impossible d'y échapper : c'était mon boss, après tout.

La peur au ventre et mon plus beau sourire aux lèvres, je me suis dirigée vers le trio.

— Oui ? ai-je répondu d'un ton enjoué, en adressant un hochement de tête à la sorcière et à son sous-fifre bodybuildé en guise de salut.

J'ai haussé un sourcil interrogateur à l'intention de Sam, qui s'est empressé de faire les présentations :

— Marnie Stonebrook, Mark Stonebrook.

Petit sourire contraint de part et d'autre.

Marnie ! C'est vrai que s'appeler Marnie, ça manquait un peu de panache. Alors que Hallow évoquait Halloween, les forces obscures…

— Ils sont à la recherche de ce type, a enchaîné Sam en indiquant la photo sur l'affiche. Tu le connais ?

Sam savait pertinemment que je connaissais Eric. Heureusement que je ne montrais jamais rien de ce que je ressentais et que j'avais des années d'entraînement derrière moi ! J'ai examiné attentivement l'affiche.

— Oui, oui, je l'ai déjà vu, ai-je répondu, impassible. C'était dans ce bar, à Shreveport. Ce n'est pas le genre de mec qu'on oublie…

J'ai ponctué cette sortie d'un petit sourire destiné à Hallow-Marnie. Tout juste si je ne lui ai pas fait un clin d'œil complice.

— Bel homme, a-t-elle acquiescé de sa voix grave et sensuelle. Malheureusement, il a disparu, et nous offrons une récompense à toute personne qui pourrait nous apporter la moindre information.

— Oui, je vois ça, ai-je répliqué en désignant l'affiche du menton, un soupçon d'irritation dans la voix. Y a-t-il une raison particulière qui vous amène à le chercher dans le coin ? J'ai du mal à imaginer ce qu'un vampire de Shreveport viendrait faire dans un bled paumé comme Bon Temps.

Je l'ai regardée d'un air interrogateur, en espérant que mon attitude était plausible.

— Bonne question, Sookie, a renchéri Sam. Ça ne me dérange pas d'avoir cet avis de recherche dans mon bar, mais Sookie a raison : comment se fait-il que vous veniez chercher ce type dans le secteur ? Il ne se passe jamais rien à Bon Temps.

— Il y a bien un vampire qui réside dans ce bourg, non ? a subitement demandé Mark Stonebrook.

Sa voix ressemblait tellement à celle de sa sœur qu'on aurait pu les confondre. Pourtant, avec son physique de taureau de concours, on se serait plutôt attendu à l'entendre parler d'une voix de basse, et même un alto aussi grave que celui de Marnie paraissait étonnamment fluet dans sa bouche.

— Oui, Bill Compton, a répondu Sam. Mais il n'est pas là, en ce moment.

— Parti au Pérou, d'après ce qu'on dit, ai-je cru bon de préciser.

— Ah, oui... Moi aussi, j'ai entendu parler de Bill Compton, a aussitôt enchaîné Hallow d'un air dégagé, mais sans parvenir à masquer l'excitation dans sa voix. Vous ne sauriez pas où il habite, par hasard ?

— Eh bien, pas très loin de chez moi, de l'autre côté du cimetière.

J'étais bien obligée de le leur dire. Si ces deux fouineurs posaient la question à quelqu'un d'autre et s'apercevaient que je leur avais donné une fausse adresse, ils se douteraient immédiatement que j'avais quelque chose à cacher (ou plutôt quelqu'un, en l'occurrence). Je leur ai fourni des indications aussi vagues que possibles, en espérant qu'ils se perdraient quelque part, de préférence dans un endroit comme Hotshot.

— Nous pourrions faire un saut chez ce Compton, au cas où Eric serait allé le saluer, a déclaré Hallow. Entre vampires…

Son regard a rencontré celui de son frère. Ils nous ont adressé un hochement de tête martial, avant de quitter les lieux sur-le-champ.

— Ils doivent rendre visite à tous les vampires, en a déduit Sam à mi-voix.

J'ai acquiescé d'un hochement de tête. Les Stone-brook faisaient le tour des vassaux d'Eric – les vampires de la Cinquième Zone qui lui devaient allégeance. Ils soupçonnaient l'un d'entre eux de le protéger. Comme Eric n'avait été aperçu nulle part, ils en avaient conclu qu'on le cachait. Hallow ne devait pas douter que son sort ait fonctionné, mais il n'était pas impossible qu'elle ignore *comment* il avait fonctionné.

Mon sourire de façade s'est vite évanoui. Je me suis accoudée au comptoir pour réfléchir à la question.

— Ça sent le roussi, hein ? a murmuré Sam.

— Le cramé, oui.

— Il faut que tu y ailles ? Ça s'est calmé ici, tu sais. Holly va peut-être finir par ressortir de la cuisine, maintenant qu'ils sont partis. Et je peux toujours m'occuper du service en salle moi-même. Alors, si tu veux rentrer…

Sam ne savait pas où était Eric, mais il avait des doutes. Et le petit manège de Holly ne lui avait pas échappé.

Sam avait su gagner ma confiance et mon estime. Et il s'en était montré digne à de multiples occasions.

— Je vais leur laisser cinq minutes, le temps de quitter le parking.

— Tu crois qu'ils ont quelque chose à voir avec la disparition de Jason ?

— Je n'en sais rien, Sam.

J'ai aussitôt appelé le bureau du shérif – réflexe conditionné – et obtenu la réponse habituelle : « Rien de neuf. On vous appellera quand on aura du nouveau. » Mais après avoir récité sa leçon, la standardiste a ajouté qu'on allait passer l'étang au peigne fin le lendemain, que la police avait réussi à mettre la main sur deux hommes-grenouilles. Je ne savais pas trop comment réagir. Je crois surtout que j'étais soulagée que la disparition de mon frère soit enfin prise au sérieux.

J'ai raccroché et communiqué l'information à Sam. Après une brève hésitation, j'ai finalement répondu à sa question :

— Je trouve tout de même curieux que deux hommes aient disparu à Bon Temps au même moment. Enfin, les Stonebrook semblent convaincus qu'Eric est dans les parages, du moins. Je ne peux pas m'empêcher de faire le rapprochement.

— Ces Stonebrook sont des loups-garous, Sookie.

— Ce sont aussi des sorcières. Fais gaffe, Sam. Cette femme est une tueuse. Elle a les loups-garous de Shreveport aux trousses. Et les vampires en prime. Garde-la à l'œil.

— Qu'est-ce qui la rend si terrifiante ? Et pourquoi la meute de Shreveport aurait-elle du mal à la dominer ?

— Parce qu'elle prend du sang de vampire, lui ai-je chuchoté à l'oreille, aussi près que possible sans pourtant laisser penser au bar tout entier que j'essayais de draguer mon patron.

J'ai jeté un regard circulaire. Kevin nous regardait avec le plus grand intérêt.

— Qu'est-ce qu'elle a à voir avec Eric ? Qu'est-ce qu'elle lui veut ?

— Elle veut son fric. Elle veut son business. Et elle le veut, lui.

Sam a écarquillé les yeux.

— Alors c'est à la fois professionnel et personnel, cette histoire.

— Absolument.

— Tu sais où est Eric ?

Ça faisait déjà un bon moment qu'il brûlait de me poser la question.

Je lui ai souri.

— Pourquoi je le saurais ? Mais je dois reconnaître que je ne suis pas tranquille, avec ces deux-là qui vont aller rôder juste en face de chez moi. J'ai comme l'impression qu'ils ont l'intention de s'introduire chez Bill. Ils doivent croire que Bill protège Eric ou qu'Eric se cache chez lui. Je suis certaine qu'il y a une planque toute prête pour lui là-bas, avec tout le sang qu'il faut à portée de main.

Et qu'est-ce qu'un vampire pourrait vouloir de plus que du sang et un coin sombre où se terrer pendant la journée ?

— Alors, tu t'es dit, dans ta petite tête, que tu allais défendre la propriété de Bill, c'est ça ? Ce n'est pas une bonne idée, Sookie. Laisse donc l'assurance s'occuper des dégâts qu'ils feront en fouillant sa baraque. Bill m'a donné le nom de son assureur. Et il ne voudrait pas que tu risques ta peau pour quelques plantes et des briques.

— Je n'ai pas l'intention de prendre de tels risques, ai-je répliqué – et c'était la plus stricte vérité. Mais je crois que je vais rentrer quand même. Au cas où. Lorsque je verrai leurs phares s'éloigner, j'irai jeter un coup d'œil chez Bill.

— Tu veux que je vienne avec toi ?

— Non, je vais juste faire l'état des lieux. Tu vas y arriver avec Holly ?

Holly avait émergé de la cuisine à la seconde où les Stonebrook avaient quitté les lieux.

— Sans problème.

— OK. Je me sauve. Et encore merci.

En constatant que les clients ne se bousculaient plus et que l'activité était nettement moins intense qu'une heure auparavant, j'ai eu moins de scrupules à quitter le bar. Il y a des soirs comme ça où la salle se vide tout d'un coup, sans qu'on sache pourquoi.

J'avais une drôle de sensation entre mes omoplates. Et peut-être bien que nos clients aussi. Quelque chose rôdait dans la nuit, qui n'aurait pas dû se trouver dans les parages. J'appelle cela l'atmosphère Halloween : on a l'impression que quelque chose de maléfique rase les murs de la maison en se rapprochant à pas feutrés pour venir nous observer par les carreaux.

Le temps que je récupère mon sac, que j'ouvre ma voiture et que je démarre, je n'étais déjà plus qu'un sac de nœuds. Mon sentiment de malaise allait grandissant. Jason demeurait introuvable, la sorcière de Shreveport avait débarqué ici, au lieu de rester bien tranquillement là où elle était, et voilà, maintenant, qu'elle se trouvait à moins d'un kilomètre d'Eric !

J'ai quitté la route départementale pour m'engager sur le chemin sinueux qui menait chez moi. Soudain, j'ai dû freiner pour éviter un chevreuil qui sortait brusquement des bois en bondissant – il s'éloignait de la maison de Bill… Quand je suis arrivée chez moi, j'étais dans tous mes états. Je me suis garée en faisant crisser les freins derrière la maison, j'ai sauté hors de la voiture et j'ai monté les marches quatre à quatre.

J'ai été arrêtée en plein élan par une paire de bras en acier trempé. Soulevée de terre, je me suis retrouvée en train de tournoyer dans les bras d'Eric avant même de comprendre ce qui m'arrivait, atterrissant avec les jambes enroulées autour de sa taille.

— Eric ! me suis-je exclamée dans un murmure étranglé. Tu ne devrais pas être…

Sa bouche s'est écrasée sur la mienne avant que j'aie eu le temps de finir ma phrase.

Sur le coup, ce changement de programme imprévu m'a paru une option envisageable. J'allais oublier toute cette folie et m'abandonner à son étreinte, là, maintenant, et tant pis s'il faisait un froid à ne pas mettre un vampire dehors. Mais le peu de raison qui me restait, au fond de ce qui me servait de cerveau, a réussi à remonter à la surface. Je me suis légèrement écartée. Eric portait le jean et le sweat-shirt que Jason lui avait achetés au supermarché. Il épousait de ses longues mains le galbe de mes fesses, et je nouais mes jambes autour de lui comme si j'avais fait ça toute ma vie.

En sentant ses lèvres glisser dans mon cou, j'ai fait une seconde tentative.

— Écoute, Eric...

— Chut...

— Non, laisse-moi parler. Il faut qu'on se cache.

Ah! Cette fois, j'étais parvenue à capter son attention.

— De qui? a-t-il chuchoté à mon oreille.

J'en ai eu des frissons. Et ça n'avait rien à voir avec la température extérieure.

— La sorcière... celle qui est à tes trousses... ai-je bafouillé dans ma précipitation. Elle est venue au bar avec son frère pour placarder un avis de recherche avec ta photo.

— Et alors?

Ça n'avait pas l'air de l'émouvoir outre mesure.

— Ils ont demandé si on connaissait d'autres vampires qui vivaient dans le coin, et on a bien été obligés de parler de Bill. Ensuite, ils ont voulu qu'on leur indique où il habitait. Je crois qu'ils sont là-bas, en train de te chercher.

— Et?

— Mais c'est juste de l'autre côté du cimetière! Et s'ils venaient ici?

— Et tu me conseilles de me cacher ? De me terrer dans ce trou sous ta maison ?

Il semblait incertain, mais je l'avais manifestement blessé dans son orgueil.

— Mais oui ! Pas longtemps, je t'en prie. Tu es sous ma responsabilité, tu comprends ? Je dois assurer ta sécurité.

Mais j'avais la désagréable impression que je m'y étais prise en dépit du bon sens. Tout indifférent qu'il semblait aux mœurs de ses semblables, tout ignorant qu'il était de l'étendue de son pouvoir et de ses biens, cet étranger égaré avait gardé en lui cette fierté et cette insatiable curiosité qui caractérisaient son double, curiosité dont Eric avait toujours fait preuve, et, le plus souvent, au mauvais moment. J'avais directement fait appel à cet aspect de son tempérament.

Je me suis demandé si je ne pourrais pas, au moins, le convaincre de rentrer, au lieu de rester exposé dehors.

Mais il était déjà trop tard. Eric est une tête de mule.

8

— Allons jeter un œil, ma belle amante !

Après avoir ponctué ces mots doux d'un rapide baiser, il a bondi dans l'arrière-cour avec sa bernicle géante – autrement dit, moi. Il est retombé sur ses pieds tout en souplesse et, plus étonnant, sans un bruit. S'il y avait quelqu'un qui faisait du bruit, c'était moi, avec ma respiration et mes petits hoquets de surprise. Avec une dextérité qui témoignait d'une longue pratique, Eric m'a expédiée derrière lui en un tour de main. Je me suis retrouvée agrippée à son dos. Je ne m'étais pas retrouvée dans cette position depuis mon enfance, lorsque mon père me portait sur ses reins. Très déconcertant.

Je faisais vraiment une protectrice lamentable. J'étais quand même censée soustraire Eric aux regards indiscrets. Et voilà que nous gambadions à travers le cimetière, tout droit vers la Méchante Sorcière de l'Ouest, au lieu de nous recroqueviller au fond d'un grand trou noir où elle ne pourrait pas nous trouver.

Pourtant, même si j'avais parfois du mal à rester cramponnée à Eric sur un terrain aussi accidenté, je dois bien reconnaître que je m'amusais comme une petite folle. Le cimetière était légèrement en contrebas, par rapport à ma maison. Mais celle de Bill, Compton House, le surplombait. Dans la descente, la chevauchée avait été plutôt grisante. Malgré la vitesse de ma monture, j'avais remarqué deux ou trois voitures, garées sur la petite allée bitumée qui serpentait entre les sépultures : bizarre. Les ados appréciaient particulièrement le cimetière pour son intimité : ce n'était pas un lieu où ils se retrouvaient en groupe. Mais à peine avais-je eu le temps de me faire cette réflexion que, vifs comme l'éclair, nous avions déjà dépassé les voitures. Eric a ralenti dans la côte, sans toutefois donner le moindre signe de fatigue.

Il s'est arrêté à côté d'un arbre. En le touchant à tâtons, je l'ai tout de suite reconnu. Je savais où nous étions, à présent : cet énorme chêne se trouvait à une vingtaine de mètres de la maison de Bill.

Eric m'a fait glisser à terre et m'a plaquée contre le tronc. Je ne savais pas s'il voulait me coincer là ou me protéger. J'agrippais déjà ses poignets pour le retenir près de moi – futile, je sais – quand j'ai entendu des voix en provenance de chez Bill. Je me suis figée.

— Cette voiture n'a pas roulé depuis un moment, disait une femme.

Hallow ! Elle était sur le parking qui flanquait la maison de Bill, autant dire tout près de nous. J'ai senti Eric se raidir. La voix de la sorcière réveillait-elle de mauvais souvenirs en lui ?

— La maison est verrouillée de partout, a lancé Mark Stonebrook, d'un peu plus loin.

— Oh ! Si ce n'est que ça, je m'en charge.

J'ai suivi Hallow à l'oreille. Elle se dirigeait vers la porte. À en juger par le ton de sa voix, elle trouvait la situation plutôt cocasse.

Ils allaient entrer par effraction chez Bill ! Je ne pouvais quand même pas laisser faire ça ! J'ai dû avoir un sursaut d'indignation, parce que Eric m'a pratiquement écrasée contre le tronc. Mon manteau était remonté et l'écorce mordait dans ma peau à travers le tissu trop fin de mon pantalon.

Hallow chantait à voix basse. Je l'entendais. Sa mélopée avait quelque chose de sinistre qui me glaçait le sang. Elle était en train de jeter un sort. Ça aurait dû piquer ma curiosité – une vraie sorcière qui jetait un vrai sort! Mais j'étais terrorisée. Je n'avais qu'une hâte: déguerpir au plus vite. La nuit semblait s'épaissir.

— Je sens une présence, a soudain déclaré Mark Stonebrook.

Hmm, la chair fraîche, peut-être?

— Quoi? Là? Maintenant?

Interrompue dans son incantation, Hallow semblait essoufflée.

C'est à ce moment-là que j'ai commencé à trembler.

— Oui.

C'était presque un grondement.

— Transforme-toi! lui a-t-elle ordonné.

J'ai perçu un bruit familier, que j'avais déjà entendu quelque part mais je ne savais plus à quelle occasion. Une sorte de bruit visqueux, comme si on remuait une cuillère dans une espèce de mélasse avec des morceaux durs dedans. Des cacahuètes. Du caramel. Ou des éclats d'ossements.

C'est alors qu'un hurlement a déchiré le silence. Un cri inhumain. Mark avait changé de forme – et ce n'était pas la pleine lune. Ses pouvoirs devaient être immenses. Tout à coup, la nuit a semblé s'animer. Des reniflements. Des jappements. Des mouvements presque imperceptibles, tout autour de nous.

Décidément, Eric s'était trouvé un fameux garde du corps! Je l'avais laissé m'emporter ici. Nous étions à deux doigts de nous faire repérer par une sorcière-loup-garou dopée au sang de vampire, et je n'avais même pas pensé à prendre le fusil de Jason!

— Désolée, ai-je soufflé dans un chuchotement aussi ténu que celui d'une abeille, en enlaçant Eric pour me faire pardonner.

Quelque chose nous a frôlés. Quelque chose de grand. De velu. Ça ne pouvait pas être Mark Stonebrook : j'entendais ses grondements féroces à quelques pas de là, de l'autre côté du chêne. J'ai dû me mordre la lèvre pour ne pas japper moi aussi.

En tendant l'oreille, j'ai acquis la certitude qu'il n'y avait pas que deux animaux. J'aurais donné cher pour avoir une lampe torche. À environ cinq mètres de moi s'est soudain élevé un aboiement. Un autre loup ? Un chien ordinaire, qui avait eu la malchance de se trouver au mauvais endroit au mauvais moment ?

Et, brusquement, Eric a disparu. La seconde d'avant, il était là, m'écrasant contre le tronc d'arbre dans le noir, et tout à coup, l'air glacial m'a frappée de la tête aux pieds (c'était bien la peine de le tenir par les poignets). J'ai projeté les mains en avant, agité les bras en tous sens. Je n'ai rencontré que le vide. S'était-il juste rapproché de la maison pour se faire une meilleure idée de la situation ? Avait-il décidé de se jeter dans la mêlée ?

Soudain, la chaleur palpitante d'un gros animal s'est plaquée contre mes jambes. Au lieu de continuer bêtement à brasser l'air, je me suis penchée pour essayer de l'identifier. Un épais pelage, une paire d'oreilles dressées, un museau allongé, une langue amicale… Quand j'ai voulu m'éloigner pour voir ce qui se passait, le chien (le loup ?) m'en a empêchée. Il était plus petit et plus léger que moi, mais il exerçait sur moi une telle pression qu'il m'était impossible de bouger. Finalement, en entendant les grognements et les claquements de dents à quelques mètres de là, je me suis dit que ce n'était pas plus mal. Je me suis agenouillée pour me blottir contre le canidé, qui en a profité pour me lécher la joue.

214

Un concert de hurlements s'est alors élevé dans la nuit. Une complainte funèbre à faire dresser les cheveux sur la tête. J'ai été prise de frissons. Glacée d'effroi, j'ai enfoui mon visage dans le cou de mon compagnon et j'ai prié. Soudain s'est élevé un cri de douleur plus fort que tous les autres, suivi d'une série de petits jappements plaintifs.

J'ai entendu une voiture démarrer. Les pinceaux des phares ont cisaillé les ténèbres. Le chêne me protégeait de leur lumière, mais, dans la brusque clarté, j'ai découvert mon fidèle gardien : c'était un chien, pas un loup. Puis les faisceaux aveuglants ont bougé, et le véhicule a fait marche arrière dans une salve de gravillons. Il y a eu un bref silence – le temps pour le conducteur d'enclencher la première, je présume –, puis un crissement de pneus, et la voiture a dévalé la colline pour emprunter Hummingbird Road. Puis j'ai entendu le bruit mat d'un heurt, puis un cri déchirant qui a encore accéléré les battements de mon cœur. C'était comme si un chien venait de se faire renverser.

— Oh ! mon Dieu.

Je me suis serrée contre mon compagnon. Puis j'ai subitement su que je pouvais intervenir, maintenant que la sorcière et son frère avaient apparemment quitté les lieux.

Je me suis redressée et, avant que le chien ait pu me retenir, je me suis ruée vers la maison. J'ai tiré mes clés de ma poche tout en courant – un mouchoir les avait empêchées de cliqueter. J'ai trouvé celle de Bill (la troisième sur l'anneau), cherché la serrure à tâtons et ouvert la porte. À peine entrée, j'ai abaissé l'interrupteur qui commandait l'éclairage extérieur. Un flot de lumière a brusquement envahi le jardin.

Il grouillait de loups.

Serait-il raisonnable d'avoir peur ? Probablement. Je n'étais pas vraiment certaine que les deux Stonebrook soient bien dans la voiture qui venait de partir en trombe. Et si l'un d'entre eux se trouvait encore parmi les loups qui cernaient la maison ? Et où était donc passé mon vampire ?

Cette dernière question a obtenu une réponse immédiate. Eric s'est matérialisé devant moi, atterrissant avec un choc sourd.

— Je les ai suivis jusqu'à la route, mais après, ils sont devenus trop rapides pour moi, m'a-t-il expliqué avec un sourire espiègle.

Un chien – un colley – est venu se planter devant Eric et s'est mis à grogner.

— Ouste, a ordonné ce dernier en faisant un geste impérieux pour le chasser.

Mon boss a trottiné vers moi pour revenir se serrer contre mes jambes. Même dans le noir, je m'étais doutée de l'identité de mon ange gardien. La première fois que j'avais vu Sam sous cette forme, je l'avais pris pour un chien abandonné et je l'avais baptisé Dean. Depuis, ce nom lui était resté. Je me suis assise sur les marches du perron. Dean est venu se blottir contre moi. Je lui ai caressé la tête.

— Tu es vraiment un super chien, Dean.

Il a remué la queue. Pendant ce temps, les loups reniflaient Eric, qui s'était figé, parfaitement immobile.

Un énorme loup s'est alors dirigé vers moi. Les loups-garous doivent tous se changer en animaux de très grande taille, j'imagine. Mais je vis en Louisiane et je n'avais jamais vu de loup de taille standard, de toute façon. Celui-là était intégralement noir. J'ai trouvé ça plutôt curieux. Tous les autres avaient un pelage argenté – sauf un, plus petit, dont la fourrure tirait sur le roux.

Le gros loup noir m'a agrippée par la manche de mon manteau et a commencé à tirer. Je l'ai suivi sans discuter. Il m'a entraînée vers l'endroit où la plupart de ses congénères s'étaient rassemblés et s'agitaient nerveusement. Je ne les avais pas remarqués tout de suite : les spots extérieurs ne portaient pas jusque-là. Il y avait du sang par terre, une mare de sang, et au milieu, une jeune femme nue.

Elle était grièvement blessée : elle avait manifestement les deux jambes brisées, et le bras gauche aussi, probablement.

— Va chercher ma voiture, ai-je ordonné à Eric, d'un ton qui ne souffrait aucune discussion.

Je lui ai lancé mes clés, qu'il a attrapées au vol avant de quitter le sol pour reprendre la voie des airs. Dans un coin de mon cerveau, je me suis demandé s'il savait toujours conduire. Quoique tout un pan de sa mémoire ait été effacé – celui qui contenait son passé et les caractéristiques de sa personnalité –, il semblait avoir conservé le mode d'emploi de tous les outils de la vie moderne.

Pendant ce temps, je m'efforçais de ne pas penser au calvaire qu'endurait la pauvre fille étendue à mes pieds. Les loups tournaient autour de nous en poussant de petits gémissements plaintifs. Soudain, le gros loup noir a levé la tête vers le ciel et s'est mis à hurler à la mort. Les autres l'ont aussitôt imité. J'ai jeté un coup d'œil par-dessus mon épaule pour m'assurer que Dean se tenait à l'écart. Mais Dean était resté assis sur le perron, et ne me quittait pas des yeux.

J'étais la seule créature ici à être dotée de pouces opposables. J'ai subitement pris conscience de ce que ça impliquait, de la lourde responsabilité qui en découlait.

Que vérifier en premier ? Si elle respirait ? Ouf ! Elle était vivante. J'ai cherché son pouls. Je n'étais pas spécialiste, mais il m'a paru plutôt irrégulier – pas étonnant, après un choc pareil. Elle était brûlante, aussi – sans doute une conséquence de sa trop brusque métamorphose. Je n'ai pas trouvé trop de sang coulant en abondance et j'en ai déduit qu'aucune artère importante n'avait probablement été sectionnée. J'ai glissé une main sous sa tête, tout doucement, pour palper son cuir chevelu : pas de lacération.

Jusqu'alors, j'avais réussi à conserver assez de calme et de sang-froid pour effectuer un examen rigoureux. Je me suis pourtant rendu compte, à un moment donné, que je tremblais de la tête aux pieds. Ses blessures étaient terrifiantes. Son corps tout entier n'était que plaies, contusions et fractures. Elle a ouvert les yeux et a été prise de frissons. Des couvertures. J'avais besoin de couvertures. J'ai regardé autour de moi. Tous les loups avaient conservé leur forme animale.

— J'ai besoin d'aide, leur ai-je expliqué. Ce serait bien si vous pouviez reprendre votre apparence humaine – au moins un ou deux d'entre vous. Je dois l'emmener à l'hôpital dans ma voiture, et il faut l'envelopper dans des couvertures. Il y en a à l'intérieur de la maison.

Un des loups-garous au pelage argenté s'est couché sur le flanc – OK, c'était un mâle –, et j'ai de nouveau entendu ce drôle de bruit sirupeux. La forme allongée a soudain disparu derrière une sorte de rideau de brume. Quand le brouillard s'est levé, le colonel Flood était couché par terre, en chien de fusil. Évidemment, il était nu, mais ce n'était pas le moment de jouer les prudes. Il lui a fallu une bonne minute avant de pouvoir bouger, et il a manifestement eu du mal à s'asseoir.

Il a rampé vers la blessée.

— Maria-Star, a-t-il gémi dans un grognement rauque, avant de se pencher vers elle pour la flairer (comportement pour le moins curieux pour un bipède).

Il a tourné la tête vers moi.

— Où ? a-t-il grondé.

J'ai compris qu'il parlait des couvertures.

— Au premier. Il y a une chambre en haut de l'escalier. Le coffre au pied du lit. Prenez-en deux.

Il s'est levé, tout chancelant – il devait probablement avoir un problème d'équilibre à cause de sa transformation prématurée –, puis il est parti vers la maison à grands pas.

Maria-Star l'a suivi des yeux.

— Pouvez-vous parler ? lui ai-je demandé.

— Oui.

Ce n'était qu'un souffle à peine audible.

— Où avez-vous le plus mal ?

— Je pense que mes hanches et mes jambes sont cassées. La voiture m'a heurtée.

— Avez-vous été projetée en l'air ?

— Oui.

— Mais elle ne vous a pas roulé dessus ?

Elle a frémi.

— Non. C'est le choc qui m'a blessée.

— Quel est votre nom de famille ?

J'en aurais besoin pour les formalités à l'hôpital. Elle ne serait peut-être plus consciente à ce moment-là.

— Cooper.

Enfin, j'ai entendu le bruit d'une voiture qui remontait l'allée. Au même instant, le colonel Flood, qui se déplaçait avec plus d'agilité, s'est précipité hors de la maison, les couvertures sous le bras, tandis que les loups nous encerclaient, Maria-Star et moi. J'admirais le colonel : il fallait un sacré courage pour affronter un ennemi, dans le plus simple appareil et sans arme.

Ce n'était qu'Eric, dans ma vieille guimbarde. Il s'est garé avec panache, à hauteur de la blessée. Les loups se sont mis à tourner en rond, visiblement anxieux, leurs yeux jaunes et luisants rivés à la portière du conducteur. Il m'est alors venu à l'esprit que ceux de Calvin Norris m'avaient paru très différents. Je me suis fugitivement demandé pourquoi.

— C'est ma voiture. Il n'y a pas de danger, ai-je dit pour tenter de rassurer les loups, quand l'un d'entre eux s'est mis à grogner.

Un nombre préoccupant de regards jaunes s'est fixé sur moi. Est-ce que j'avais l'air suspecte ? Ou… appétissante ?

Tout en enveloppant Maria-Star dans les couvertures, j'essayais de deviner lequel des loups était Alcide. J'aurais parié sur le gros loup noir, celui qui venait, justement, de river son regard au mien avec intensité. Oui, c'était Alcide. C'était bien le loup que j'avais vu au *Club Dead*, quelques semaines auparavant, par une nuit de pleine lune, une nuit où Alcide s'était fait passer pour mon petit ami, une nuit qui s'était achevée dans un bain de sang – le mien, notamment.

J'ai voulu lui sourire, mais sans grand succès, tant mon visage était crispé par le froid et l'angoisse.

Eric a bondi hors de la voiture, en laissant le moteur tourner, et est allé ouvrir la portière arrière.

— Je vais la mettre sur la banquette, m'a-t-il annoncé.

Un concert de grondements agressifs lui a répondu. Il était clair que les loups refusaient de voir une des leurs dans les bras d'un vampire. Ils ne voulaient même pas qu'Eric l'approche.

— Je vais la porter, a déclaré le colonel Flood.

Eric a jaugé la stature du vieil homme d'un œil critique, mais il a eu la sagesse de s'écarter. En dépit des précautions que j'avais prises, Maria-Star avait gémi quand je l'avais enveloppée dans les couvertures. Le colonel savait que ce qu'il allait devoir faire maintenant serait encore plus douloureux pour elle. Au dernier moment, le cœur lui a manqué.

— Nous ferions peut-être mieux d'appeler les secours, a-t-il grommelé.

— Et vous leur expliquerez ça comment ? ai-je rétorqué en désignant d'un geste large la scène qui m'entourait. Une meute de loups, un type à poil, et elle, nue, gisant au pied d'une maison ouverte dont le propriétaire est absent ?

— Bien sûr, bien sûr... Vous avez raison, a-t-il reconnu, se résignant à l'inévitable.

Sans même paraître un tant soit peu éprouvé par cet effort, il a soulevé Maria-Star et l'a portée jusqu'à la voiture. Eric s'est rué de l'autre côté pour ouvrir la portière et la tirer vers lui de son côté. Le colonel ne l'en a pas empêché. La pauvre fille a hurlé, et je me suis jetée derrière le volant. Eric s'asseyait déjà à côté de moi quand je l'ai arrêté d'un geste.

— Non. Tu ne peux pas venir.

— Pourquoi ? s'est-il étonné, manifestement vexé.

— Si j'arrive avec un vampire dans ma voiture, j'aurai deux fois plus d'explications à donner.

Eric n'a pas bougé d'un centimètre. Que peut-il y avoir de pire qu'un vampire buté ?

— Et tout le monde a vu ta tête sur ces fichues affiches, ai-je ajouté en m'efforçant de garder mon calme tout en lui indiquant qu'il y avait urgence. Les habitants de Bon Temps sont plutôt de braves gens, mais personne dans ce comté ne pourrait dire qu'il n'a pas besoin de cinquante mille dollars.

L'argument a fait mouche : Eric est sorti de la voiture. De mauvaise grâce, certes, mais il n'a pas insisté.

— Éteins la lumière et ferme la maison, OK ? lui ai-je lancé en passant la marche arrière.

— Rejoignez-nous au *Merlotte* quand vous connaîtrez le diagnostic des médecins ! m'a crié le colonel Flood. En attendant, nous allons récupérer nos véhicules et nos affaires dans le cimetière.

Ce qui expliquait la présence insolite des voitures que j'avais remarquées en arrivant.

Les loups m'ont regardée manœuvrer doucement pour descendre l'allée. Alcide s'était détaché de la meute. Il ne me quittait pas des yeux. Je me suis demandé ce qui pouvait bien lui passer par la tête. Est-ce qu'un loup-garou pensait comme un humain ?

L'hôpital le plus proche se trouvait à Clarice, le chef-lieu du comté – Bon Temps n'était pas un bourg assez important pour en avoir un. Mais, ne nous plaignons pas, l'hôpital était situé en dehors de la ville, sur la route de Bon Temps, justement. Le trajet m'a paru durer des siècles. En fait, il ne m'a pris que vingt minutes. Des gémissements de douleur se sont élevés de la banquette arrière, pendant le premier quart d'heure, puis un silence sinistre leur a succédé. J'ai parlé à ma passagère, l'ai suppliée de me répondre, lui ai posé des questions. J'ai même allumé la radio, dans l'espoir de la faire réagir. En vain.

Je ne voulais pas gaspiller de précieuses minutes à m'arrêter pour l'examiner, et je n'aurais pas su quoi faire de toute façon. Alors j'ai conduit pied au plancher. Quand je suis arrivée à l'entrée des urgences et que j'ai appelé les deux infirmières qui fumaient dehors, j'étais sûre que la pauvre louve était morte.

Mais, vu l'activité que sa présence a soudain suscitée autour de moi, j'en ai déduit – Dieu soit loué ! – que je m'étais trompée. L'hôpital de Clarice est trop modeste pour bénéficier des installations modernes d'un centre hospitalier urbain, mais nous avons déjà de la chance d'en avoir un, et ce soir-là, malgré le manque de matériel et de personnel spécialisé, l'équipe médicale de garde a bel et bien sauvé la vie de Maria-Star.

Le médecin – une femme svelte aux cheveux gris coiffés en piques, affublée d'énormes lunettes à monture noire – m'a posé quelques questions essentielles auxquelles je n'ai pas su répondre, bien que

222

j'aie passé quasiment tout mon temps, de Bon Temps à Clarice, à essayer de mettre une explication plausible au point. Ayant rapidement compris qu'il n'y avait rien à tirer de moi, elle m'a fermement demandé de laisser ses équipes travailler en paix. Je suis donc allée m'installer dans le hall et j'ai attendu. J'en ai profité pour tenter de peaufiner mon histoire.

J'étais sur des charbons ardents, et la lumière agressive des néons ne faisait rien pour me détendre. J'ai essayé de lire un magazine, mais il m'est tombé des mains au bout de deux minutes. Pour la septième ou huitième fois, j'ai eu envie de me sauver. Mais la femme assise derrière le bureau de la réception me tenait à l'œil. Au bout d'un moment, j'ai décidé d'aller faire un tour aux toilettes pour me laver les mains – elles étaient couvertes de sang. Par la même occasion, j'ai tenté de nettoyer mon manteau avec des serviettes en papier. Sans résultat.

Quand je suis revenue dans le hall, deux policiers baraqués m'attendaient. Leur veste matelassée en tissu synthétique crissait au moindre de leurs mouvements, le cuir de leur ceinturon craquait et leur équipement cliquetait – pas très discret, quand on pourchasse un suspect.

Le plus grand des deux avait des cheveux gris pratiquement rasés et le visage marqué de rides profondes. Son ventre devait l'empêcher de voir ses pieds. Son coéquipier était un jeune type d'une trentaine d'années. Il avait les cheveux brun clair, les yeux brun clair et la peau brun clair : curieusement monochrome, comme mec. Je les ai brièvement examinés de tous mes sens.

C'est ainsi que j'ai appris qu'ils étaient déjà prêts à m'impliquer dans l'accident dont avait été victime Maria-Star. Du moins, ils étaient convaincus que j'en savais plus que je ne voulais bien le dire.

Ils n'avaient pas tout à fait tort.

— Mademoiselle Stackhouse ? C'est vous qui avez amené la jeune femme dont le Dr Skinner est en train de s'occuper ? m'a demandé gentiment le plus jeune des deux.

— Maria-Star Cooper, oui.

— Dites-nous ce qui s'est passé, a enchaîné le plus âgé.

Il parlait d'un ton raisonnable, mais il s'agissait très clairement d'un ordre. D'après leurs pensées, aucun des deux ne me connaissait ni n'avait entendu parler de moi. Parfait.

J'ai respiré un bon coup et je me suis préparée à plonger dans les eaux troubles de la duplicité.

— Je rentrais du travail… ai-je commencé. Je suis serveuse au *Merlotte*. Vous savez où c'est ?

Ils ont hoché la tête en chœur. Évidemment, tout policier connaissait chacun des bars de la région.

— J'ai aperçu un corps sur le bord de la route, étendu sur le gravier du bas-côté, ai-je poursuivi avec prudence, en essayant d'anticiper et de ne rien dire qui m'oblige à revenir sur mes paroles. Alors, je me suis arrêtée. Il n'y avait personne à l'horizon. Quand j'ai vu qu'elle était encore vivante, j'ai décidé de l'emmener à l'hôpital. J'ai eu du mal à la coucher dans la voiture toute seule. Et puis, je ne voulais pas la faire souffrir : j'y suis allée doucement. Ça m'a pris un bon moment, ai-je précisé, en pensant au long laps de temps qui s'était écoulé entre mon départ du bar et mon arrivée à l'hôpital.

J'avais pris la précaution de mentionner le gravier, qu'on ne manquerait pas de retrouver en nettoyant les plaies de Maria-Star. J'ignorais jusqu'à quel point j'étais censée entrer dans les détails, mais on n'est jamais trop prudent.

— Avez-vous remarqué des traces de pneus sur la chaussée ? s'est enquis le jeune policier brun clair.

— Non. Mais je n'ai pas regardé. Il y en avait peut-être. C'est juste que… quand je l'ai vue, je n'ai plus eu qu'une idée en tête : l'amener ici, vous comprenez. Elle était salement amochée. Je me suis bien rendu compte que c'était grave. Alors, je suis venue aussi vite que j'ai pu.

J'ai haussé les épaules : fin de l'histoire.

— Vous n'avez pas pensé à appeler une ambulance ? a demandé le vieux flic.

— Je n'ai pas de portable.

— Une femme seule qui rentre du travail à des heures pareilles devrait absolument avoir un téléphone portable, mademoiselle.

J'ouvrais déjà la bouche pour lui rétorquer que s'il était prêt à payer le forfait, je serais ravie d'en avoir un, mais je me suis retenue. Eh bien, oui, ce serait super pratique d'avoir un portable, si je n'avais pas déjà eu du mal à régler les factures de mon téléphone fixe. Mon seul luxe se limitait à l'abonnement au câble. Et j'éprouvais encore le besoin de me justifier en me disant que c'était l'unique distraction que je m'offrais.

— Vous avez raison, ai-je répondu, laconique.

— Et votre prénom, c'est ?

Ça, ça venait du plus jeune, bien sûr. J'ai levé les yeux. Nos regards se sont croisés.

— Sookie.

Il se disait que j'avais l'air d'une fille vraiment gentille, un peu timide peut-être.

— Sookie Stackhouse… Vous êtes la sœur du gars qui a disparu ? s'est étonné le plus vieux en se penchant pour me regarder de plus près.

— Oui, monsieur.

J'ai recommencé à examiner mes pieds.

— Ah! On peut dire que vous avez la poisse, mademoiselle Stackhouse.

— Ne m'en parlez pas! me suis-je exclamée d'un ton vibrant de sincérité.

— Aviez-vous déjà vu la femme que vous avez amenée ici avant aujourd'hui?

Le flic grisonnant avait commencé à prendre des notes dans un petit calepin qu'il avait sorti de sa poche. Il s'appelait Curlew, comme l'insigne sur sa poitrine l'indiquait.

J'ai secoué la tête.

— Vous pensez que votre frère aurait pu la connaître? a demandé son collègue.

J'ai brusquement relevé les yeux, stupéfaite. J'ai une nouvelle fois rencontré le regard du jeune type brun. Il s'appelait Stans.

— Comment je le saurais?

En fait, j'ai découvert qu'il avait juste voulu m'obliger à le regarder. Il ne savait pas trop quoi penser de moi. D'un côté, ce garçon monochrome me trouvait jolie et se disait qu'on m'aurait bien donné le bon Dieu sans confession. D'un autre côté, j'avais un job qu'une jeune fille bien comme il faut n'accepterait pas en principe, et mon frère était un bagarreur bien connu des services de police – même si nombre de leurs représentants le trouvaient sympathique.

— Elle va s'en sortir? ai-je demandé pour changer de sujet.

Ils ont tous les deux tourné la tête vers les portes battantes derrière lesquelles la lutte pour sauver Maria-Star se prolongeait.

— Elle est toujours en vie, m'a répondu Stans.

— La pauvre fille, ai-je soupiré.

Mes yeux se sont emplis de larmes. J'ai fouillé dans mes poches pour chercher un mouchoir en papier.

— Vous a-t-elle parlé, mademoiselle Stackhouse?

J'ai réfléchi un peu et me suis décidée pour la vérité.

— Oui, ai-je répondu, un peu.

À ces mots, les visages de mes deux interlocuteurs se sont éclairés.

— Elle m'a donné son nom. Elle m'a dit que c'étaient surtout ses jambes qui la faisaient souffrir, quand je lui ai demandé où elle avait mal. Et elle a dit que la voiture l'avait renversée, mais qu'elle ne lui avait pas roulé dessus.

Les deux hommes se sont consultés du regard.

— A-t-elle fourni une description du véhicule ? a demandé Stans.

Il aurait été si facile de décrire la voiture de Hallow… Mais je me suis méfiée de cette espèce de jubilation que je sentais monter en moi à cette perspective. Ce dont je me suis félicitée, après un temps de réflexion : ils y auraient trouvé des poils de loup.

— Non. Elle n'a pas beaucoup parlé après ça. Elle gémissait surtout, vous savez. C'était terrible.

Et mes sièges étaient certainement irrémédiablement tachés. Mais comment pouvais-je avoir des pensées aussi égoïstes ?

— Et vous n'avez pas vu d'autres véhicules, des voitures ou des camions, en chemin pour votre maison, ou même quand vous êtes revenues en ville ?

Ah. Les questions commençaient à changer.

— Pas en rentrant, ai-je répondu d'un ton hésitant. J'ai sûrement croisé quelques voitures quand je me suis rapprochée de Bon Temps et du centre-ville. Et bien sûr, j'en ai aperçu plus entre Bon Temps et Clarice. Mais rien de particulier ne m'a frappée.

— Pourriez-vous nous emmener sur les lieux, à l'endroit précis où vous avez découvert Mlle Cooper ?

— Franchement, ça m'étonnerait. À part elle, je n'ai rien vu.

Question cohérence, je commençais à fatiguer.

— Pas d'arbre facile à repérer, pas de chemin de terre, ni de borne. Peut-être plutôt demain ? À la lumière du jour ? ai-je proposé.

Stans m'a gentiment tapoté l'épaule.

— Je sais que vous avez été rudement secouée, mademoiselle, m'a-t-il dit, débordant de sollicitude. Vous avez fait tout ce que vous pouviez pour la blessée. Maintenant, il ne reste plus qu'à s'en remettre aux médecins et à Dieu.

J'ai hoché la tête d'un air solennel. J'étais d'accord avec lui à cent pour cent. Mais le vieux Curlew me considérait d'un œil sceptique. Il m'a cependant remerciée – pour la forme – et a rejoint son collègue qui, déjà, poussait la porte de l'hôpital. J'ai reculé un peu, tout en observant le parking. Deux secondes plus tard, ils étaient devant ma voiture et l'inspectaient en projetant le faisceau de leurs grosses lampes torches sur les vitres. L'intérieur était toujours impeccable : ils ne trouveraient rien, en dehors des taches de sang à l'arrière. Je les ai vus vérifier l'état de mon pare-chocs. Comment leur en vouloir ? Ils faisaient leur travail, après tout.

Après avoir examiné ma vieille guimbarde sous toutes les coutures, ils se sont plantés sous un réverbère pour prendre des notes.

Peu de temps après, le médecin a franchi les portes battantes et s'est dirigé droit sur moi. Elle a baissé son masque et s'est frotté la nuque d'une longue main fine.

— Elle va mieux, m'a-t-elle annoncé. Son état est stable, pour le moment.

J'ai hoché la tête et fermé les yeux sous le coup de l'émotion. Quel soulagement !

— Merci, ai-je croassé, la gorge serrée.

— Nous allons l'emmener en hélicoptère à l'hôpital de Shreveport. L'appareil devrait se poser ici d'une seconde à l'autre.

Ils la transféraient ? Sa meute allait-elle approuver ? Mais peu importait mon sentiment sur la question. Maria-Star devait bénéficier des meilleurs soins, et l'hôpital de Shreveport était sans doute mieux à même de les lui prodiguer. J'avais un autre souci : quand elle pourrait parler, la police l'interrogerait forcément. Comment m'assurer que son histoire coïnciderait avec la mienne ?

— Elle est consciente ?

— À peine, a répondu le médecin avec rudesse, comme si de telles blessures étaient une injure personnelle. Vous pouvez aller la voir, mais je ne vous garantis pas qu'elle se souviendra de vous, ni qu'elle comprendra ce que vous lui direz. Il faut que j'aille parler avec les flics.

Les deux officiers de police revenaient vers l'hôpital. Je les ai aperçus par la porte vitrée.

— Merci, ai-je répété, avant de m'avancer vers la gauche en suivant la direction qu'elle m'avait indiquée.

J'ai poussé la porte de la salle sinistre et violemment éclairée, dans laquelle ils avaient lutté pour sauver Maria-Star. Elle était en pagaille. Deux infirmières bavardaient tout en rangeant le matériel, les boîtes de pansements et les tuyaux. Un homme en uniforme bleu attendait dans un coin avec un seau et une serpillière. Il nettoierait lorsque la louve – la fille – serait emmenée vers l'hélicoptère. Je me suis approchée doucement d'elle, lui ai pris la main et me suis penchée aussi près que possible.

— Maria-Star, vous reconnaissez ma voix ? lui ai-je demandé.

Elle avait le visage tuméfié et couvert d'égratignures. C'étaient sans doute les plus bénignes de ses blessures, mais elles paraissaient affreusement douloureuses.

— Oui, a-t-elle répondu dans un souffle.

— C'est moi qui vous ai trouvée sur le bord de la route, ai-je repris en martelant les derniers mots avec insistance. Vous étiez allongée sur le bas-côté, sur la route départementale au sud de Bon Temps.

— Compris, a-t-elle chuchoté.

— Je crois que quelqu'un vous a fait descendre de sa voiture, ai-je poursuivi d'un ton incertain. Et que ce quelqu'un vous a ensuite renversée. Mais vous savez ce qui se passe, après un traumatisme : le plus souvent, les gens ne se souviennent de rien.

Une des infirmières s'est retournée et a haussé un sourcil soupçonneux. Elle avait dû entendre la fin de ma phrase.

— Alors, ne vous inquiétez pas si vous ne vous souvenez de rien, ai-je néanmoins insisté.

— J'essaierai, a soufflé la blessée.

Réponse pour le moins ambiguë. Mais je ne pouvais pas faire mieux pour le moment. Je lui ai donc dit au revoir, j'ai remercié les infirmières et j'ai regagné ma voiture. Minuscule élément positif, ma banquette arrière n'avait pas trop souffert, grâce aux couvertures de Bill – j'allais sûrement devoir lui en racheter.

À bien y réfléchir, qu'étaient-elles devenues d'ailleurs, ces fameuses couvertures ? La police les avait-elle récupérées ? Étaient-elles restées à l'hôpital ? Les avait-on jetées à la poubelle ?

J'ai haussé les épaules. Je n'allais tout de même pas m'inquiéter à cause de deux malheureux bouts de tissu, alors que j'avais déjà une liste de problèmes à régler longue comme le bras. Pour commencer, je n'aimais pas beaucoup l'idée d'un rassemblement de loups-garous au *Merlotte*. Je ne trouvais pas très judicieux que Sam soit impliqué trop profondément dans les affaires des loups-garous. C'était un métamorphe, et ces derniers sont plus indépendants, alors que les loups-garous suivent une organisation des plus strictes. J'étais ennuyée qu'ils utilisent le *Merlotte* comme QG après la fermeture.

Et puis, il y avait Eric. Aïe. Il devait m'attendre à la maison depuis tout ce temps...

Je me suis prise à me demander quelle heure il pouvait bien être au Pérou. Bill devait assurément s'amuser plus que moi, là-bas. J'avais l'impression que je ne m'étais jamais remise de la nuit du Nouvel An, que je n'avais pas encore récupéré. Je me sentais littéralement épuisée.

J'ai tourné à gauche pour prendre la route qui passait devant le *Merlotte*. Les troncs blafards se succédaient dans la lumière des phares. Pas de vampire à moitié nu en train de courir sur le bas-côté. C'était déjà ça...

— Réveillez-vous !

— Quoi ?

J'ai ouvert les yeux. La voiture a fait une violente embardée.

— Vous étiez en train de vous endormir.

Je n'aurais pas été plus surprise si une baleine était venue s'échouer en travers de la route.

— Qui êtes-vous ? ai-je ânonné, dès que je me suis sentie en état d'articuler un mot.

— Claudine, a répondu la femme assise à côté de moi sur le siège du passager.

Je ne distinguais pas grand-chose, à la lumière du tableau de bord, mais il me semblait effectivement reconnaître la grande et belle femme que j'avais aperçue le soir du réveillon au *Merlotte* et avec Tara, la veille.

— Comment êtes-vous montée dans ma voiture ? Qu'est-ce que vous fichez là ?

— Il se trouve qu'il y a eu une recrudescence inhabituelle d'activité surnaturelle, dans la région, depuis une semaine ou deux, et que je suis le médiateur.

— Le médiateur entre quoi et quoi ?

— Entre les deux mondes. Ou, pour être exacte, entre les trois mondes.

Parfois, la vie vous offre plus que vous n'en pouvez prendre. Dans ces cas-là, on ne peut qu'accepter, sans se poser de questions.

— Ah... Alors, vous êtes une sorte d'ange ? C'est pour ça que vous m'avez réveillée au moment où j'allais m'endormir au volant ?

— Non. Je n'en suis pas encore là. Mais vous êtes trop fatiguée pour comprendre. Laissez de côté la mythologie et contentez-vous de m'accepter telle que je suis.

J'ai eu un petit coup au cœur : cette dernière remarque était un écho de ma propre vie.

— Regardez ! a-t-elle repris. Il y a un homme qui vous fait signe.

J'ai tourné les yeux dans la direction qu'elle m'indiquait. Et, effectivement, sur le parking du *Merlotte*, un vampire jouait les sémaphores. C'était Chow.

— Il ne manquait plus que ça ! ai-je grommelé. Bon, eh bien, j'espère que vous ne verrez pas d'inconvénient à ce que j'écourte cette petite conversation, Claudine, parce qu'il faut que je m'arrête ici.

— Aucun problème. Je ne raterais ça pour rien au monde.

Chow m'a guidée vers l'arrière du bâtiment, où j'ai été stupéfaite de découvrir le parking du personnel littéralement envahi de voitures.

— Oh, chouette ! s'est exclamée Claudine. Une fête !

Elle a sauté hors de la voiture comme si elle pouvait à peine contenir son enthousiasme. J'ai eu la secrète satisfaction de voir Chow ouvrir de grands yeux en découvrant ce mètre quatre-vingts de perfection féminine. Pas facile d'épater un vampire.

— Allons-y ! s'est exclamée joyeusement Claudine, en me prenant par la main.

9

C'était à croire que tous les SurNat et les vampires qui avaient croisé mon chemin à un moment ou un autre de mon existence s'étaient donné rendez-vous au *Merlotte*. Ce n'était peut-être qu'une impression, car je dormais debout et n'aspirais qu'à une seule chose : me retrouver seule ! La meute était là au grand complet et tous ses membres, plus ou moins habillés – heureusement –, avaient retrouvé forme humaine.

Alcide était là, vêtu d'un pantalon de toile et d'une chemise déboutonnée, à carreaux verts et bleus. En le voyant, on avait du mal à l'imaginer à quatre pattes, hurlant à la lune. Les loups-garous buvaient du café ou du jus de fruits, et Eric – rayonnant et en pleine forme, apparemment – du TrueBlood. Perchée sur un tabouret de bar, Pam portait un jogging gris-vert en velours – qu'elle réussissait à rendre classe mais sexy – avec des tennis à paillettes et un nœud dans les cheveux. Elle était venue avec Gerald, un vampire que j'avais aperçu une ou deux fois au *Fangtasia*. Il paraissait avoir une trentaine d'années, mais je l'avais entendu parler de la Prohibition, et il était clair qu'il l'avait vécue de l'intérieur. Le peu que je connaissais de lui ne me donnait pas franchement envie d'en savoir davantage.

Même devant un tel parterre, Claudine et moi avons fait sensation. Enfin, surtout Claudine. Avec son corps de rêve moulé dans une robe en jersey orange, ses rondeurs stratégiquement placées et ses interminables jambes perchées sur des talons aiguilles vertigineux, c'était une vraie bombe sexuelle format XXL.

Non, décidément, elle ne pouvait pas être un ange. Du moins, pas un ange tel que je les concevais.

Mon regard est passé de Pam à Claudine. C'était injuste. Elles semblaient si lisses, si séduisantes, si parfaites! Comme si ça ne suffisait pas que je sois crevée, paumée, déboussolée, terrorisée, il fallait, en plus, que je me sente moche! J'étais en train de vivre le cauchemar de toutes les filles: entrer dans une salle pleine de mecs en compagnie d'une femme belle à tomber, qui porterait presque le mot « disponible » tatoué sur son front. S'il n'y avait pas eu Sam – que j'avais quand même entraîné dans toute cette histoire –, je crois bien que j'aurais tourné les talons *illico* et que je serais rentrée me coucher.

— Claudine! s'est exclamé le colonel Flood. Que venez-vous faire ici?

Pam et Gerald dévoraient la bombe sexuelle des yeux comme s'ils s'attendaient à la voir faire un strip-tease séance tenante.

— Ma fifille, ici présente, a répondu Claudine en penchant la tête vers moi, s'est endormie au volant. Comment se fait-il que vous ne la surveilliez pas mieux que ça?

Le colonel, toujours aussi digne – d'autant plus qu'il s'était rhabillé –, a semblé un rien interloqué. Apparemment, il n'avait jamais envisagé de m'offrir une quelconque protection.

— Eh bien… euh…

— Vous auriez dû envoyer quelqu'un avec elle à l'hôpital, s'est exclamée Claudine en secouant la cascade de ses longs cheveux noirs avec réprobation.

— Je lui ai bien proposé de l'accompagner, est intervenu Eric. Mais elle m'a répondu que ma présence ne ferait que compliquer les choses.

— Hé! Salut, beau blond! Mmm... sexy, grand, blond et... mort! s'est écriée Claudine en détaillant Eric d'un œil expert et admiratif. Et quand une humaine vous donne un ordre, vous obéissez, vous?

Merci, Claudine! J'étais censée protéger Eric. Maintenant, il n'allait même pas accepter de fermer une porte si je le lui demandais.

Gerald contemplait toujours Claudine avec le même air ahuri.

Peut-être que si je me couchais, là, tout de suite, sur une table, pour dormir, personne ne s'en apercevrait.

Soudain, tout comme Pam et Gerald avant lui, Eric s'est mis à fixer Claudine intensément. J'ai eu le temps de remarquer qu'on aurait dit trois chats guettant une petite chose qui s'échappe le long du mur, quand de puissantes mains m'ont empoignée par les bras pour me faire pivoter. Je me suis retrouvée contre la poitrine d'Alcide. Il avait réussi à se frayer un chemin jusqu'à moi et m'enlaçait étroitement. Il n'avait pas boutonné sa chemise. Dieu que c'était bon, cette peau chaude contre ma joue! Bon, d'accord, les poils sombres et bouclés de sa poitrine sentaient un peu le chien mouillé. Mais quel bonheur de se blottir contre quelqu'un de vivant qui vous étreint et vous couve des yeux!

— Qui êtes-vous? a demandé Alcide en se tournant vers Claudine.

L'oreille collée contre son torse, j'entendais sa voix de basse résonner à la fois au-dedans et au-dehors: drôle de sensation.

— Je suis la fée Claudine. Je suis une faé. Vous voyez ?

Je me suis détachée à regret de mon vibrant oreiller pour regarder ce qu'elle faisait. Elle avait soulevé sa longue chevelure d'ébène pour lui montrer ses oreilles légèrement pointues.

— Une faé ? a répété Alcide.

Il avait l'air aussi abasourdi que moi.

— Cool, a commenté un de ses congénères, un type coiffé façon hérisson qui ne devait pas avoir vingt ans.

Le tour inattendu que prenaient les événements semblait l'intriguer au plus haut point. Il a lancé un regard complice aux autres loups-garous assis à sa table, les invitant à prendre part à cette intéressante conversation.

— Pour de vrai ?

— Pour un temps, a répondu Claudine. Tôt ou tard, j'irai d'un côté ou de l'autre.

Vu les visages troublés de l'assistance – à l'exception peut-être du colonel Flood –, je n'étais pas la seule à n'avoir rien compris. Ça m'a rassurée.

— En tout cas, vous êtes drôlement appétissante ! a déclaré le jeune loup-garou avec un enthousiasme d'une touchante spontanéité.

Pour affirmer ses choix esthétiques, il avait assorti à ses cheveux dressés en piques un jean élimé et un tee-shirt Fallen Angel. Il était pieds nus – il ne faisait pourtant pas chaud au *Merlotte*, car le thermostat était réglé au minimum pendant les heures de fermeture – et il portait des bagues aux orteils.

— Merci ! s'est exclamée Claudine en lui adressant un de ses sourires éclatants.

Elle a claqué des doigts. Une espèce de brouillard l'a entourée, comme celui qui enveloppait les loups-garous quand ils se transformaient : il y avait de la magie dans l'air. Lorsqu'il s'est dissipé, Claudine portait une robe du soir blanche entièrement pailletée.

— Cool! a répété le jeune loup-garou, comme hyp-notisé.

Manifestement ravie d'avoir produit son petit effet, Claudine savourait sans retenue l'admiration béate de son nouvel adorateur. J'avais cependant remarqué qu'elle s'était insensiblement écartée des vampires.

— Bon, Claudine, maintenant que vous avez fait votre numéro, pourrions-nous, s'il vous plaît, parler d'autre chose que de votre petite personne?

Le colonel Flood avait l'air aussi épuisé que moi.

— Oh, mais bien sûr! a aussitôt répondu l'intéres-sée, avec une moue dûment contrite. Je vous écoute.

— Chaque chose en son temps. D'abord, comment va Maria-Star, mademoiselle Stackhouse?

— Elle a survécu au trajet jusqu'à Clarice. Lorsque je suis partie, on devait la transférer en hélicoptère à l'hôpital de Shreveport. Elle est sans doute déjà en chemin. Le médecin semblait plutôt optimiste quant à ses chances de survie.

Échanges de regards et soupirs de soulagement chez les loups-garous. Une femme d'une trentaine d'années a même esquissé quelques petits pas de danse. Quant aux vampires, maintenant totalement fascinés par la faé, ils n'ont pas réagi du tout.

— Qu'avez-vous dit au médecin des urgences? a repris le colonel Flood. Il faut que j'informe les parents de Maria-Star de la version officielle.

Maria-Star devait être leur première-née et donc leur seul enfant hybride.

— J'ai raconté aux policiers que je l'avais trouvée au bord de la route et que je n'avais vu aucune trace de freinage sur la chaussée, ni quoi que ce soit d'autre. Je leur ai dit qu'elle était étendue sur le gravier du bas-côté. J'espère qu'elle a compris. Ils l'avaient shootée, et elle était encore un peu dans les vapes quand je lui ai parlé.

— Bonne initiative, mademoiselle Stackhouse, a approuvé le colonel Flood. Et merci. Nous avons une dette envers vous.

J'ai balayé cette broutille d'un geste négligent.

— Mais vous, comment avez-vous fait pour arriver chez Bill juste au bon moment ?

— J'avais lancé Emilio et Sid sur les traces de la sorcière. Ils ont accompli leur mission.

Emilio devait être le petit brun aux énormes yeux marron. Il y avait une communauté mexicaine dans la région. De nouveaux immigrants venaient régulièrement grossir ses rangs. Apparemment, Emilio faisait partie du lot. Le petit jeune aux piques m'a adressé un signe de la main. J'en ai déduit que c'était Sid.

— Donc, à la tombée de la nuit, nous avons commencé à monter la garde devant le bâtiment où Hallow a installé son QG. Pas facile dans une zone résidentielle habitée par une population essentiellement noire.

Des jumelles afro-américaines, assises près de la porte, ont échangé un petit sourire goguenard. Comme Sid, elles avaient l'intrépidité de la jeunesse et semblaient trouver tout ça très excitant.

— Quand Hallow et son frère sont partis pour Bon Temps, nous les avons pris en chasse. Et nous avons appelé Sam pour l'avertir, bien sûr.

J'ai jeté un regard de reproche à l'intéressé. Il aurait quand même pu me prévenir !

— Sam m'a contacté sur mon portable lorsqu'ils ont quitté le bar pour me dire où ils allaient, a poursuivi le colonel Flood. Isolée comme elle est, la maison de Bill Compton m'a paru l'endroit idéal pour leur tendre une embuscade. Nous avons juste eu le temps de garer nos voitures dans le cimetière et de nous transformer. Mais notre odeur nous a trahis : ils ont senti notre présence trop tôt.

Le colonel a fusillé Sid du regard. Apparemment, la turbulente jeune recrue n'avait pas su contenir son impatience.

— Donc, ils vous ont échappé, ai-je conclu en essayant de prendre le ton le plus neutre possible. Et maintenant, ils savent que vous êtes à leurs trousses.

— Oui, ils ont filé. Les assassins d'Adabelle Yancy. Les leaders d'une clique de sorcières qui essaient de s'emparer non seulement du territoire des vampires, mais aussi du nôtre.

En prononçant ces mots, le colonel Flood a balayé l'assistance de ses yeux d'aigle. Sous son regard glacé, tous les loups-garous se sont décomposés, même Alcide.

— Et maintenant, a-t-il poursuivi, ils vont être sur leurs gardes, puisqu'ils savent que nous les traquons.

Momentanément arrachés à leur fascination pour la radieuse Claudine, Pam et Gerald semblaient secrètement amusés par le discours du colonel. Comme toujours ces temps-ci, Eric semblait un peu perdu, comme si le discours qu'il venait d'entendre avait été en sanskrit.

— Les Stonebrook sont retournés à Shreveport en partant de chez Bill ? ai-je demandé.

— Nous ne pouvons que le supposer. Nous avons dû opérer une mutation très rapide – ce qui n'est pas chose facile – et regagner nos voitures. En dépit de tous nos efforts, cela a pris un peu de temps. Nous nous sommes séparés pour les chercher dans différentes directions, mais nous n'avons trouvé aucune trace d'eux.

— Et maintenant, nous voilà rassemblés ici. Pourquoi ? s'est enquis Alcide.

— Nous sommes ici pour plusieurs raisons, a calmement répondu le chef de meute. Premièrement, nous voulions avoir des nouvelles de Maria-Star.

Deuxièmement, nous ne pouvions pas rentrer à Shreveport sans avoir pris le temps de nous remettre de notre cuisant échec.

Les loups-garous, qui semblaient tous avoir enfilé leurs vêtements n'importe comment dans le feu de l'action, paraissaient effectivement un peu éprouvés par leur soirée commando. Leur transformation par une nuit de nouvelle lune et leur retour précipité à une forme bipède, le tout en moins d'une heure, les avaient tous exténués.

— Et vous, qu'est-ce que vous faites là ? ai-je demandé à Pam.

— Nous poursuivons les mêmes buts que les loups-garous – dans cette affaire, en tout cas, a-t-elle répondu.

S'arrachant avec peine à sa contemplation de Claudine, elle a échangé un regard avec Gerald. Tous deux se sont alors tournés comme un seul homme vers Eric, qui les a dévisagés avec une expression de parfaite incompréhension dans les prunelles. Pam a soupiré, et Gerald s'est mis à contempler ses bottes.

— Notre frère de nid, Clancy, n'est pas rentré, la nuit dernière, a repris Pam.

Même au beau milieu de cette déclaration stupéfiante, elle n'a pas pu s'empêcher de reporter son attention sur la faé. Claudine semblait vraiment exercer une irrésistible attirance sur les vampires.

Contrairement à la plupart de ses congénères – qui paraissaient penser qu'un vampire de moins, ce n'était pas une grande perte –, Alcide a semblé prendre cette nouvelle très au sérieux.

— Qu'est-ce qu'il lui est arrivé, à votre avis ? s'est-il aussitôt enquis.

— Nous avons reçu un message dans lequel les sorcières nous informaient qu'elles saigneraient un des nôtres pour chaque jour qu'elles devraient passer à chercher Eric, a répondu Gerald, dont j'avais rarement entendu la voix.

Tous les yeux se sont tournés vers Eric. Il avait l'air complètement abasourdi.

— Mais enfin, pourquoi ? s'est-il écrié. Je ne comprends pas ce qui fait de moi un tel trophée !

Une des filles, dans la salle, une belle blonde bronzée qui approchait de la trentaine, a semblé vouloir répondre, mais a tenu sa langue. Elle a quand même levé les yeux au ciel, avant de me jeter un coup d'œil en coin en hochant la tête. Je n'ai pas pu m'empêcher de sourire. Pourtant, Eric avait raison : cette chasse au vampire quasi obsessionnelle avait quelque chose d'excessif. Qu'est-ce qui motivait Hallow le plus ? La cupidité ? L'envie de coucher avec Eric, de le saigner et de boire son sang… Hé ! Attendez un peu.

— Quelle quantité de sang peut-on tirer d'un vampire ?

Pam m'a dévisagée. Je ne l'avais jamais vue aussi proche de la surprise.

— Voyons…

Elle s'est mise à regarder dans le vide en agitant les doigts, comme si elle effectuait quelque calcul complexe – elle devait faire des conversions d'un système de mesure ancien vers le nôtre.

— Dans les six litres, a-t-elle finalement répondu.

— Et combien de sang contiennent les petites fioles que l'on vend au marché noir ?

— Eh bien, ça doit faire… un peu plus de six centilitres.

Et comme elle avait parfaitement compris où je voulais en venir, elle a ajouté :

— Donc, Eric contient environ quatre-vingt-seize unités de sang commercialisables.

— Combien crois-tu que ça pourrait se vendre, par pièce ?

— Eh bien, en ce moment, le tarif atteint deux cent vingt-cinq dollars pour du sang de vampire standard.

Les yeux de Pam avaient viré au bleu glacier.

— Mais pour le sang d'Eric… Il est si vieux…

— Dans les quatre cent vingt-cinq dollars la fiole ?

— Au bas mot.

— Donc, sur pied, la bête vaut…

— Plus de quarante mille dollars.

L'assistance au grand complet a commencé à regarder Eric avec un net regain d'intérêt – sauf Pam et Gerald qui, comme Eric lui-même, s'étaient replongés dans la contemplation de Claudine. Il me semblait qu'ils s'étaient insensiblement rapprochés d'elle.

— Alors, pensez-vous que ce soit une motivation suffisante ? ai-je poursuivi. Eric a rejeté Hallow. Elle le veut, elle veut son business et elle veut son sang.

— Ça fait une sacrée motivation, a reconnu une petite brune d'une cinquantaine d'années.

— En plus, Hallow est complètement cinglée, a ajouté joyeusement Claudine.

Je crois qu'elle n'avait pas cessé une seconde de sourire depuis qu'elle était apparue dans ma voiture.

— Qu'est-ce que vous en savez ? lui ai-je lancé.

— Je l'ai vue à son QG.

Nous l'avons tous regardée en silence un long moment – et pas avec la même fascination que les vampires, loin de là.

— Claudine, ne me dites pas que vous êtes passée à l'ennemi ! s'est alarmé le colonel.

— James ! s'est exclamée Claudine, moqueuse. Vous n'avez pas honte ? Je me suis fait passer pour une sorcière locale, bien sûr.

— Vous nous auriez épargné pas mal d'ennuis, si vous nous aviez dit ça plus tôt, lui a fait remarquer le colonel, glacial.

242

— Une vraie faé! s'est soudain extasié Gerald d'un ton inspiré. Je n'en ai consommé qu'une dans toute mon existence.

— Elles sont si difficiles à attraper, a commenté Pam d'une voix rêveuse, en décalant discrètement son tabouret pour se rapprocher de sa proie.

Le regard acéré et le corps en alerte, Eric lui-même n'avait plus rien d'un chien perdu sans collier. Je l'ai clairement vu faire un pas en direction de Claudine. On aurait dit trois accros au chocolat devant une montagne de truffes.

— Allons, allons! les a sermonnés Claudine, légèrement nerveuse. Les admirateurs aux dents longues, on recule, s'il vous plaît!

Un peu gênée, Pam a fait un effort pour se détendre et se reprendre. Gerald a obtempéré avec une mauvaise grâce évidente. Mais Eric a continué à avancer.

Comme personne, pas plus chez les vampires que chez les loups-garous, ne paraissait prêt à affronter un Viking séculaire, j'ai pris mon courage à deux mains. Après tout, Claudine m'avait quand même sauvé d'un accident.

— Eric! ai-je lancé en me précipitant pour l'intercepter. Contrôle-toi!

— Quoi?

Il m'accordait à peu près autant d'attention qu'à une mouche bourdonnant à son oreille.

— Stop! Espèce protégée, ai-je insisté.

Il a daigné baisser les yeux vers moi, cette fois.

— Hou hou! Tu te souviens de moi?

J'ai posé la main sur sa poitrine pour tenter de le ralentir.

— Je ne sais pas ce qui te met dans un état pareil, mon vieux, mais il va falloir te reprendre.

— Je la veux, a-t-il lâché, le regard brillant de désir.

— Eh bien... euh... D'accord, elle est canon, ai-je concédé, tentant de trouver des arguments rationnels pour l'arrêter, tout en ravalant ma blessure d'amour-propre (j'étais un peu vexée, je l'avoue). Mais elle n'est pas disponible. N'est-ce pas, Claudine ? ai-je lancé par-dessus mon épaule.

— Pas pour lui, a rectifié la faé. Mon sang est enivrant pour les vampires. Je préfère ne pas vous dire dans quel état il serait après l'avoir bu.

Cette perspective ne lui ôtait rien de son inoxydable bonne humeur, apparemment.

Je ne m'étais donc pas trompée, en pensant au chocolat. C'était probablement pour cela que je n'avais jamais rencontré de faé – je passais trop de temps avec des morts-vivants.

Quand on se met à avoir ce type de pensées, c'est qu'on a des problèmes.

— Claudine, je crois que vous devriez aller prendre un peu l'air. Maintenant, ai-je renchéri pour bien lui faire comprendre l'urgence de la situation.

Eric me repoussait, mais pas très violemment, pour le moment – sinon, je me serais retrouvée les bras en croix sur le carrelage, mais j'avais déjà dû céder d'un pas. J'aurais bien voulu entendre ce qu'elle avait à raconter aux loups-garous. Malheureusement, le fait de séparer les vampires de la faé était clairement devenu une priorité absolue.

— On dirait un énorme petit-four, a soupiré Pam en regardant Claudine balancer ses hanches gainées de blanc pailleté à travers le bar, suivie du colonel Flood, qui s'apprêtait à fermer la porte derrière elle.

À peine la faé est-elle sortie de son champ de vision qu'Eric a paru émerger de sa transe. J'ai recommencé à respirer.

— Les vampires ont un gros penchant pour les faé, alors ? ai-je demandé, soulagée.

— Oh, oui! ont acquiescé en chœur les vampires.

— Elle m'a sauvé la vie, vous savez, leur ai-je rappelé. Et elle semble pouvoir nous aider dans cette histoire de sorcières.

Ils ont affiché un air boudeur.

— Claudine s'est révélée une excellente informatrice, nous a annoncé le colonel Flood à son retour, comme s'il en était le premier surpris.

J'ai senti le bras d'Eric m'enlacer la taille. Sa faim se reportait sur moi…

— Qu'est-ce qu'elle fichait au QG des sorcières ? a lancé Alcide, d'un ton plus agressif que sa question ne le justifiait.

— Ça, c'est les faé… a maugréé le colonel. Il faut toujours qu'ils jouent avec le feu. Ils adorent les psychodrames. Même Claudine, qui fait pourtant partie des faé bienveillants. Quoi qu'il en soit, voilà ce qu'elle m'a révélé : la fameuse Hallow dirige un clan d'une vingtaine de sorcières. Toutes sont des loups-garous ou font partie des plus gros calibres parmi les métamorphes. Et elles prennent toutes du sang de vampire. Peut-être même y sont-elles accros.

— Les wiccans nous aideront-ils à les combattre ? a demandé une femme d'un certain âge aux cheveux flamboyants, affligée d'un double menton.

— Elles n'ont encore rien promis, a répondu un jeune type avec une coupe militaire réglementaire – peut-être faisait-il partie des forces armées stationnées sur la base aérienne de Barksdale. Sur les ordres de notre chef de meute, j'ai contacté toutes les communautés wiccans et toutes les wiccans isolées du secteur. Elles font toutes de leur mieux pour se tenir à l'écart de ces créatures. Certains détails m'ont donné à penser qu'elles allaient se rassembler lors d'un meeting demain soir, bien que je ne sache pas où. Je suppose qu'elles vont étudier la situation de leur côté. Si elles pouvaient organiser une attaque aussi, ça nous aiderait.

— Bon travail, Portugal, l'a félicité le colonel.

Le jeune type a paru flatté.

Nous nous tenions dos au mur et Eric s'est permis de laisser courir sa main sur mes fesses. Je n'avais rien contre cette sensation certes très agréable. Mais c'était le choix de la scène qui me posait problème : il y avait nettement trop de spectateurs.

— Claudine n'a pas parlé de prisonniers qu'elle aurait aperçus sur place ? ai-je demandé en m'écartant d'Eric.

— Non. Navré, mademoiselle Stackhouse. Elle n'a mentionné personne correspondant à la description de votre frère. Et elle n'a pas vu le dénommé Clancy.

Ça ne me surprenait pas vraiment. Je n'en étais pas moins déçue.

— Désolé pour toi, Sookie, a dit Sam. Mais si ce n'est pas Hallow qui le retient prisonnier, où se trouve-t-il ?

— Ce n'est pas parce qu'elle ne l'a pas vu que l'on peut en déduire avec certitude qu'il n'est pas là-bas, a déclaré le colonel, qui semblait décidé à me réconforter. Nous sommes sûrs que Hallow a enlevé Clancy, et Claudine ne l'a pas repéré.

Avant que j'aie eu le temps de le remercier, la femme aux cheveux flamboyants a repris la parole.

— Revenons-en aux wiccans, a-t-elle suggéré. Comment les rallier à notre cause ?

— Portugal, demain, tu rappelleras tous les wiccans, a ordonné le colonel. Culpepper te donnera un coup de main.

Culpepper était une jolie jeune femme brune aux traits affirmés et aux cheveux courts. Elle semblait ravie de faire équipe avec Portugal. Il avait l'air content aussi, mais il s'est efforcé de le cacher derrière une brusquerie de ton, de gestes et de manières.

246

— Bien, mon colonel, a-t-il répondu d'un ton martial.

Culpepper a trouvé ça « complètement craquant ». C'était peut-être une louve, mais une pareille admiration, ça finit par déborder et je l'ai captée en direct.

— Euh… je les rappelle pourquoi, au fait ? s'est enquis Portugal après un long moment d'intense réflexion.

— Nous devons connaître leurs intentions – à condition qu'elles acceptent de nous les dévoiler, évidemment, a expliqué le colonel. Si elles ne se rallient pas à nous, elles peuvent au moins se tenir à l'écart.

— Donc, c'est la guerre ? s'est alarmé un type du même âge que la femme aux cheveux rouges et qui devait d'ailleurs être avec elle.

— Ce sont les vampires qui ont commencé ! s'est exclamée sa compagne.

— C'est absolument faux ! ai-je aussitôt protesté.

— Sale pute à vamp's !

J'avais déjà entendu pire, mais pas en public, et grâce à mes talents de télépathe seulement. Pas directement de la bouche de gens qui voulaient que je les entende.

Avant même que j'aie pu répliquer, Eric avait déjà quitté le sol, envahi par la fureur. La femme aux cheveux rouges s'est retrouvée clouée à terre, avec un vampire tous crocs dehors en guise de couverture. Elle a eu de la chance que Pam et Gerald soient presque aussi rapides que leur chef, même s'ils ont dû s'y mettre à deux pour le retenir. La femme saignait à peine, mais elle jappait sans discontinuer.

Pendant une fraction de seconde, j'ai bien cru que ça allait tourner à la bagarre générale. C'est d'ailleurs sans doute ce qui se serait produit sans l'intervention du colonel.

— SILENCE ! a-t-il rugi.

On ne désobéit pas à ce genre de voix.

— Amanda! a-t-il poursuivi en se tournant vers la femme aux cheveux rouges, qui geignait comme si Eric lui avait arraché un bras et que son compagnon examinait en quête d'éventuelles blessures avec une fébrilité totalement injustifiée. Tu te montreras polie envers nos alliés, et tu garderas tes opinions de merde pour toi : je ne tolérerai aucun écart. Ton offense annule celle du sang versé par le vampire. Pas de représailles, Parnell !

Le loup-garou a cessé d'ausculter sa compagne et s'est mis à grogner, babines retroussées, en le fusillant du regard. Mais il a fini par hocher la tête avec réticence.

— Mademoiselle Stackhouse, a repris le colonel, je vous prie d'excuser les manières déplorables de ma meute.

Je me suis forcée à opiner du bonnet. Mais j'étais encore sous le choc. Je n'en ai pas moins remarqué que les yeux d'Alcide se portaient tour à tour sur Eric et sur moi. Il avait l'air… eh bien, il avait l'air atterré. Quant à Sam, il affichait sagement une mine impassible. Je me suis redressée et j'ai séché mes larmes d'un geste rageur.

Eric tentait avec peine de recouvrer son sang-froid. Penchée vers lui, Pam ne cessait de le raisonner à voix basse, et Gerald n'osait manifestement pas le lâcher.

Pour couronner le tout, la porte de service du bar s'est ouverte sur ces entrefaites, et Debbie Pelt a fait une entrée triomphale.

— Alors, on fait la fête sans moi ? a-t-elle lancé à la cantonade.

Elle a balayé l'assistance d'un regard goguenard et a haussé les sourcils.

— Hé ! Bébé ! s'est-elle écriée, avant de se diriger droit sur Alcide, dont elle a pris la main en un geste on ne peut plus possessif.

Alcide avait une drôle d'expression : il paraissait à la fois ravi et terriblement malheureux.

Debbie était une femme qui ne passait pas inaperçue. Grande, mince, avec un visage allongé, elle avait les cheveux aussi noirs qu'Alcide, mais les siens n'étaient ni en bataille ni bouclés. Ils étaient dégradés sur plusieurs longueurs et raides comme des baguettes. Je trouvais sa coupe complètement ridicule, même si elle avait dû lui coûter les yeux de la tête. Bizarrement, les hommes ne semblaient pas intéressés par sa coiffure, cependant.

Il aurait été plutôt hypocrite de ma part de la saluer : Debbie et moi n'en étions plus là. Elle avait tenté de me tuer, et Alcide le savait. Pourtant, elle semblait toujours exercer sur lui une étrange fascination, même s'il l'avait jeté dehors en apprenant ce qu'elle m'avait fait. Pour un grand type baraqué plutôt intelligent, pragmatique et sensé, il avait un sacré défaut dans la cuirasse. Et le défaut en question me crevait les yeux, gainé dans son jean Cruel Girl et dans un pull si fin et si moulant qu'on aurait presque pu lire la taille de son soutien-gorge. Mais que faisait-elle donc ici, aussi loin de son territoire habituel ?

J'ai été prise d'une brusque envie de me tourner vers Eric pour lui dire que Debbie avait tenté de m'éliminer. Rien que pour voir. Mais, une fois de plus, je me suis retenue. Ces constantes frustrations finissaient par devenir franchement pénibles. Je serrais les poings sans m'en rendre compte.

— On vous appellera, si on évoque encore des choses qui vous concernent au cours de la soirée, a lâché Gerald.

J'ai mis un certain temps à comprendre qu'on me congédiait. Et ce, pour éloigner Eric et éviter, par là même, un nouvel esclandre. À voir sa tête, on en était proche. Ses yeux luisaient et ses canines débordaient largement sur sa lèvre inférieure. J'ai été plus que jamais tentée de… Non. Je ne le ferais pas. Non, non. Il valait mieux que je parte. Et tout de suite.

— Salut, pétasse! m'a lancé Debbie, au moment où je franchissais la porte.

J'ai juste eu le temps de voir Alcide se tourner vers elle avec une mine consternée, avant que Pam ne m'empoigne par le bras pour m'entraîner d'une main ferme vers le parking. Gerald n'avait toujours pas relâché son emprise sur Eric (une sacrée chance pour Debbie, à mon avis).

Quand les deux vampires nous ont conduits auprès de Chow, je bouillais de rage.

Chow a poussé Eric à la place du passager. Il ne me restait plus qu'à prendre le volant.

— On t'appelle, m'a dit Chow. Rentre chez toi.

Je m'apprêtais à protester quand j'ai vu l'expression de mon passager. Il valait mieux partir. La fureur d'Eric était en train de fondre comme neige au soleil. Il avait retrouvé cet air troublé, perdu qui lui était devenu familier ces derniers jours. Difficile d'imaginer qu'il avait été un vengeur assoiffé de sang quelques minutes plus tôt.

Nous étions déjà à mi-parcours quand il s'est décidé à ouvrir la bouche.

— Pourquoi les loups-garous détestent-ils les vampires à ce point? a-t-il murmuré.

— Je n'en sais rien.

J'ai ralenti pour éviter deux chevreuils qui traversaient la route. Quand on en voit un, il faut toujours se méfier: la plupart du temps, le second arrive juste après.

— Les vampires en ont autant à leur service, ai-je précisé. Vous et les hybrides, vous semblez faire cause commune contre les humains, mais le reste du temps, vous vous chamaillez beaucoup.

J'ai pris une profonde inspiration, tout en choisissant mes mots avec soin et en tentant de les aligner avec toutes les précautions nécessaires.

— Hum ! Eric, je tenais à te dire que j'avais vraiment apprécié ta réaction, quand cette Amanda m'a insultée. Mais je suis plutôt habituée à me défendre toute seule. Si j'étais une vampire, tu ne te sentirais pas obligé de sauter sur le premier qui me manque de respect, si ?

— Non, mais tu n'as pas la force d'un vampire. Même pas celle d'un loup-garou, a objecté Eric.

— Tout à fait d'accord, mon cœur. Mais même si j'avais été assez forte, je n'aurais pas songé une seconde à l'attaquer, parce que ça lui aurait seulement donné l'occasion de me frapper.

— Tu veux dire que c'est à cause de moi qu'on en est venus aux mains et que, sans moi, la situation n'aurait pas dégénéré.

— C'est exactement ce que je veux dire, oui.

— Je t'ai fait honte.

— Mais non, ai-je répondu, tout en me demandant si ce n'était pas précisément le cas. Non, ai-je répété en m'efforçant d'y mettre un peu plus de conviction. Tu ne m'as pas fait honte. En fait, ça m'a même touchée de voir que tu étais… euh… attaché à moi au point de te mettre en colère, quand Amanda m'a traitée comme une sous-m… comme une moins que rien. Mais j'ai l'habitude qu'on se comporte comme ça avec moi et je maîtrise parfaitement ce genre de situation. Avec Debbie, par contre, on atteint quand même un autre niveau.

Le nouvel Eric, avec cette stupéfiante attention qu'il accordait à mes réflexions, a médité celle-ci un bon moment.

— Pourquoi y es-tu habituée ?

Ce n'était pas la réaction que j'attendais. Entre-temps, nous étions arrivés à la maison. J'ai inspecté la clairière avant de descendre de voiture pour aller ouvrir la porte de derrière. Une fois en sécurité à l'intérieur, je lui ai répondu :

— Parce que je sais que les gens n'ont pas une très bonne opinion des serveuses. Encore moins des serveuses qui n'ont pas fait d'études. Et encore moins des serveuses télépathes sans éducation. J'ai l'habitude qu'on me prenne pour une tarée ou, du moins, pour une fille légèrement dérangée. Ce n'est pas que je veuille me faire plaindre, mais je n'ai pas beaucoup de fans.

— Ça ne fait que confirmer la mauvaise opinion que j'ai des humains en général, a soupiré Eric.

Il m'a ôté mon manteau, qu'il a regardé avec une moue dédaigneuse, avant de le poser sur le dossier d'une chaise.

— Tu es belle.

Personne ne m'avait jamais regardée droit dans les yeux pour me faire un tel compliment. Je les ai baissés malgré moi.

— Tu es intelligente, tu es loyale, a-t-il poursuivi, bien que j'aie levé la main pour l'en empêcher. Tu as un for-midable sens de l'humour et tu n'as pas froid aux yeux.

— Bon. Ça suffit. Arrête, maintenant.

— Essaie de m'arrêter, a-t-il rétorqué. Tu as les plus beaux seins que j'aie jamais vus. Tu es courageuse...

J'ai posé mes doigts sur ses lèvres pour le faire taire. Il en a profité pour les lécher. Je me suis laissée aller contre lui, et un délicieux frisson m'a parcourue de la tête aux pieds.

— Tu es une femme responsable et travailleuse...

Avant qu'il en vienne à me dire que je savais ranger les poubelles comme personne après les avoir sorties, j'ai remplacé mes doigts par mes lèvres.

— Tu vois ? a-t-il murmuré doucement, après un long baiser passionné. Tu sais faire preuve d'imagination aussi.

Pendant l'heure suivante, il s'est ingénié à me démontrer qu'il n'en était pas dépourvu non plus. La seule heure de répit après une très, très longue journée d'angoisse et de peur : peur pour mon frère, peur de la malveillance de Hallow, peur face à la mort terrible qu'on avait infligée à Adabelle Yancy.

Blottie dans les bras d'Eric, je me suis mise à fredonner, tout en suivant d'un index distrait la courbe de son épaule, éperdue de reconnaissance pour le plaisir qu'il m'avait offert. Le bonheur n'est jamais un acquis, il faut en savourer chaque petite parcelle.

— Merci, ai-je murmuré, la joue pressée contre sa poitrine silencieuse.

Il a glissé un doigt sous mon menton pour m'obliger à relever les yeux vers son visage.

— Non, m'a-t-il calmement répondu. C'est moi qui te remercie. Tu m'as recueilli, hébergé, nourri, habillé, protégé. Tu es prête à te battre pour moi, je le sais. C'est presque trop beau pour être vrai. Quand cette maudite sorcière sera neutralisée, je te ferai venir à mes côtés et je partagerai tout ce que je possède avec toi. Tous les vampires qui me doivent allégeance se prosterneront devant toi.

Nous nagions en plein Moyen Âge. Mais quelle adorable personne. Enfin, rien de tout cela n'arriverait jamais. Une chance que je ne sois pas assez bête pour y croire, quoique ce soit un rêve merveilleux. Il raisonnait comme un chef de guerre, avec des serfs à son service, et non comme un vampire sans scrupules à la tête d'un empire financier et d'un bar à Shreveport.

— Tu m'as rendue très heureuse, ai-je chuchoté avec une émotion sincère.

Et c'était la plus stricte vérité.

10

Il était à peine 10 heures du matin quand Alcee Beck est venu frapper à ma porte – il n'y avait qu'un policier pour tambouriner comme ça, de toute façon. Je me suis empressée d'enfiler un jean et un pull avant d'aller ouvrir.

— Il n'est pas dans l'étang, m'a-t-il annoncé sans préambule.

— Dieu merci !

Je me suis laissée aller contre le chambranle, les yeux clos, pour faire exactement ça : remercier Dieu. Puis je me suis reprise et j'ai poliment invité Alcee Beck à entrer. Il a franchi le seuil en balayant l'entrée et le salon du regard avec une certaine méfiance.

— Vous voulez un café ? lui ai-je proposé en lui désignant le vieux canapé.

— Non, merci.

Sa voix était tendue : il était aussi mal à l'aise que moi.

J'ai aperçu la chemise d'Eric accrochée à la poignée de ma chambre. Il ne pouvait pas la voir d'où il se trouvait. Beaucoup de femmes portent des chemises d'homme, et je me suis dit de ne pas m'en inquiéter.

J'avais beau essayer de ne pas écouter les pensées du lieutenant Beck, je percevais nettement sa répugnance à l'idée de se retrouver seul dans la maison d'une femme blanche. Il attendait Andy Bellefleur avec impatience.

Je l'ai prié de m'excuser deux minutes et je me suis éclipsée pour ne pas céder à la tentation de lui poser la question qui me brûlait les lèvres : pourquoi Andy Bellefleur devait-il venir chez moi ? Ça l'aurait retourné comme une crêpe. J'ai filé dans la salle de bains me laver les dents et le visage. Quand je suis revenue dans le salon, Andy était déjà là, ainsi que Catfish Hennessey, le patron de Jason. En les voyant, je me suis sentie blêmir et je me suis affalée sur un fauteuil.

— Alors ?

Je n'aurais pas pu articuler un mot de plus.

— Le sang sur le ponton est probablement d'origine féline. Il y a une empreinte dedans, en plus de celle des bottes de Jason, m'a annoncé Andy. On n'a pas ébruité la nouvelle, pour ne pas voir les bois du coin envahis par une bande de crétins.

Je me sentais ballottée par un vent invisible. J'aurais ri de son histoire, si je n'avais pas été télépathe. Mais ce n'était pas un chat de gouttière qu'Andy avait en tête quand il parlait de félin, ni même un chat sauvage. Il avait pensé « panthère ».

Dans notre région du monde, c'est ainsi que nous appelons les pumas. À ma connaissance, il n'existait qu'un seul endroit où se trouvaient encore des panthères à l'état sauvage, par chez nous : en Floride. Elles étaient au bord de l'extinction. Cela faisait près d'un demi-siècle qu'aucune panthère n'avait été repérée sur le territoire de la Louisiane. Bien sûr, des bruits couraient… Nos bois et nos rivières regorgeaient d'alligators, de ragondins, d'opossums, de ratons laveurs, de coyotes, et parfois même d'ours noirs ou de chats sauvages. Mais rien de tangible ne prouvait la présence des panthères dans les parages, ni traces, ni photos, ni moulures d'empreinte. Jusqu'à aujourd'hui.

Les yeux d'Andy Bellefleur brûlaient de fièvre – et je n'en étais pas l'objet. Tout homme qui avait un jour tenu un fusil de chasse, ou même tout photographe amateur amoureux de la nature, aurait donné n'importe quoi pour voir une vraie panthère en liberté. Car ce grand prédateur faisait tout pour éviter l'homme, qui ne lui rendait pas la politesse.

— Qu'est-ce que vous en pensez? leur ai-je demandé, comme si je ne le savais pas.

Mais bien entendu, pour ne pas les perturber, je ne montrais rien. Plus ils se sentiraient en confiance, plus ils risquaient de laisser échapper quelque chose d'intéressant. Si les deux policiers me regardaient fixement, Catfish, lui, assis sur l'extrême bord du vieux fauteuil de Gran, contemplait obstinément ses mains : il me connaissait mieux qu'eux. Il les serrait si fort que ses jointures paraissaient exsangues. Il se disait que Jason était certainement mort.

— Peut-être que Jason a repéré la panthère, quand il est rentré chez lui ce soir-là, a suggéré Andy. Tel qu'on le connaît, il aura couru chercher son fusil pour la prendre en chasse.

— C'est une espèce protégée, ai-je rétorqué. Tu crois que Jason ne le sait pas?

Pour eux, Jason était si impulsif et irréfléchi que ça lui aurait été complètement égal.

— Pensez-vous vraiment que cela l'aurait arrêté? m'a demandé Alcee Beck d'un ton aussi doux que possible.

— Donc, Jason aurait... aurait tiré sur cette panthère, à votre avis? ai-je conclu, me contenant avec difficulté.

— Ce n'est pas impossible, a confirmé Beck.

— Et ensuite ? ai-je lancé en croisant les bras.

Les trois hommes se sont consultés du regard.

— Peut-être que Jason l'a suivie dans les bois, a répondu Andy. Peut-être que la panthère n'était pas si gravement blessée que ça et qu'elle l'a eu.

— Vous croyez donc que mon frère aurait traqué un fauve blessé dans la forêt ? En pleine nuit ? Tout seul ?

C'était bien ça. Je le lisais très distinctement dans leur esprit. Ils se disaient même que c'était du Jason Stackhouse tout craché. Ils oubliaient un petit détail : toute tête brûlée qu'il était, si mon frère avait une idole au monde, c'était bien Jason Stackhouse. Jamais il n'aurait fait courir un tel danger à cette personne-là.

Andy Bellefleur hésitait bien encore un peu, mais, pour Alcee Beck, ça ne faisait aucun doute : j'avais parfaitement résumé le « déroulement des faits ». Ce que les deux policiers ignoraient et que je ne pouvais pas leur dire, c'était que si Jason avait effectivement vu une panthère près de l'étang, il y avait de grandes chances qu'elle ait été une métamorphe. Claudine n'avait-elle pas dit que les sorcières avaient enrôlé les plus gros calibres dans leurs rangs ? Une panthère serait un sérieux atout pour qui envisageait de supplanter un vampire de l'envergure d'Eric.

— Jay Stans, de Clarice, m'a appelé ce matin, a soudain déclaré Andy en tournant sa face lunaire vers moi.

Il m'a regardée droit dans les yeux.

— Il m'a parlé de cette fille que tu as trouvée sur le bord de la route, la nuit dernière.

J'ai hoché la tête. Je ne voyais pas le rapport. Et puis, j'étais trop préoccupée par cette histoire de panthère pour chercher à savoir où il voulait en venir.

— Cette fille connaissait Jason ?

— Hein ? ai-je lâché, abasourdie. Mais de quoi tu parles ?

— Tu as découvert cette fille, Maria-Star Cooper, sur le bas-côté. Les flics de Clarice ont fait des recherches, mais ils n'ont trouvé aucune trace d'accident.

J'ai haussé les épaules.

— Je leur ai dit que j'étais incapable de retrouver l'endroit, encore moins de le leur indiquer. Ça ne me surprend pas trop qu'ils n'aient trouvé aucune preuve, vu qu'ils ne connaissaient pas le lieu exact. J'ai essayé de m'en souvenir, mais c'était la nuit et j'avais franchement peur. Ou alors, c'est peut-être là qu'on l'a abandonnée.

Ce n'est pas pour rien que je regarde Discovery Channel.

— Voyez-vous, ce qu'on se disait, est intervenu Alcee Beck, c'est que Jason aurait pu garder cette fille sous le coude quelque part, après l'avoir larguée. Et quand il a disparu, vous l'auriez laissée partir.

— Hein ?

Il aurait parlé ourdou que ça m'aurait fait le même effet.

— Vu que Jason a été soupçonné pour ces meurtres, l'an dernier, on s'est demandé s'il n'y avait pas anguille sous roche…

— Vous savez pertinemment qui est l'auteur de ces meurtres, et il est en prison, à l'heure qu'il est, ai-je protesté. À moins qu'il ne se soit passé un truc que j'ignore. Et puis, il a avoué, non ?

Catfish a relevé la tête. Son regard a croisé le mien. Cet interrogatoire le rendait nerveux. D'accord, Jason était un peu spécial, question sexe – même si, à ma connaissance, aucune des filles avec lesquelles il avait partagé ses fantasmes ne s'en était plainte –, mais de là à penser qu'il avait enfermé une fille pour en faire son esclave sexuelle, une fille dont j'aurais dû me débarrasser pour lui… Oh! Il ne fallait quand même pas exagérer!

— Il a effectivement avoué, et il est toujours sous les verrous, a confirmé Andy.

— Mais… et si Jason était son complice? a enchaîné Alcee.

— Attendez une minute!

Je bouillais déjà depuis un moment, mais là, j'étais au bord de l'explosion.

— Si mon frère est mort le 1er janvier, tué par une mystérieuse panthère qu'il aurait blessée, comment voulez-vous qu'il ait retenu en otage cette… Comment s'appelle-t-elle, déjà? Cette Maria-Star Cooper? Vous croyez peut-être que j'étais dans le coup aussi? Que c'était moi qui m'occupais des esclaves de son prétendu harem? Et puis quoi encore? J'aurais renversé Maria-Star avec ma voiture, avant de l'emmener aux urgences?

Nous avons échangé des regards furieux. J'étais folle de rage. Quant à mes interlocuteurs, ils émettaient des ondes de tension et d'anxiété à une lieue à la ronde.

Tout à coup, Catfish a sauté du rocking-chair comme un bouchon de champagne.

— Ah, non! a-t-il rugi. Vous m'avez demandé de venir avec vous pour annoncer la mauvaise nouvelle de la panthère à Sookie. Mais y en a pas un qu'a parlé d'une Maria Truc qu'aurait été renversée par une voiture. Sookie est une chic fille! a-t-il enchaîné en me montrant du doigt. Et je laisserai personne dire le contraire. Non seulement Jason Stackhouse n'a jamais eu besoin de lever le petit doigt pour que les nanas lui courent après – et encore moins de prendre une fille en otage pour lui faire les cochonneries que vous avez en tête –, mais si vous avez le culot de dire que Sookie a libéré la fille Cooper et qu'elle lui a roulé dessus avec sa bagnole ensuite, eh bien, moi, je n'ai qu'une chose à vous dire: allez vous faire foutre!

Et que Dieu bénisse Catfish Hennessey ! Voilà la seule chose que j'avais à dire, moi.

Alcee et Andy sont partis peu après. Catfish et moi sommes restés à discuter de choses et d'autres – enfin, pour Catfish, ça s'est surtout limité à maudire ces messieurs de la police. Quand il a été à court de jurons, il a consulté sa montre.

— Viens, Sookie. Faut qu'on aille chez Jason.

— Pourquoi ?

Je n'étais pas contre, mais j'étais un peu déroutée par la proposition.

— On s'est organisé une petite battue entre nous, et je sais que tu voudras en être.

Pendant qu'il recommençait à insulter Alcee et Andy, je l'ai regardé fixement, bouche bée. Je me suis vraiment creusé les méninges pour trouver le moyen d'arrêter ça. Tous ces braves gens qui allaient enfiler leurs grosses parkas, leurs gants fourrés et leurs bottes pour crapahuter dans les bois, par ce froid, à travers les broussailles et les ronces… et tout ça pour rien. Mais comment les en empêcher ? Ils voulaient tellement bien faire. Je ne pouvais pas refuser de me joindre à eux.

Et puis, il y avait quand même une petite chance, si mince soit-elle, que Jason soit effectivement quelque part dans ces fourrés. Catfish m'a dit qu'il avait rassemblé un maximum de volontaires et que Kevin Prior, qui n'était pas de service, avait accepté de jouer le rôle de coordinateur. Lorsqu'il m'a appris que Maxine Fortenberry et ses copines de paroisse avaient décidé d'apporter du café et des beignets de la boulangerie de Bon Temps, j'ai craqué. Des larmes ont roulé sur mes joues. Catfish est devenu encore plus rouge qu'il ne l'était déjà. Rien ne le mettait plus mal à l'aise qu'une femme en pleurs.

Pour le tirer d'embarras, je lui ai dit que je devais aller me préparer. J'ai vaguement retapé mon lit, je me suis passé un peu d'eau sur le visage et j'ai refait mon éternelle queue de cheval. J'ai dégoté un serre-tête à oreillettes en peluche qui me servait une fois l'an, enfilé mon vieux manteau bleu marine et fourré mes gants dans ma poche avec un paquet de Kleenex, au cas où l'envie de jouer les pleureuses me reprendrait.

La battue était le grand événement mondain du jour, à Bon Temps. Non seulement les gens aiment bien se montrer solidaires, dans notre bonne petite ville, mais, inévitablement, le bruit avait commencé à courir que l'empreinte d'une mystérieuse bête sauvage avait été trouvée derrière la maison de mon frère. D'après ce que j'avais pu constater, le mot « panthère » ne circulait pas encore – sinon, il y aurait eu foule. La majorité des hommes étaient venus armés –, de toute façon, tous les hommes sortent armés, ici, la plupart du temps. La chasse est un mode de vie, chez nous. La plupart des véhicules portent des autocollants fournis par la National Rifle Association et la saison de la chasse au chevreuil est pratiquement une fête religieuse. Il existe des périodes bien déterminées pour chasser à l'arc, au fusil à poudre ou encore à la carabine. Peut-être même à la lance, pourquoi pas.

Il y avait au moins une cinquantaine de personnes chez Jason – ce qui m'a paru énorme de la part d'une communauté si réduite, pour un jour de semaine. Sam était venu. J'étais si contente de le voir que j'ai failli me remettre à pleurer. Sam était le meilleur patron que j'aie jamais eu. C'était également un ami, qui répondait toujours présent quand j'avais des ennuis. Ses mèches blond cuivré dépassaient d'un bonnet en laine orange, et il portait des gants assortis. Sa grosse veste marron paraissait presque noire, par contraste. Comme tous les hommes, il avait mis des bottes de chantier. On ne se balade pas dans les bois avec les chevilles à l'air, pas même en hiver. Les serpents sont lents et plutôt léthargiques, par ce froid, mais ils sont bel et bien là, et si vous leur marchez dessus, ils se vengent.

En un sens, la présence de tout ce monde donnait une dimension terrifiante à la disparition de Jason. Si tant de gens pensaient qu'il gisait peut-être dans ces bois, mort ou grièvement blessé, ça ne rendait cette hypothèse que plus plausible. J'avais beau me raisonner, je sentais la peur me gagner. Le monde s'est arrêté de tourner autour de moi tandis que je me prenais à imaginer tout ce qui avait pu lui arriver, sans doute pour la centième fois. Puis j'ai senti Sam près de moi et j'ai repris mes esprits. Il avait ôté un de ses gants pour me prendre la main et la serrer. La sienne était chaude et solide. Ça m'a fait du bien de pouvoir m'y cramponner. Bien qu'étant un métamorphe, Sam savait projeter ses pensées dans mon esprit – sans pour autant pouvoir capter les miennes.

Tu crois qu'il est là-dedans, toi ? m'a-t-il mentalement demandé.

J'ai secoué la tête. Il a rivé son regard au mien.

Tu crois qu'il est encore vivant ?

Beaucoup plus dur, comme question. Faute de mieux, j'ai haussé les épaules. Il ne m'avait pas lâché la main, et je lui en étais secrètement reconnaissante.

J'ai alors vu la voiture d'Arlene s'arrêter. Elle en est sortie, en compagnie de Tack, et s'est précipitée vers moi. Le désordre habituel de ses boucles incendiaires semblait moins étudié que de coutume, et le cuistot du bar avait besoin de se raser. Tiens, tiens ! Il n'avait donc pas encore laissé de rasoir chez Arlene... C'est du moins ce que j'en ai déduit.

— Tu as vu Tara ? a demandé Arlene.

— Non.

— Regarde !

Elle a pointé le doigt aussi discrètement que possible en direction de l'intéressée. Tara était en jean et portait des bottes en caoutchouc qui lui arrivaient aux genoux. Difficile de reconnaître l'élégante propriétaire d'une boutique de vêtements chics, dans cette tenue. Certes, elle était coiffée d'un adorable chapeau blanc et marron en fausse fourrure qui vous donnait envie d'aller lui caresser la tête et vêtue d'une veste assortie – sans oublier les gants qui allaient avec –, mais, à partir de la taille, elle était équipée pour la marche en forêt. Dago, le collègue de Jason, la dévorait des yeux avec l'air ahuri du type qui vient de subir un coup de foudre. Holly et Danielle étaient venues aussi, et comme le petit copain de Danielle n'était pas là, cette battue commençait à prendre des allures plutôt inattendues de fête pour célibataires.

Les dames de la paroisse avaient rabattu le hayon du vieux pick-up du mari de Maxine Fortenberry. Bien alignés à l'arrière, on apercevait plusieurs Thermos de café, des tasses et des cuillères en plastique, ainsi que des petits sachets de sucre en poudre et des serviettes en papier, sans compter les six grosses boîtes de beignets d'où s'échappaient de petites volutes blanchâtres appétissantes. Ces dames, qui faisaient décidément très bien les choses, avaient même installé une grande poubelle en plastique, déjà équipée de son sac noir.

J'avais du mal à croire que tout avait été mis sur pied en quelques heures à peine. J'ai dû lâcher la main de Sam pour sortir un Kleenex de ma poche et m'essuyer les joues. Je m'attendais à voir Arlene, bien sûr, mais je n'en revenais pas que Holly et Danielle soient de la partie. Quant à Tara, sa présence défaiait l'entendement. Elle n'était vraiment pas le genre de femme à se promener dans les bois, à plus forte raison pour une battue. Kevin Prior ne portait pas Jason dans son cœur, et pourtant, il était là, avec sa carte, son bloc-notes et son crayon, prêt à prendre la tête des opérations.

J'ai croisé le regard de Holly. Elle m'a adressé un petit sourire triste, de ceux qu'on réserve aux enterrements.

Au même moment, Kevin a réclamé l'attention de tous les participants et a commencé à donner ses instructions. Je n'aurais jamais imaginé qu'il puisse faire preuve d'une telle autorité. La plupart du temps, il était dans l'ombre de sa mère envahissante, Jeneen, ou de sa sculpturale partenaire, Kenya. En voilà une qu'on ne risquait pas de voir courir les bois à la recherche de Jason, en tout cas! C'était précisément ce que j'étais en train de me dire quand je l'ai aperçue, un peu en retrait. J'ai ravalé mes sarcasmes vite fait. Parfaitement équipée, elle était appuyée contre la cabine du pick-up, le visage impassible. À son attitude, on devinait qu'elle était venue jouer les renforts : elle ne se manifesterait que si Kevin rencontrait des problèmes. Elle n'était d'ailleurs là que parce qu'il s'était porté volontaire. Elle aurait jeté un seau d'eau pour sauver Jason, s'il avait été en feu, mais ses sentiments à l'égard de mon frère étaient loin d'être amicaux. Pendant que Kevin formait les équipes, les yeux noirs de Kenya, qui ne l'avaient pas quitté jusqu'alors, ont commencé à errer sur le groupe pour dévisager les participants, y compris moi. Elle m'a fait un petit signe de tête auquel j'ai répondu.

— Il faut au moins un tireur par groupe de cinq, expliquait Kevin. Et il ne s'agit pas de prendre n'importe qui. Ce doit être quelqu'un qui pratique la chasse en forêt et connaît les bois comme sa poche.

Cette directive a porté l'excitation à son comble. Quant à moi, je n'ai pas écouté la suite. Déjà, la fatigue m'empêchait de me concentrer. Je ne m'étais pas remise de ma journée de la veille. Le moins qu'on puisse dire, c'est qu'elle avait été chargée. Et pourtant, la pensée de mon frère ne m'avait pas quittée un seul instant. La peur qu'il ne lui soit arrivé quelque chose m'avait hantée, me laissant épuisée et folle d'inquiétude. On m'avait réveillée trop tôt ce matin, après une très longue nuit, et voilà que je me retrouvais plantée là, à faire le pied de grue par un froid glacial, devant la maison de mon enfance, attendant qu'on donne le coup d'envoi d'une improbable chasse au dahu à laquelle j'étais censée participer – enfin, j'espérais bien que ce n'était qu'une chasse au dahu et qu'elle ne donnerait rien. Un petit vent mordant s'est levé dans la clairière, et j'ai bien cru que mes larmes allaient se changer en stalactites.

Sam m'a prise dans ses bras – pas évident, avec nos gros manteaux. J'ai pourtant eu l'impression que sa chaleur me pénétrait.

— Tu sais bien qu'on ne va rien trouver, m'a-t-il chuchoté à l'oreille.

— J'en suis à peu près certaine, oui.

— Je le sentirai, s'il est quelque part là-dedans, de toute façon. Question de flair.

J'ai levé les yeux vers lui – je n'ai pas eu beaucoup d'efforts à faire, car il est à peine plus grand que moi. Il était sérieux comme un pape. Contrairement à la plupart de ses congénères, Sam était très à l'aise avec sa condition de métamorphe, dont il savait pleinement profiter. Mais, pour l'heure, je voyais bien qu'il cherchait surtout à apaiser mes craintes. Quand il se transformait, son odorat devenait celui du chien dont il prenait l'apparence. Cependant, quand il recouvrait forme humaine, il conservait une sensibilité aux odeurs très supérieure à celle d'un homme ordinaire. Il ne plaisantait pas : si un cadavre gisait dans les broussailles, il le sentirait.

— Alors toi aussi, tu vas fouiller les bois ?

— Bien sûr. Je ferai tout mon possible. Je te l'ai dit, s'il est là quelque part, je crois que je le saurai.

Kevin m'avait expliqué que le shérif avait tenté d'obtenir les services de la brigade cynophile de Shreveport, mais l'officier lui avait dit que les chiens étaient retenus ailleurs pour la journée. Je me demandais si c'était la vérité ou si l'homme ne voulait tout simplement pas risquer la vie de ses chiens, face à une panthère. À vrai dire, je ne pouvais pas lui en vouloir. Et devant moi se trouvait quelqu'un d'encore plus compétent.

— Sam, je…

Une fois de plus, les larmes me sont montées aux yeux. J'aurais aimé le remercier, mais j'avais la gorge trop serrée : les mots refusaient de sortir. J'avais une sacrée chance d'avoir un ami comme lui, et je le savais.

— Chut ! Ne pleure pas, a-t-il murmuré, en me prenant le visage à deux mains pour essuyer mes larmes avec ses pouces. On va découvrir ce qui est arrivé à Jason et on va trouver le moyen de rendre son passé à Eric.

Personne n'était assez près pour nous entendre, mais je n'ai pas pu m'empêcher de jeter un coup d'œil circulaire pour m'en assurer.

— Après ça, a-t-il poursuivi avec une pointe d'agressivité dans la voix, on pourra le sortir de chez toi et le renvoyer à Shreveport, d'où il n'aurait jamais dû partir.

Je n'ai rien répondu. C'était plus sûr.

— C'était quoi ton mot, aujourd'hui ? m'a-t-il soudain demandé en relâchant son étreinte.

Je lui ai souri à travers mes larmes. Sam s'enquérait toujours du « mot du jour » que me proposait mon éphéméride.

— J'ai oublié de regarder, ce matin. Hier, c'était « imbroglio ».

Il a eu un haussement de sourcils interrogateur.

— Une situation embrouillée, d'après la définition. Un pétrin dans le genre de celui dans lequel je suis empêtrée, quoi.

— Tu vas t'en sortir, Sookie, on va trouver un moyen.

Comme les équipes se formaient, je me suis aperçue que Sam n'était pas le seul métamorphe présent. À ma grande surprise, j'ai découvert un contingent venu de Hotshot : Calvin Norris, sa nièce Crystal et un deuxième homme, dont la silhouette me paraissait vaguement familière. En fouillant un petit moment dans le fourbi qui me tenait lieu de mémoire, j'ai fini par me souvenir qu'il s'agissait de celui que j'avais vu sortir de sa cabane, quand je bavardais avec Calvin devant la maison de Crystal. C'étaient ses cheveux décolorés qui m'avaient mis la puce à l'oreille. Et lorsque j'ai vu la grâce avec laquelle il se déplaçait, je n'ai plus eu aucun doute sur son identité. Kevin leur avait assigné le révérend Jimmy Fullenwilder comme tireur. En d'autres circonstances, l'association du révérend et d'un trio de métamorphes m'aurait bien fait rire.

Comme il leur manquait un cinquième, je me suis dévouée.

Les trois métamorphes m'ont saluée d'un hochement de tête protocolaire, mais les étranges yeux dorés de Calvin étaient braqués sur moi, pensifs.

— Felton Norris, a-t-il simplement déclaré, en guise de présentation, l'index pointé sur le type aux cheveux décolorés.

J'ai hoché la tête à mon tour, et Jimmy Fullenwilder, un homme grisonnant d'une soixantaine d'années, m'a serré la main.

— Je suis Jimmy Fullenwilder, pasteur de la congrégation baptiste locale, a-t-il déclaré avec un grand sourire. Bien sûr, je connais notre petite Sookie, mais je ne suis pas sûr de vous avoir déjà vus dans mon église…

Calvin Norris a accueilli cette réflexion avec un sourire poli, Crystal avec un rictus sarcastique. Quant à Felton Norris (ils étaient à court de noms de famille, à Hotshot?), son regard s'est très nettement refroidi. Ce Felton était vraiment un drôle de type, même pour un métamorphe issu d'une union consanguine. Il avait un regard extrêmement sombre que soulignaient d'épais sourcils bruns, le tout formant un contraste saisissant avec ses cheveux clairs. Son visage, très large au niveau des yeux, se rétrécissait un peu trop brusquement autour d'une petite bouche presque sans lèvres. Bien que corpulent, il se déplaçait silencieusement, avec souplesse. Quand nous sommes entrés dans les bois, je me suis vite rendu compte que c'était, en fait, une particularité commune à tous les habitants de Hotshot. À côté des Norris, Jimmy Fullenwilder et moi faisions autant de bruit qu'un troupeau d'éléphants.

Enfin, le pasteur tenait sa Winchester comme s'il savait s'en servir. C'était déjà ça.

Conformément aux instructions transmises, nous nous sommes alignés avec nos bras étendus à l'horizontale pour toucher les doigts de nos voisins. Crystal se tenait à ma droite et Calvin de l'autre côté. Tous les autres groupes en ont fait autant.

— Gardez bien à l'esprit le nom et le visage de ceux avec qui vous faites équipe, a braillé Kevin. Il ne s'agit pas d'oublier quelqu'un en route ! Et maintenant, en avant !

Les recherches ont ainsi débuté, en partant des rives de l'étang, chacun scrutant le sol autour de lui en progressant à pas réguliers. Jimmy Fullenwilder nous devançait de quelques pas. Normal : c'était lui qui tenait le fusil. D'évidentes disparités sont rapidement apparues entre les Norris, le révérend et moi. Crystal paraissait glisser à travers les broussailles sans laisser aucune trace de son passage. Jamais elle n'écartait ni n'écrasait une branche. Sa progression était cependant audible. Passionné de chasse, Jimmy Fullenwilder se sentait dans les bois comme un poisson dans l'eau. C'était un habitué des expéditions en pleine nature, mais il ne se déplaçait pas avec l'aisance de Calvin ou de Felton. Ces deux-là se faufilaient à travers les branchages avec une fluidité de fantômes et une discrétion à l'avenant.

À un moment, comme je me trouvais face à un taillis d'épineux particulièrement touffu, je me suis subitement sentie saisie par la taille, puis soulevée de terre. Je n'avais pas eu le temps de réagir que j'étais déjà de l'autre côté. Calvin Norris m'a reposée doucement, avant de rentrer dans le rang. Jimmy Fullenwilder – le seul qui aurait pu s'en étonner – ne voyait rien de ce qui se passait derrière lui.

Notre groupe n'a rien trouvé : pas un bout de tissu, pas un lambeau de chair, pas une empreinte de botte ni de patte, pas une odeur, pas une trace, pas une goutte de sang. Des membres d'une autre équipe ont bien crié qu'ils avaient découvert un cadavre d'opossum à moitié dévoré, mais rien ne permettait de déduire ce qui avait pu causer la mort de l'animal.

Comme par hasard, c'est mon groupe qui est tombé sur la cabane que Jason et Hoyt avaient construite, quatre ou cinq ans auparavant, pour guetter le gibier.

Bien qu'en lisière d'une petite clairière, elle était cernée de bosquets si épais que, pendant quelques instants, ils nous ont comme avalés, nous faisant disparaître d'un coup aux yeux des autres participants – chose que je n'aurais pas crue possible en plein hiver, avec les arbres dénudés. De temps à autre, le son d'une voix humaine nous parvenait à travers les pins, les taillis, les branches des chênes et des eucalyptus, mais la sensation d'isolement était devenue écrasante.

En voyant Felton Norris grimper à l'échelle de la cabane d'une façon qui n'avait rien d'humain, je me suis précipitée sur le révérend pour détourner son attention. Sur le moment, je n'ai rien trouvé de mieux que de lui demander s'il accepterait de dire des prières pour le retour de mon frère. Évidemment, il m'a répondu qu'il n'avait pas cessé de prier depuis qu'il avait appris la disparition de Jason et en a profité pour me faire savoir qu'il serait heureux de me voir prier avec la congrégation dans son église, le dimanche suivant. Bien que mes horaires de travail ne me le permettent pas toujours, j'allais à l'église quand je le pouvais, mais chez les méthodistes – ce que Jimmy Fullenwilder savait pertinemment. Mais j'ai bien été obligée de dire oui.

— C'est vide ! a crié Felton au même instant.

— Sois prudent, lui a lancé Calvin. Cette échelle n'est pas très solide.

Calvin mettait manifestement Felton en garde, l'invitant à adopter un comportement moins suspect au retour qu'à l'aller. Tandis que Felton redescendait, aussi gauchement que possible, j'ai croisé le regard de Calvin. Une étincelle amusée dansait dans ses yeux dorés.

Lassée d'attendre, Crystal s'était éloignée, prenant un peu d'avance sur notre tireur – et enfreignant, par là même, une des consignes formelles que Kevin nous avait données avant de partir. J'étais en train de la chercher des yeux quand je l'ai entendue hurler.

En l'espace d'une seconde, Calvin et Felton avaient bondi hors de la clairière, nous laissant, le révérend et moi, courir derrière eux comme la tortue après le lièvre. J'espérais que, dans le feu de l'action, le pasteur ne remarquerait pas la fluidité des mouvements de nos coéquipiers. Devant nous s'est soudain élevé un raffut indescriptible, un concert de couinements aigus et d'agitation frénétique dans les broussailles. Puis un cri rauque s'est élevé, suivi d'un nouveau hurlement, tous deux étouffés par l'épaisseur glacée des bois.

Des appels se sont alors répandus dans toutes les directions : les autres participants se dirigeaient vers la source de l'alarmant vacarme.

Emportée par mon élan, je me suis pris le pied dans les ronces et j'ai basculé cul par-dessus tête. Au prix d'un spectaculaire roulé-boulé, j'ai réussi à reprendre aussitôt ma course. Mais Jimmy Fullenwilder m'avait déjà doublée. Comme je me précipitais à travers un bouquet de pins, j'ai entendu un coup de feu.

Oh ! mon Dieu. Oh ! mon Dieu.

J'ai émergé dans une petite trouée, où tout n'était que sang et tumulte. Une énorme bête se débattait sur un tapis de feuilles mortes, éclaboussant de sang tout ce qui l'entourait. Mais la bête en question n'avait rien d'une panthère. Pour la seconde fois de ma vie, j'étais face à un sanglier sauvage, un razorback, de cette espèce qui atteint des proportions si énormes.

Le temps que je comprenne à quoi j'avais affaire, la laie avait succombé. Elle empestait le sang chaud et le porc. Aux craquements, bruits de fuite et cris de goret qui ont suivi, il était évident que la bête n'était pas seule quand Crystal avait croisé son chemin.

Malheureusement, il n'y avait pas que le sang de la laie sur le sol.

Adossée à un tronc, Crystal Norris jurait comme un charretier en tenant sa cuisse déchirée à deux mains. Son jean était trempé, et son oncle et Felton étaient penchés au-dessus d'elle. Jimmy Fullenwilder s'était figé, le fusil toujours pointé sur la bête, avec, sur le visage, l'expression d'un type complètement sonné. Je l'ai abandonné à sa stupeur pour me diriger vers Crystal.

— Comment va-t-elle?

Seul Calvin a levé la tête. Ses yeux étaient encore plus bizarres qu'à l'accoutumée: ils étaient devenus jaunes et semblaient s'être arrondis. Il a jeté un coup d'œil à l'énorme carcasse, un coup d'œil… avide. C'est alors que j'ai remarqué le sang autour de ses lèvres et la touffe de poils jaunâtres qu'il avait sur la main. Très curieux, pour un loup. J'ai pointé discrètement le doigt sur cette preuve criante de sa véritable nature. Encore tout frémissant de faim réprimée, il a hoché la tête en silence. J'ai tiré un mouchoir de ma poche et je lui ai essuyé la bouche, avant que Jimmy Fullenwilder ne finisse par sortir de l'espèce de fascination dans laquelle semblait l'avoir plongé son exploit. Après avoir ôté toute trace de sang du visage de Calvin, j'ai noué le mouchoir autour de sa paume pour cacher sa fourrure naissante.

Quant à Felton, il m'a paru normal… jusqu'à ce que j'aperçoive ses mains. Ce n'était plus vraiment des mains. Mais elles ne ressemblaient pas vraiment à des pattes de loup. Elles étaient très étranges. Grandes, plates et griffues.

Je ne pouvais pas lire dans leurs pensées, mais je percevais la sensation de manque qui les dévorait, leur envie de viande crue et sanguinolente, de dizaines de kilos de chair fraîche… J'ai même vu Felton se balancer d'avant et arrière, tant la tension entre son désir et la résistance qu'il lui imposait lui devenait intolérable. Cette lutte intérieure faisait peine à voir. À vivre, ce devait être atroce. Finalement, j'ai senti les deux hommes réussir péniblement à faire basculer leur cerveau en mode humain. Après ça, il n'a guère fallu que quelques secondes à Calvin Norris pour recouvrer l'usage de la parole.

— Elle perd… beaucoup de sang, m'a-t-il dit. Mais elle devrait… s'en sortir si nous l'emmenons… tout de suite à l'hôpital.

Sa voix était rauque, un peu pâteuse, et il s'exprimait avec difficulté. C'est alors que, les yeux baissés, handicapé par ses griffes, Felton s'est mis à déchirer maladroitement sa chemise. Comprenant ce qu'il voulait faire, j'ai immédiatement pris le relais. Une fois la blessure de Crystal pansée aussi étroitement que possible avec ce bandage de fortune, Calvin et Felton l'ont soulevée pour la transporter rapidement hors de la forêt. Elle était maintenant très pâle et aucun son ne sortait plus de sa bouche. Grâce à Dieu, la position des mains de Felton sous le corps de la blessée les cachait à la vue.

Tout s'était passé si vite que les autres participants, qui convergeaient vers nous, commençaient tout juste à comprendre ce qui s'était passé.

— J'ai tué un sanglier, disait Jimmy Fullenwilder en secouant la tête d'un air incrédule, tandis que Kevin et Kenya arrivaient, hors d'haleine, devant lui. Je n'arrive pas à le croire. J'ai tiré, et les autres femelles se sont sauvées avec leurs petits. Puis les deux hommes se sont jetés sur la bête, et quand ils se sont écartés, j'ai tiré en plein dans la gorge.

Il semblait ne pas bien savoir si ça faisait de lui un héros ou s'il allait avoir de sérieux ennuis avec le ministère de l'Environnement. Il ignorait ce à quoi il avait échappé. Sentant Crystal menacée et à la vue d'un tel gibier, Felton et Calvin avaient bel et bien failli se transformer, et il fallait qu'ils soient extrêmement puissants pour être parvenus à s'arracher à leur proie. Cependant, le fait même qu'ils n'aient pas réussi à enrayer complètement le processus prouvait le contraire. La limite entre les deux natures des habitants de Hotshot devenait manifestement de plus en plus floue.

Pour preuve, d'ailleurs, il y avait des marques de dents sur le cadavre du sanglier. Mon angoisse était telle que je ne pouvais maintenir mes barrières mentales en place et toute l'excitation des chercheurs se déversait en moi : révulsion, terreur et panique à la vue du sang, conscience qu'un membre du groupe avait été gravement blessé, admiration jalouse de la part des chasseurs pour le coup extraordinaire de Jimmy Fuller... C'était trop pour moi, l'envie de m'échapper devenait irrésistible.

— Allons-y, a dit Sam, qui était apparu, comme par miracle, à mes côtés. Cet incident va écourter les recherches. La battue est finie pour aujourd'hui.

Nous avons regagné le jardin de Jason à pas lents. J'ai raconté à Maxine Fortenberry ce qui s'était passé, et après l'avoir remerciée pour sa contribution – et pour la boîte de beignets qu'elle a tenu à me donner –, j'ai repris ma voiture. Sam m'a suivie dans son pick-up.

Quand je suis entrée chez moi, je me sentais mieux. Ça m'a fait bizarre de penser qu'il y avait déjà quelqu'un dans la maison. Eric sentait-il ma présence au-dessus de sa tête ? Ou était-il vraiment mort, comme n'importe quel mort ? Mais cette idée a à peine eu le temps de me traverser l'esprit que je l'avais déjà oubliée. J'avais tout simplement trop de choses en tête.

Sam a fait du café. Il était un peu comme chez lui, dans ma cuisine : il était venu une fois ou deux, du vivant de ma grand-mère, et m'avait souvent rendu visite depuis.

— Ça, c'était un véritable désastre, ai-je soupiré en pendant nos manteaux dans l'entrée.

Sam ne m'a pas contredite.

— Non seulement on n'a pas trouvé Jason – ce qui, très honnêtement, m'aurait bien étonnée –, mais les Norris ont failli se faire démasquer, et Crystal a été attaquée par un sanglier! Franchement, je ne comprends pas ce qui leur a pris de venir mettre leur grain de sel dans cette histoire.

Je sais que ce n'était vraiment pas sympa de ma part de dire ça, mais j'étais avec Sam, et il me connaissait suffisamment pour ne plus se faire aucune illusion à mon sujet.

— Je leur ai parlé, avant ton arrivée. Pour Calvin, c'était un peu une façon de te courtiser, à la mode de Hotshot. Felton est leur meilleur pisteur. Alors, il lui a demandé de l'accompagner. Quant à Crystal, elle voulait juste retrouver Jason.

J'ai eu honte de moi, tout à coup.

— Pardon, ai-je murmuré en m'effondrant sur une chaise. Pardon.

Sam s'est agenouillé devant moi et a posé les mains sur mes genoux.

— Vu les circonstances, tu as bien le droit d'être de mauvais poil.

Je me suis penchée pour l'embrasser sur le front.

— Je ne sais pas ce que je ferais sans toi.

Il a levé les yeux. Pendant un long moment, il y a eu comme un flottement entre nous.

— Tu appellerais Arlene, m'a-t-il finalement répondu avec un sourire. Elle débarquerait avec les gosses, te ferait avaler un café arrosé et te parlerait de la bistouquette en biais de Tack. Elle te ferait rire et oublier tes ennuis. Ton moral remonterait en flèche.

Intérieurement, je l'ai béni de ne pas avoir essayé de profiter de la situation.

— Tu sais quoi ? lui ai-je lancé. J'avoue que ça m'intrigue, cette histoire à propos de Tack... C'est vrai ?

— En tout cas, j'ai entendu Arlene le dire à Charlsie Tooten.

J'ai servi le café, poussé le sucrier à moitié vide vers Sam et vérifié machinalement où en étaient mes réserves de sucre, dans le gros bocal posé sur l'étagère, au-dessus du plan de travail. C'est comme ça que j'ai vu le voyant du répondeur clignoter. Je n'ai eu qu'un pas à faire pour appuyer sur le bouton. Le premier message avait été enregistré à 5 heures du matin. Oh oh ! J'avais coupé la sonnerie du téléphone avant d'aller me coucher. La plupart du temps, les messages qu'on me laissait étaient des plus ordinaires – Arlene qui me demandait si j'avais entendu le dernier potin, ou Tara qui s'ennuyait pendant les heures creuses à la boutique. Mais celui-là entrait dans une tout autre catégorie.

La voix limpide de Pam s'est élevée dans la pièce.

— Nous attaquons la sorcière et son clan ce soir. Les loups-garous ont réussi à convaincre les wiccans locaux de se joindre à nous. Nous avons besoin d'Eric. Même s'il a oublié qui il est, il sait toujours se battre. Il faut que tu nous l'amènes. Si le sort n'est pas brisé, il ne nous servira plus à rien, de toute façon.

Cette chère Pam, toujours aussi pragmatique ! Puisqu'il n'était pas certain qu'il puisse reprendre les rênes, elle était prête à l'exploiter comme chair à canon.

Après une petite pause, elle reprenait :

— Les loups-garous de Shreveport ont fait alliance avec les vampires pour livrer bataille. Tu vas assister à un moment historique, chère amie télépathe !

Il y a eu le bruit du combiné qu'on raccroche, puis le petit bip qui annonçait le message suivant. Il avait été enregistré deux minutes plus tard.

— À ce propos, disait Pam, comme si elle n'avait jamais interrompu la communication, il n'est pas impossible que ton talent inhabituel puisse nous être utile. Il nous faut étudier la question de près. Tu dois donc arriver ici au plus tôt, dès la tombée de la nuit.

Elle a de nouveau raccroché.

Biiip!

— « Ici » signifiant au 714 Parchman Avenue, précisait Pam, avant de raccrocher pour de bon.

— Comment est-ce que je pourrais y aller, alors que mon frère n'a toujours pas été retrouvé?

— En commençant par aller faire un petit somme, m'a conseillé Sam. Viens.

Il m'a pris la main et m'a entraînée vers ma chambre.

— Tu vas enlever tes bottes et ton jean, te glisser bien gentiment sous les draps et faire la sieste. Quand tu te réveilleras, tu te sentiras déjà mieux, tu verras. Et appelle au bar tout à l'heure pour me donner le numéro de Pam, afin que je puisse te joindre. Dis aux flics d'appeler le bar s'ils ont des nouvelles de Jason et moi je t'appellerai si Bud Dearborn me contacte.

— Alors, tu crois que je devrais y aller?

J'étais complètement désorientée.

— Non. Je donnerais tout ce que je possède pour que tu n'y ailles pas. Mais je pense que tu n'as pas le choix. Désolé, ce n'est pas mon combat: je n'ai pas été convié.

Et, sur ces bonnes paroles, Sam m'a embrassée sur le front et m'a quittée pour retourner au *Merlotte*.

Intéressant… Après l'insistance que mettaient les vampires de ma connaissance – tant Bill qu'Eric – à me considérer comme une sorte de bien précieux qu'il fallait à tout prix protéger, l'attitude de Sam envers moi avait quelque chose de libérateur. J'ai éprouvé une grisante sensation de toute-puissance et me suis brusquement sentie pleine d'allant, prête à conquérir le monde… Ce qui n'a duré que trente secondes, jusqu'à ce que je me souvienne de mes vœux pour cette nouvelle année: ne plus jamais me faire frapper et éviter les ennuis. Si j'allais à Shreveport avec Eric, je pouvais être sûre de voir des choses que je n'avais aucune envie de voir, de découvrir des choses que je n'avais aucune envie de découvrir et de me faire tabasser par-dessus le marché.

Par ailleurs, mon frère avait conclu un marché avec les vampires, et je devais le respecter. Par moments, j'avais l'impression que je passais ma vie prise entre deux feux. Mais bon, des tas de gens ont une vie compliquée.

J'ai pensé à Eric, puissant vampire qu'on avait dépouillé de tout, y compris de son identité. J'ai pensé au carnage dans la boutique de mariage, à la dentelle et au brocart blanc maculés de chairs et de sang. J'ai pensé à la malheureuse Maria-Star, toujours à l'hôpital… Ces sorcières étaient le mal incarné, et le mal devait être combattu. C'est ça, l'Amérique…

Mais il était quand même bizarre de se retrouver du côté des loups-garous et des vampires pour défendre le bien. J'ai pu rire un peu à cette pensée.

Pas de doute: nous autres, les gentils, nous allions sauver le monde.

11

Si incroyable que cela puisse paraître, je me suis effectivement endormie. Quand je me suis réveillée, Eric était assis sur le bord du lit. Il me flairait.

— Qu'as-tu fait, Sookie ? m'a-t-il demandé d'une voix calme – trop calme. Tu sens le sous-bois et tu as sur toi une odeur de métamorphe. Et de quelque chose de plus sauvage encore.

L'odeur de métamorphe en question était probablement celle de Sam.

— De loup-garou, lui ai-je soufflé.

— Non, pas de loup-garou.

Ça m'a intriguée. Calvin m'avait prise par la taille pour me faire franchir un fourré, et son odeur devait encore imprégner mon pull.

— Les loups-garous ne sont pas les seuls sur terre, a précisé Eric dans la pénombre de la chambre. D'où viens-tu donc, ma belle amante ?

Il ne semblait pas en colère, mais pas vraiment content non plus. Sacrés vampires. La définition du mot « possessif », ce sont eux qui l'ont écrite.

— J'ai participé à une battue pour retrouver mon frère, dans les bois derrière chez lui.

Eric est resté figé un quart de seconde, puis il m'a prise dans ses bras pour me serrer contre lui.

— Je suis désolé, a-t-il chuchoté à mon oreille. Je sais que tu te fais du souci pour Jason et je…

— Attends. Je peux te demander quelque chose ?

Je voulais vérifier une petite théorie personnelle.

— Je t'écoute.

— Réfléchis bien, Eric. Es-tu vraiment, sincèrement désolé ? Est-ce que tu partages réellement mon inquiétude pour Jason ?

Parce que le vrai Eric, lui, s'en serait fichu comme de l'an quarante.

— Bien sûr ! a-t-il protesté.

Puis, après un long silence, il a ajouté :

— À la réflexion, en fait, pas vraiment.

J'aurais bien aimé voir son visage, à ce moment-là. À en croire le ton de sa voix, il paraissait surpris.

— Je sais que je devrais être désolé. Je devrais me sentir concerné par le sort de ton frère, puisque j'adore faire l'amour avec toi. Or, pour que tu en aies envie aussi, il faudrait que tu aies une bonne opinion de moi. Et pour que tu aies une bonne opinion de moi, il faudrait que je m'inquiète pour ton frère.

Je ne pouvais qu'apprécier sa franchise. C'était la première fois depuis des jours que j'avais l'impression d'avoir le véritable Eric en face de moi – enfin, une version *soft*, tout de même.

— Mais si j'avais besoin d'en parler, tu m'écouterais, non ? Ne serait-ce que pour la même raison ?

— Bien sûr, ma belle amante.

— Parce que tu veux coucher avec moi.

— Évidemment. Mais aussi parce que… je me rends compte que je…

Il s'est brusquement interrompu, comme s'il s'apprêtait à dire quelque chose de scandaleux.

— Parce que je me rends compte que j'ai des sentiments pour toi.

— Oh ! ai-je lâché contre sa poitrine.

J'étais aussi ébahie que lui. Il était torse nu. J'en ai déduit que le reste l'était aussi. Je sentais la fine traînée de poils blonds et bouclés contre ma joue.

— Eric, ai-je fini par murmurer après un bon moment – le temps de reprendre mes esprits. Je n'aurais jamais cru que je dirais ça un jour, mais moi aussi, j'éprouve des sentiments pour toi.

J'avais des choses importantes à lui annoncer, et nous aurions déjà dû être en route pour Shreveport. Mais je voulais savourer cet instant. Un instant de pur bonheur.

— Pas exactement de l'amour… a-t-il repris d'un ton préoccupé, pendant que ses doigts cherchaient le plus court chemin pour me déshabiller.

— Non, mais ça y ressemble.

Je l'ai un peu aidé à parvenir à ses fins.

— Eric, on n'a pas beaucoup de temps, alors on va faire vite et bien, l'ai-je averti, baissant la main pour le toucher.

Je l'ai entendu retenir son souffle.

— Embrasse-moi.

Et il ne parlait pas de ses lèvres.

— Tourne-toi comme ça, m'a-t-il chuchoté. Je veux t'embrasser aussi.

Il ne nous a pas fallu longtemps pour nous retrouver dans les bras l'un de l'autre, heureux et comblés.

— Alors, que s'est-il passé ? Je te sens angoissée.

— Il faut qu'on parte pour Shreveport tout de suite. On est déjà en retard par rapport à ce que Pam avait demandé. Ce soir, c'est le grand soir : on attaque Hallow et ses sorcières.

— Dans ce cas, tu dois rester ici.

— Non, ai-je répondu doucement, en posant la main sur sa joue. Non, bébé, il faut que je vienne avec toi.

Je ne lui ai pas dit que Pam envisageait d'utiliser ma télépathie comme arme de guerre. Je ne lui ai pas dit qu'elle comptait se servir de lui comme machine à tuer. Je ne lui ai pas dit que j'étais sûre que quelqu'un allait mourir ce soir – quelques-uns, même, humains, loups-garous et vampires. Je ne lui ai pas dit non plus que c'était probablement la dernière fois qu'il se réveillait chez moi. La dernière fois que je lui disais des petits mots doux. L'un de nous deux pouvait fort bien ne pas en réchapper, et même si nous en sortions indemnes, il y avait de grandes chances pour que rien ne soit plus jamais comme avant.

Nous nous sommes douchés et rhabillés sans dire grand-chose. Et le trajet jusqu'à Shreveport s'est déroulé dans un silence de mort. J'ai bien eu au moins sept fois la tentation de faire demi-tour – avec ou sans Eric.

J'ai résisté.

Eric n'étant pas particulièrement doué pour lire une carte – ce n'était pas au nombre de ses talents de vampire –, j'ai été obligée de me garer et d'étudier mon plan de Shreveport pour trouver l'itinéraire le plus court jusqu'au 714 Parchman Avenue. Je ne m'en étais pas inquiétée avant, comptant sans doute sur Eric pour m'indiquer le chemin, dont il n'avait gardé aucun souvenir, bien entendu.

— Ton « mot du jour » était « annihiler », m'a-t-il joyeusement annoncé.

— Oh! Merci d'avoir regardé... Dis donc, ça a plutôt l'air de t'exciter, tout ça, ai-je observé.

— Mais, Sookie, a-t-il protesté, il n'y a rien de tel qu'une bonne bagarre.

— Quand on gagne, oui.

Ça l'a calmé un moment. Parfait. J'avais déjà assez de mal comme ça à me repérer à travers ce dédale de rues – sans parler de tout ce qui me trottait dans la tête en même temps. Malgré tout, nous avons fini par arriver dans la bonne rue et devant la bonne maison. Je m'étais toujours représenté Pam et Chow vivant dans quelque vaste manoir d'un autre âge. En fait, ils occupaient une grande maison de style ranch dans une banlieue résidentielle plutôt bourgeoise, le genre de quartier où les pelouses sont bien tondues et où l'on peut rouler à bicyclette en toute tranquillité.

La lumière extérieure éclairait le numéro 714 et son garage à trois places, au bout de l'allée. Il était plein, aussi suis-je allée me garer sur la dalle de béton prévue pour le stationnement des visiteurs en surnombre. J'ai reconnu le pick-up d'Alcide et la voiture que j'avais aperçue devant la maison du colonel Flood.

Avant de sortir de la voiture, Eric s'est penché pour m'embrasser. Nous nous sommes regardés, et je me suis perdue dans son regard si bleu. Il avait brossé ses longs cheveux blonds de Viking et les avait retenus avec un de mes élastiques. Avec son jean et sa nouvelle chemise de flanelle, il était à tomber.

— Nous pourrions retourner à Bon Temps, tu sais, a-t-il murmuré.

Dans la lumière blafarde du plafonnier, son visage pâle semblait sculpté dans le marbre.

— Nous pourrions rentrer chez toi. Je resterais avec toi pour toujours, Sookie. Nous apprendrions à nous connaître. Nous explorerions nos corps nuit après nuit. Je pourrais t'aimer.

Ses narines se sont soudain dilatées, et il a redressé fièrement la tête.

— Je pourrais travailler. Tu n'aurais plus de problèmes d'argent. Je t'aiderais.

— Comme si on était mariés, ai-je lancé, ironique, histoire de détendre l'atmosphère.

Mais ma voix tremblait.

— Effectivement.

Et il ne serait plus jamais lui-même. Il serait un sosie d'Eric, un faux, une copie, un Eric dépossédé de sa vraie vie. Et puis, il ne changerait peut-être pas, mais moi, si.

Cesse donc de voir tout en noir, Sookie! me suis-je ordonné. Il faudrait que tu sois complètement idiote pour laisser passer la chance de vivre avec cet homme fabuleux, quelle que soit la durée de la relation. Nous nous amusions vraiment bien ensemble. J'appréciais sa compagnie, sans parler de ses talents d'amant. Maintenant qu'il avait perdu la mémoire, tout était plus simple et c'était un vrai bonheur de partager ma vie avec lui.

Mais notre relation ne serait qu'une imposture, parce qu'il n'était pas le véritable Eric. Et voilà! J'en revenais toujours au même point. La boucle était bouclée.

J'ai ouvert la portière en soupirant.

— Je suis complètement idiote, ai-je lâché, comme il faisait le tour de la voiture pour venir me tenir la portière et marcher avec moi jusqu'à la maison.

Il n'a pas fait de commentaire. Je pense qu'il était d'accord avec moi.

J'ai appelé en poussant la porte, après avoir frappé en vain. Le garage donnait sur la buanderie, qui donnait elle-même sur la cuisine.

Comme on pouvait s'y attendre chez des vampires, cette dernière était d'une propreté immaculée – évidemment: elle ne servait à rien. Elle était minuscule pour une propriété de cette taille. L'agent immobilier avait dû se frotter les mains quand il l'avait fait visiter à des vampires. Une famille humaine – une vraie famille où l'on cuisine – aurait eu du mal à se contenter d'une telle kitchenette.

La maison était une construction de plain-pied conçue comme un grand espace ouvert, de sorte que, de l'évier, on avait une vue panoramique sur la salle de séjour, de l'autre côté du comptoir de la cuisine. J'apercevais trois portes ouvertes qui devaient donner sur la salle à manger, le salon et le couloir menant aux chambres.

Pour l'heure, la salle de séjour était bondée et l'assistance débordait dans les pièces attenantes.

Pam, Chow et Gerald étaient là, ainsi que deux autres vampires que j'avais déjà vus au *Fangtasia*. Les hybrides étaient représentés par le colonel Flood, Amanda la Rousse, ma grande copine, Sid, le petit jeune aux cheveux en pétard, Alcide, Culpepper et, à mon grand écœurement, Debbie Pelt. Elle était habillée à la dernière mode, ou tout du moins sa propre version de la dernière mode, histoire sans doute de me rappeler qu'elle gagnait très bien sa vie dans une grande agence de publicité.

Formidable. Sa présence allait vraiment tout arranger.

En procédant par élimination, le groupe qui restait devait être une délégation des sorcières locales. J'ai supposé que la femme afro-américaine très digne, assise sur le canapé, était leur chef. Le cheveu gris acier, elle devait avoir la soixantaine. Elle avait la peau de la couleur d'un café serré et de grands yeux marron au regard plein de sagesse – et de scepticisme. Elle était accompagnée d'un jeune homme pâle à lunettes portant pantalon à pinces, chemise à rayures et mocassins bien cirés. Il devait occuper un poste de manager quelconque chez Office Depot ou pour la chaîne de traiteurs Super One Foods, et ses enfants croyaient sans doute qu'il était parti faire un bowling ou participer à quelque obscure réunion paroissiale, par cette froide nuit de janvier. Au lieu de quoi, lui et la jeune femme assise à ses côtés étaient sur le point de risquer leur peau en livrant un combat à mort.

J'ai repéré deux chaises vides. Elles nous étaient manifestement destinées.

— Nous vous attendions plus tôt, nous a lancé Pam d'un ton cassant.

— Salut ! Moi aussi, je suis ravie de te voir. Surtout, ne t'excuse pas de nous avoir prévenus si tard, ai-je grommelé entre mes dents.

Pendant un long moment, Eric est devenu le point de mire de tous les participants. N'était-il pas censé prendre la direction des opérations, comme il le faisait depuis des années ? Eric les a regardés sans comprendre. Le silence commençait à devenir gênant.

— Bon. Voici comment nous allons procéder, a finalement annoncé Pam.

Tous les visages se sont tournés vers elle. Elle semblait avoir pris la charge de leader sur ses charmantes épaules et être prête à la porter aussi longtemps qu'il le faudrait.

— Grâce aux Traqueurs de nos amis loups-garous, nous savons où Hallow a établi son quartier général, m'a expliqué Pam.

Elle semblait ignorer Eric, mais c'était manifestement parce qu'elle ne savait pas comment se comporter autrement. Sid m'a souri, et je me suis rappelé qu'Emilio et lui avaient remonté la piste des sorcières depuis la boutique de mariage jusqu'au bâtiment qui abritait Hallow et sa bande. Et puis, tout à coup, j'ai compris : il voulait me montrer ses dents. Il les avait limées en pointes. Argh !

Bon. La présence des vampires, des sorcières et des loups-garous me paraissait normale. Mais qu'est-ce que Debbie Pelt venait faire là ? C'était une métamorphe, mais pas un loup-garou. Les loups-garous méprisaient souverainement les autres métamorphes, d'habitude. Et voilà qu'ils en acceptaient un, et à une assemblée de cette importance, en plus ! Je détestais cette fille et je me méfiais d'elle comme de la peste. Elle avait dû insister pour venir, et ça ne faisait que la rendre encore plus suspecte à mes yeux.

Puisqu'elle a tenu à venir, mettez-la donc en première ligne, ai-je songé. *Comme ça, au moins, vous n'aurez pas à vous inquiéter de ce qu'elle fabrique derrière votre dos.*

Ma grand-mère aurait sans doute eu honte de moi. Mais bon, comme Alcide, elle n'aurait jamais voulu croire que Debbie avait réellement essayé de me tuer.

— Nous allons infiltrer le quartier discrètement, poursuivait Pam.

Je me suis demandé si elle avait lu un manuel de commando.

— Les sorcières se sont entourées d'un large bouclier magique, si bien qu'on ne risque pas de rencontrer beaucoup de gens dans les rues avoisinantes. Certains, parmi les loups-garous, sont déjà en place. Nous devrons tout faire pour passer inaperçus. Sookie pénétrera dans les lieux en premier.

Toutes les SurNat ont braqué les yeux sur moi. C'était un peu déconcertant, comme si je m'étais retrouvée au milieu d'un cercle de camions aux phares allumés en pleine nuit.

— Pourquoi ? s'est enquis Alcide.

Ses larges mains agrippaient nerveusement ses genoux. Debbie, qui s'était assise par terre à côté de lui, m'a adressé un grand sourire réjoui. Elle savait qu'il ne pouvait pas la voir.

— Parce que Sookie est cent pour cent humaine, même si elle possède un don particulier, a répondu Pam. Hallow et ses sorcières ne pourront pas la détecter.

Eric m'avait pris la main. Il la serrait si fort que j'entendais presque mes os craquer. Avant sa crise d'amnésie, il aurait étouffé le plan de Pam dans l'œuf, ou peut-être l'aurait-il adopté avec enthousiasme. Mais maintenant, il était trop impressionné pour protester, même s'il en mourait d'envie.

— Et qu'est-ce que je suis censée faire, une fois là-dedans ?

J'étais fière d'avoir réussi à afficher un calme aussi olympien. J'aurais pourtant préféré prendre la commande particulièrement tordue d'une tablée de bûcherons imbibés plutôt que de monter au feu en première ligne.

— Lire les pensées des sorcières qui se trouvent à l'intérieur, pendant que nous prendrons position, m'a posément répondu Pam. Si jamais elles détectent notre présence, nous perdrons le bénéfice de l'effet de surprise, et nous aurons plus de risques de nous faire tuer ou de subir des blessures graves.

Quand Pam s'emballait, elle prenait un léger accent, que je n'avais jamais réussi à identifier. Peut-être était-ce le vieil anglais tel qu'on le parlait il y a deux ou trois siècles.

— Penses-tu pouvoir les dénombrer ? Est-ce que c'est dans tes cordes ?

J'ai réfléchi une seconde.

— Oui, ça devrait pouvoir se faire.

— Ça nous serait extrêmement utile.

— Et qu'est-ce qu'on fait, une fois dans le bâtiment ? a demandé Sid.

Surexcité par l'imminence du combat, il arborait un sourire jusqu'aux oreilles qui découvrait ses dents pointues.

Pam a semblé quelque peu décontenancée.

— On tue tout le monde, a-t-elle lâché, comme si ça tombait sous le sens.

Le sourire de Sid s'est évanoui. J'ai tressailli – et je n'ai pas été la seule.

Pam s'est rendu compte que la pilule avait un peu de mal à passer.

— Qu'est-ce que vous voulez faire d'autre ? s'est-elle étonnée, sincèrement troublée.

— Les sorcières vont tout faire pour nous tuer, elles, est intervenu Chow. Elles n'ont cherché qu'une fois à négocier, et cette unique tentative a coûté à Eric sa mémoire. Quant à Clancy, il a perdu la vie – elles ont fait livrer ses vêtements au *Fangtasia* ce matin.

Tout le monde évitait de regarder Eric, qui semblait en état de choc. Je lui ai tapoté la main pour le rassurer. L'étau qui me broyait la main droite s'est légèrement desserré. J'ai senti des fourmillements dans les doigts : le sang recommençait à circuler.

— Il faut que quelqu'un accompagne Sookie, a déclaré Alcide en fusillant Pam du regard. On ne peut pas la laisser approcher de ce nid de vipères toute seule.

— J'vais y aller avec elle, a lancé une voix familière depuis un coin sombre de la pièce.

Je me suis penchée pour chercher son propriétaire des yeux.

— Bubba ! me suis-je écriée, ravie de retrouver mon fidèle garde du corps.

Eric s'est penché en avant pour mieux examiner le visage légendaire. Bubba s'est avancé dans la pièce avec un petit signe de la main. Ses cheveux noirs copieusement gominés avaient été soigneusement lissés, et sa lèvre inférieure affichait sa célèbre moue boudeuse. La personne qui s'occupait de lui en ce moment devait l'avoir habillé spécialement pour l'occasion parce que, au lieu de la traditionnelle combinaison pantalon en satin ornée de strass, ou du jean accompagné d'un tee-shirt, Bubba portait une tenue camouflage réglementaire.

— Content de vous voir, mam'zelle Sookie, s'est-il aussitôt exclamé. Vous avez vu ? Je porte mon uniforme de l'armée.

— Ça te va très bien, Bubba.

— Merci, mam'zelle Sookie.

Pendant ce temps, Pam avait réfléchi.

— Ce n'est peut-être pas une mauvaise idée, a-t-elle dit. Son... euh... image mentale, sa signature cérébrale... – enfin, vous voyez ce que je veux dire –, est tellement... hum... atypique que les sorcières ne pourront jamais l'attribuer à un vampire.

J'avais rarement vu Pam faire preuve d'autant de tact – ce n'était pas vraiment son genre.

Bubba faisait un très mauvais vampire. Il était certes d'une docilité hors pair, et pouvait se déplacer dans le plus grand silence, mais il avait un peu de mal à faire fonctionner ce qui lui servait de cerveau. Et il préférait le sang de chat à celui des humains.

— Où il est, Bill, mam'zelle Sookie ?

Je m'y attendais. Bubba avait toujours voué une véritable vénération à mon ex.

— Il est au Pérou, Bubba. C'est tout là-bas, en Amérique du Sud.

— Pas du tout, a fait une voix glaciale.

J'ai cru que mon cœur s'arrêtait.

— Je suis revenu.

Et, émergeant d'une des embrasures, est apparu mon amour perdu.

Décidément, c'était la soirée des surprises.

Revoir Bill au moment où je m'y attendais le moins m'a vraiment secouée, plus que je ne l'aurais voulu. Ma vie sentimentale ayant été un désert absolu jusqu'à mes vingt-cinq ans, je n'avais jamais eu d'ex-petit copain avant. Je n'étais donc pas du tout préparée à gérer la situation et encore moins mes émotions, surtout avec Eric accroché à mon bras comme si j'étais Mary Poppins et lui l'un des enfants dont j'avais la charge.

Bill avait fière allure. Il portait une chemise habillée de chez Calvin Klein, un écossais discret dans les tons bruns et mordorés. C'est moi qui la lui avais choisie.

— Parfait. Nous allons avoir besoin de toi, ce soir, a commenté Pam, très professionnelle.

— Il faudra que tu me racontes les ruines et tout ça, a-t-elle enchaîné. Tu connais tout le monde ?

Bill a balayé l'assistance du regard.

— Colonel Flood…

Il a salué l'intéressé d'un hochement de tête.

— Alcide…

Cette fois, son ton n'était pas si cordial.

— Je ne crois pas connaître ces nouveaux alliés…

Il désignait les sorcières. Il a attendu que les présentations soient achevées pour demander :

— Mais qu'est-ce que Debbie Pelt vient faire ici ?

C'était exactement la question que je m'étais posée ! Je me suis efforcée de ne pas ouvrir la bouche comme un four en l'entendant formulée mot pour mot. J'ai essayé de me rappeler si les chemins de Bill et de Debbie s'étaient croisés à Jackson, s'ils avaient été mis en présence l'un de l'autre. Bill savait qui elle était et le rôle qu'elle avait joué dans ma… mésaventure (le mot est faible), mais je ne me souvenais pas qu'ils se soient jamais rencontrés.

— C'est la compagne d'Alcide, a répondu Pam d'un ton prudent.

J'ai regardé Alcide avec un haussement de sourcils interrogateur. Il est devenu rouge pivoine.

— Elle était venue lui rendre visite et elle a décidé de l'accompagner, a poursuivi Pam. Tu y vois une objection ?

— Elle a participé aux séances de torture que l'on m'a infligées chez le roi du Mississippi, a déclaré Bill. Elle prenait plaisir à me voir souffrir.

Alcide s'est levé d'un bond. Il était livide, à présent.

— C'est vrai, Debbie ?

Debbie Pelt a tenté de rester impassible : tous les regards s'étaient braqués sur elle, et dans tous se lisait la même hostilité.

— J'étais juste passée voir un copain, un loup-garou qui vit là-bas, un des gardes, a-t-elle expliqué en se tournant vers Bill, d'une voix qui manquait singulièrement d'assurance. Que vouliez-vous que je fasse ? Si j'avais tenté de vous délivrer, j'aurais été taillée en pièces. Je ne parviens d'ailleurs pas à croire que vous puissiez vous souvenir de ce qui s'est passé. Vous étiez complètement dans le cirage.

Il y avait comme une pointe de mépris dans ces mots-là.

— Vous avez prêté main-forte à mes tortionnaires, a insisté Bill, d'un ton toujours aussi calme et d'autant plus convaincant qu'il était parfaitement impersonnel. Vous aviez une préférence marquée pour les tenailles.

— Tu n'as rien dit à personne ? s'est écrié Alcide. Tu savais que le sujet d'un autre royaume était emprisonné et torturé chez Russell et tu n'as rien fait ?

Sa voix n'avait rien de calme, et son ton était tout sauf impersonnel. Il exprimait la déception, la colère, l'insoutenable douleur de se sentir trahi.

— Oh ! Pour l'amour du Ciel ! C'est un vampire ! a répliqué Debbie, manifestement agacée. Quand j'ai appris, plus tard, que tu devais aider Sookie à le retrouver pour effacer les dettes que ton père avait contractées auprès des vampires, je me suis sentie affreusement mal. Mais, sur le moment, c'étaient juste des affaires de vampires. Pourquoi aurais-je dû avertir quelqu'un ?

— Mais comment une personne saine d'esprit peut-elle prendre plaisir à torturer qui que ce soit ?

La voix d'Alcide semblait tendue à se rompre.

Il y a eu un long, très long silence.

— Et elle a tenté de tuer Sookie, bien sûr, a repris Bill, l'air toujours aussi détaché.

— Je ne savais pas que vous étiez dans le coffre quand je l'ai poussée dedans ! s'est écriée Debbie. J'ignorais que je l'enfermais avec un vampire affamé !

Je ne sais pas ce qu'en ont pensé les autres, mais moi, je n'y ai pas cru une seule seconde.

Alcide a baissé la tête et examiné un moment ses mains ouvertes, comme s'il y cherchait une réponse. Puis il s'est redressé, rivant son regard sur Debbie, le regard d'un homme qui a décidé de prendre le coup de poignard que lui assène la vérité. Mon cœur s'est serré. Cela faisait bien longtemps que je n'avais pas été aussi désolée pour quelqu'un.

— Je te répudie, a-t-il déclaré.

J'ai vu les traits du colonel Flood se crisper et un mélange de stupeur et de respect se peindre sur le visage du jeune Sid, d'Amanda et de Culpepper, comme s'ils venaient d'assister à un rituel dont ils n'auraient jamais pu imaginer être un jour témoins.

— Je ne te vois plus. Je ne chasse plus avec toi. Je ne partage plus les plaisirs de la chair avec toi.

C'était manifestement un rite chargé d'une profonde signification pour les métamorphes. Debbie regardait Alcide, les yeux écarquillés, horrifiée par sa déclaration. Hormis les murmures des sorcières qui discutaient entre elles, le silence était total. Bouche bée, Bubba lui-même semblait percevoir la gravité du moment. Pourtant, tout ce qui s'était dit jusque-là devait lui passer largement au-dessus de la tête.

— Non ! a lâché Debbie dans un souffle, agitant les mains devant elle comme pour effacer ce qui venait de se passer. Non, Alcide !

Mais le regard d'Alcide semblait la transpercer comme si elle était invisible. À ses yeux, elle n'existait plus.

Je détestais Debbie, mais l'horreur qu'exprimait son visage était intolérable et, comme la plupart des gens présents, je me suis empressée de détourner la tête. Je préférais encore affronter le clan de Hallow.

Pam a assené son verdict avec sa brusquerie habituelle.

— Bon, très bien, a-t-elle approuvé, lapidaire. Bubba ouvrira la voie à Sookie, qui fera… ce qu'elle sait faire.

Elle a marqué un temps d'arrêt, sans doute pour réfléchir, avant d'enchaîner :

— Sookie, une petite récapitulation : nous avons besoin de connaître le nombre de personnes présentes dans le bâtiment, que ce soit ou non des sorcières, et toutes les autres infos que tu pourras glaner sur place. Envoie Bubba pour nous les transmettre, mais reste sur place pour monter la garde, au cas où la situation changerait pendant que nous nous déployons. Une fois que nous serons en position, tu pourras te replier jusqu'aux véhicules, où tu seras plus en sécurité.

Sur ce dernier point, je n'avais rien à redire : dans une armée formée de sorcières, de vampires et de loups-garous, je n'avais pas vraiment ma place.

— Ça me paraît bien, ai-je acquiescé, sans grand enthousiasme.

Une pression de doigts sur ma main droite m'a incitée à reporter mon attention sur Eric. Il semblait se réjouir à l'idée de se battre, mais il y avait toujours de l'incertitude dans son attitude et sur son visage.

— Mais qu'est-ce qui va se passer pour Eric ?

— Que veux-tu dire par là ?

— Si vous tuez tout le monde, qui va briser le sort qu'on lui a jeté ?

Je me suis tournée vers les experts en la matière : le trio des wiccans.

— Si tous les membres du clan de Hallow sont éliminés, elle comprise, est-ce que les sorts qu'elles ont jetés disparaîtront avec elles ? Ou Eric restera-t-il amnésique ?

— Le sortilège doit être rompu, a affirmé la sorcière afro-américaine, la plus âgée, celle qui paraissait si posée et si sage. S'il est rompu par celle qui l'a jeté, c'est parfait. Il peut être rompu par quelqu'un d'autre, mais ça prendra plus de temps et d'efforts, puisque nous ignorons quels composants entraient dans sa préparation.

J'évitais de regarder Alcide, qui tremblait encore. Il était toujours sous le choc, secoué par la violence des émotions qui l'avaient conduit à répudier Debbie. J'ignorais, à l'époque, qu'une telle sanction existait, mais je me prenais à regretter qu'il ne l'ait pas appliquée dès que je lui avais appris que Debbie avait essayé de me tuer. Peut-être s'était-il dit que je m'étais trompée, que ce n'était pas Debbie que j'avais sentie derrière moi, juste avant d'être poussée dans le coffre de la Lincoln.

À ma connaissance, c'était la première fois que Debbie reconnaissait devant témoins être effectivement l'auteur de cette tentative d'assassinat – même si elle prétendait ignorer que Bill était dans le coffre, inconscient. Mais pousser quelqu'un dans un coffre de voiture et l'enfermer dedans, ce n'était pas franchement ce qu'on pouvait appeler une blague de potache, si ?

— Vous croyez donc qu'il nous faut épargner Hallow, si nous voulons libérer Eric du sort dont il est victime ? disait Pam.

Cette idée n'avait pas l'air de l'enchanter. J'ai ravalé mes désillusions pour me concentrer sur le problème en cours. Ce n'était vraiment pas le moment de me mettre à ruminer mes rancœurs.

— Non ! s'est aussitôt exclamée la sorcière aux cheveux gris. Épargnez plutôt son frère, Mark. Il serait beaucoup trop dangereux de laisser Hallow en vie. Elle devra être éliminée dès que possible.

— Et vous, où serez-vous ? a demandé Pam. Que ferez-vous pour nous aider ?

— Nous resterons dehors, mais à moins de cinq cents mètres, a répondu le jeune cadre dynamique. Nous tisserons un réseau de sorts autour du QG des sorcières pour les affaiblir et les déstabiliser. Et nous avons encore d'autres petits tours dans notre sac.

Tout comme la jeune femme qui l'accompagnait – et qui s'était collé une tonne de maquillage charbonneux sur les yeux –, il semblait impatient et ravi d'avoir l'occasion d'utiliser les tours en question.

Pam a hoché la tête, comme si ce « tissage » magique lui paraissait un appui suffisant. Attendre les sorcières au tournant avec un lance-flammes m'aurait paru plus efficace.

Pendant tout ce temps, Debbie Pelt était restée plantée là, clouée sur place, comme pétrifiée. Elle a finalement repris ses esprits et a commencé à se diriger vers la porte du garage, mais Bubba l'a agrippée par le bras. Elle s'est tournée vers lui avec un sifflement de vipère, ce qui ne l'a nullement impressionné.

Aucun des loups-garous n'a bronché. On aurait vraiment cru qu'à leurs yeux, elle était devenue transparente.

— Laissez-moi partir ! s'est-elle écriée, tandis que la fureur et la détresse se mêlaient sur son visage. On ne veut pas de moi ici.

Bubba a haussé les épaules. Il se contentait de la tenir sans la brusquer, attendant manifestement le jugement de Pam.

— Si nous vous laissons partir, vous risquez de courir prévenir les sorcières de notre arrivée, a déclaré cette dernière. Cela vous ressemblerait assez, apparemment.

Debbie a eu le culot de jouer les offusquées. Quant à Alcide, il est resté aussi indifférent que s'il avait été en train de regarder le bulletin météo.

— Bill, tu t'occuperas d'elle, a décrété Chow. À la moindre alerte, supprime-la.

— Ravi de pouvoir être utile, a répondu Bill, en souriant de toutes ses dents – surtout les deux canines du haut, qui s'étaient allongées, manifestation éloquente du plaisir qu'il prendrait à exécuter cette tâche.

Après quelques ajustements concernant les transports et autres détails logistiques, et quelques conciliabules entre les sorcières, dont le combat s'annonçait très différent du nôtre, Pam a donné le signal du départ.

— Bon. Allons-y.

Pam, qui ressemblait plus que jamais à Alice au pays des merveilles avec son twin-set rose pastel et son pantalon fluide lilas, s'est levée et a vérifié la tenue de son rouge à lèvres dans le miroir, tout près de l'endroit où j'étais assise. Elle s'est souri dans la glace, comme j'avais vu des centaines de femmes le faire avant elle.

— Sookie, mon amie, a-t-elle déclaré en se tournant vers moi avec un sourire, cette nuit est une nuit à marquer d'une pierre blanche.

— Ah, oui ?

— Oui, a-t-elle insisté en posant la main sur mon épaule. Cette nuit, nous allons défendre ce qui nous appartient. Nous allons nous battre pour retrouver notre leader !

Elle a gratifié Eric d'un plus large sourire encore.

— Demain, shérif, vous serez de nouveau assis derrière votre bureau, au *Fangtasia*, a-t-elle déclaré, solennelle, avant de reprendre un ton plus naturel. Demain, tu pourras retourner chez toi, Eric, dans ta chambre, dans ton lit. Nous avons préparé ta maison pour ton retour.

J'ai coulé un regard vers Eric pour observer sa réaction. Je n'avais jamais entendu Pam lui donner du « shérif » en ma présence. Je savais que ce n'était qu'un titre, que portait tout vampire à la tête d'une zone, mais je ne pouvais pas m'empêcher d'imaginer Eric habillé en cow-boy, une étoile étincelante accrochée à sa poitrine – ou, encore mieux, en collant noir, dans le costume du méchant shérif de Nottingham. J'ai également noté avec intérêt qu'il ne partageait pas sa demeure avec Pam et Chow.

Il a décoché à Pam un regard si grave que le sourire de celle-ci s'est instantanément évanoui.

— Si je meurs, cette nuit, lui a-t-il dit en m'empoignant par l'épaule (bon sang ! Un vampire par épaule, ça faisait beaucoup pour une seule femme !), payez-la comme promis.

— J'en fais le serment, a répondu Pam, retrouvant aussitôt son ton grandiloquent. Je préviendrai Chow et Gerald.

— Sais-tu où est son frère ?

Abasourdie, je me suis brusquement écartée de Pam. Mais elle semblait aussi interloquée que moi.

— Non, shérif.

— J'avais supposé que vous auriez pu le prendre en otage pour vous assurer que Sookie ne me trahirait pas.

L'idée ne m'avait même pas traversé l'esprit. Question perfidie, j'avais encore beaucoup à apprendre, apparemment.

— J'aurais dû y penser ! s'est exclamée Pam avec admiration, faisant écho à mes propres réflexions, mais en leur donnant un tour très personnel. Sans compter que ça ne m'aurait pas déplu de garder Jason quelque temps comme otage…

Je n'en revenais pas : le pouvoir de séduction de mon frère semblait vraiment universel.

— Mais je ne l'ai pas enlevé, a-t-elle affirmé. Si nous nous en sortons, ce soir, je te promets de le chercher moi-même, Sookie. Ce ne serait pas un autre mauvais tour que nous auraient joué Hallow et ses sorcières, par hasard ?

— Ce n'est pas impossible. Claudine a dit qu'elle n'avait pas aperçu d'otages sur place, mais elle a aussi précisé qu'il y avait des pièces auxquelles elle n'avait pas eu accès. Par ailleurs, je ne vois pas pourquoi Hallow retiendrait Jason, si elle ne sait pas que j'ai Eric. Elle aurait pu se servir de mon frère pour me faire parler, tout comme vous vous seriez servis de lui pour me faire taire. Mais aucune sorcière n'a pris contact avec moi.

— Quoi qu'il en soit, je vais rappeler à tous ceux qui pénétreront dans le bâtiment de le chercher, m'a promis Pam.

— Et comment va Belinda ? Vous êtes-vous occupés de régler sa note d'hôpital ?

Elle m'a regardée comme si je parlais chinois.

— La serveuse qui a été blessée en défendant l'entrée du *Fangtasia*, lui ai-je rappelé, un peu sèchement. Ça te dit quelque chose ? L'amie de Ginger. Ginger qui y a laissé sa peau, elle.

— Oui, bien sûr, est intervenu Chow. Elle se rétablit doucement. Nous lui avons fait livrer des fleurs et des chocolats.

Il s'est tourné vers moi.

— Nous avons une très bonne assurance.

Il était aussi fier qu'un jeune père qui vient d'avoir son premier enfant.

— Parfait, a commenté Pam, apparemment satisfaite du rapport de son colocataire. Bon. On peut y aller ?

J'ai haussé les épaules.

— J'imagine. Inutile d'attendre plus longtemps.

Bill est passé devant moi, pendant que Pam et Chow se consultaient à propos du véhicule qu'ils allaient prendre. Gerald était déjà sorti pour superviser le départ.

— C'était comment, le Pérou ? ai-je demandé.

L'ombre d'Eric, blonde et gigantesque, se faisait pressante à mes côtés.

— J'ai pris énormément de notes, m'a répondu Bill. L'Amérique du Sud ne s'est jamais montrée très accueillante envers les gens de notre espèce, mais le Pérou m'a semblé moins hostile que les autres pays, et j'ai pu m'entretenir avec quelques vampires dont je n'avais encore jamais entendu parler.

Depuis des mois, Bill dressait l'inventaire des vampires du monde entier pour en faire une sorte d'annuaire que lui avait commandé la reine de Louisiane. Cette dernière pensait manifestement qu'un tel ouvrage de référence lui serait fort utile et se révélerait très pratique, opinion qui n'était pas vraiment partagée par tous les vampires : certains n'avaient aucune envie d'être démasqués, pas même aux yeux de leurs propres congénères. Il ne doit pas être facile d'abandonner la clandestinité, quand on a vécu dans le secret des siècles durant.

Il y avait encore des vampires qui vivaient dans les cimetières et chassaient les mortels la nuit, ignorant souverainement l'évolution que leur statut avait récemment subie, allant même jusqu'à nier son existence. Ils étaient un peu comme ces soldats japonais qui avaient tenu leurs positions sur des îles du Pacifique, longtemps après la fin de la Seconde Guerre mondiale.

— As-tu trouvé le temps d'aller voir ces fameuses ruines dont tu m'avais parlé?

— Le Machu Picchu? Oui. J'ai fait l'ascension tout seul. Une expérience mémorable.

J'ai essayé de me représenter Bill gravissant la montagne de nuit, visitant les ruines de cette ancienne civilisation au clair de lune. Mais je ne parvenais pas à imaginer ce qu'il avait dû éprouver: je n'avais jamais quitté les États-Unis. Je n'avais même pas souvent franchi les frontières de la Louisiane.

— C'est Bill, ton ancien conjoint?

La voix d'Eric m'a paru un peu... tendue.

— Ah... euh... c'est... Eh bien, oui, si on veut... ai-je lamentablement bredouillé.

Ancien, oui. Conjoint, pas tout à fait.

Eric a posé les deux mains sur mes épaules et s'est rapproché de moi. Pas besoin de me retourner pour savoir qu'il regardait Bill par-dessus ma tête, lequel lui rendait son regard sans ciller. Eric aurait tout aussi bien pu me planter une pancarte proclamant: «Elle est à moi» sur le crâne. Arlene me disait toujours qu'elle adorait ce moment-là, quand son ex prenait conscience que s'il ne la trouvait plus assez bien pour lui, un autre était fier de s'afficher avec elle. Tout ce que je peux dire, c'est que dans ce domaine-là, nous n'avions pas les mêmes valeurs, Arlene et moi. J'ai détesté cette confrontation. C'était horriblement embarrassant et d'un ridicule achevé.

— Tu ne te souviens vraiment pas de moi? a demandé Bill à Eric, comme s'il en avait toujours douté jusqu'à présent. Franchement, j'ai cru que c'était un stratagème d'Eric pour s'incruster chez toi jusqu'à ce qu'il parvienne à ses fins, a-t-il poursuivi à mon intention, confirmant mes soupçons.

Dans la mesure où j'avais eu exactement la même idée – même si je l'avais rapidement abandonnée –, j'étais mal placée pour protester. Mais je me suis sentie rougir jusqu'à la racine des cheveux.

— Il faut y aller, ai-je lancé à Eric, en me tournant vers lui.

Son visage était de marbre, son expression impénétrable – ce qui, chez lui, annonçait l'orage, en général. Mais il m'a accompagnée sans rien dire, quand je me suis dirigée vers la porte. La maison était en train de se vider progressivement de ses occupants, qui envahissaient la petite rue tranquille. Je me suis demandé ce que devaient penser les voisins. Bien sûr, ils savaient que les « gens d'à côté » étaient des vampires : personne dans la journée, tous les travaux de jardinage et d'entretien faits par des ouvriers, les visiteurs nocturnes d'une pâleur cadavérique... Mais ce brusque regain d'activité ne devait pas passer inaperçu.

J'ai conduit en silence. De temps à autre, Eric me caressait la main, la cuisse, le bras. Je ne savais pas avec qui Bill était monté, mais j'étais bien contente que ce ne soit pas dans la mienne. J'aurais risqué l'asphyxie, avec un pareil taux de testostérone dans ma voiture.

Bubba était à l'arrière. Il fredonnait dans son coin. Il m'a semblé reconnaître « Love me tender ».

— C'est une véritable antiquité, cette voiture, a déclaré Eric – réflexion qui tombait comme un cheveu sur la soupe.

Je n'ai pas cherché à comprendre.

— Oui.

— Tu as peur ?

— Oui.

— Si toute cette histoire finit bien, accepteras-tu encore de me voir ?

— Bien sûr que oui.

J'avais dit ça pour lui faire plaisir. J'étais persuadée qu'après ce combat plus rien ne serait jamais comme avant. Mais, dépourvu de l'assurance du véritable Eric, de son inoxydable confiance en lui, de la haute opinion qu'il avait de sa propre intelligence et de sa force, cet Eric-là était plutôt nerveux. Il s'en tirerait comme un chef, le moment venu, là n'était pas la question, mais, pour l'heure, il avait besoin qu'on lui remonte un peu le moral.

Pam avait prévu un emplacement pour chaque véhicule. Il s'agissait de ne pas alerter Hallow et son clan. Or, une brusque concentration de voitures autour de leur QG leur aurait sans nul doute mis la puce à l'oreille. J'avais donc un plan avec une croix indiquant l'endroit où je devais me garer. Il s'agissait d'une station-service, à l'intersection de deux grandes artères en pente, dans cette partie de la ville où les commerces commençaient à prendre le pas sur les habitations. Je me suis garée dans le coin le plus retiré de la station-service, près de la boutique, et, sans plus de discussion, nous sommes descendus de voiture.

pPlus de la moitié des maisons, dans la rue paisible que nous avons empruntée, étaient vides et arboraient des pancartes « À vendre » sur leur pelouse. Celles qui étaient encore habitées n'étaient pas très bien entretenues. Les véhicules en stationnement étaient en aussi piteux état que le mien, et de grandes taches pelées dans le gazon indiquaient que les jardins n'étaient ni fertilisés ni arrosés l'été. Derrière toutes les fenêtres allumées scintillait un écran de télévision.

Je me suis réjouie qu'on soit en hiver et que tous les gens se soient calfeutrés chez eux. Deux vampires blafards encadrant une blonde, ça aurait fait jaser dans le quartier. Sans compter que l'un des vampires était facilement reconnaissable, en dépit des graves séquelles résultant de son passage à l'état de vampire. Voilà pourquoi sa communauté se donnait autant de mal pour tenir Bubba à l'abri des regards indiscrets.

Il ne nous a fallu que quelques minutes pour arriver au carrefour où nous devions partir chacun de notre côté : Eric pour rejoindre les autres vampires, Bubba et moi pour aller jouer les éclaireurs. Si ça n'avait tenu qu'à moi, j'aurais continué ma route sans mot dire – j'étais désormais parvenue à un tel degré de tension qu'une simple pichenette aurait suffi à me briser comme du verre –, mais Eric n'entendait pas se contenter d'une séparation silencieuse. Il m'a brusquement empoignée par les bras et m'a embrassée en y mettant tout son cœur.

J'ai entendu Bubba grogner derrière moi.

— Ce n'est pas bien, ce que vous faites là, mam'zelle Sookie, a-t-il ronchonné d'un ton réprobateur. Bill a dit que ce n'était pas grave, mais ça ne me plaît pas.

Eric a poursuivi son baiser comme si de rien n'était.

— Navré de t'avoir offensé, lui a-t-il tout de même lancé par-dessus mon épaule, d'une voix glaciale. À tout à l'heure, mon aimée, a-t-il enchaîné dans un murmure.

J'ai posé la main sur sa joue.

— À tout à l'heure.

Et, sans rien ajouter, j'ai tourné les talons, Bubba accroché à mes basques.

— Vous ne m'en voulez pas, hein, mam'zelle Sookie ? s'est-il aussitôt inquiété.

— Mais non.

Je me suis forcée à sourire – je savais qu'il pouvait me voir dans le noir. La nuit était froide. J'avais pourtant mis mon manteau, mais il me paraissait moins épais que d'habitude. Mes mains tremblaient. J'avais les doigts gourds et le nez gelé. L'air me semblait lourd, presque palpable. Je ne décelais pourtant que de fugaces odeurs de feu de bois mêlées à celles, plus insistantes, de gaz d'échappement, d'essence, d'huile de moteur... le parfum dont la grande ville aime à s'asperger.

Mais il y avait autre chose, d'étranges effluves qui laissaient supposer que le quartier n'était pas seulement contaminé par les miasmes urbains. J'ai humé l'air. L'odeur ondoyait dans l'atmosphère, décrivant des boucles presque visibles. Après réflexion, je me suis rendu compte que cette drôle d'atmosphère poisseuse, oppressante, qui vous prenait aux tripes et vous emplissait les narines comme un arôme âcre, ne pouvait être que d'origine magique. La magie en question évoquait les souks d'une lointaine contrée exotique – tels que je les imaginais, du moins. Elle dégageait un parfum épicé, mélange d'insolite et de mystère. À haute dose, la senteur devait vite devenir insupportable. Pourquoi les habitants du quartier ne se plaignaient-ils pas auprès de la municipalité ? À moins que tout le monde n'y soit pas sensible...

— Tu ne sens pas quelque chose de bizarre, Bubba ?

J'avais parlé si bas que c'était presque un murmure. Un chien ou deux ont aboyé sur notre passage, mais ils se sont vite calmés en flairant la présence d'un vampire – je suppose que, pour eux, c'était Bubba qui avait une odeur bizarre. Les chiens ont presque toujours peur des vampires. Avec les loups-garous et les métamorphes, leur réaction est moins prévisible.

J'ai brusquement été prise d'une irrésistible envie de faire demi-tour. Chaque pas dans la bonne direction exigeait de moi un réel effort de volonté.

— Oh que si ! a répondu Bubba, chuchotant à son tour. Y en a qui ont jeté des sorts dans le coin. De la magie pour éloigner les gens.

Je ne savais pas si c'était à nos wiccans ou aux sorcières de Hallow que l'on devait ce petit tour de passe-passe, mais il était extrêmement efficace.

La nuit semblait étrangement silencieuse. Seules trois voitures nous ont dépassés tandis que nous arpentions le dédale des rues désertes. Nous n'avons croisé aucun piéton, et la sensation de menace croissait sans discontinuer. La force du sortilège augmentait à mesure que nous nous approchions de ce dont nous étions censés nous écarter.

Entre les halos des réverbères, l'obscurité paraissait plus dense. La lumière elle-même semblait porter moins loin. Quand Bubba m'a pris la main, je ne l'ai pas retirée. J'avais l'impression de progresser avec des semelles de plomb.

J'avais déjà senti cette odeur auparavant : au *Fangtasia*. Les fameux Traqueurs du colonel Flood n'avaient peut-être pas eu tant de mal que ça pour remonter jusqu'au QG des sorcières, finalement.

— On y est, mam'zelle Sookie, m'a annoncé Bubba à mi-voix.

Nous venions de tourner à l'angle d'une rue. Je savais qu'on avait jeté un sort pour me repousser, mais que je pouvais lui résister, alors j'ai continué à avancer. Mais si j'avais habité dans le quartier, j'aurais rebroussé chemin et je ne me serais même pas demandé pourquoi. L'envie d'éviter cet endroit était si violente que c'était à se demander comment les habitants du coin avaient pu rentrer chez eux après le travail. Peut-être dînaient-ils dehors. Peut-être qu'ils étaient allés au cinéma, boire un verre, voir des amis… N'importe quoi plutôt que de retourner chez eux. D'ailleurs, toutes les maisons de la rue paraissaient inoccupées.

Sur le trottoir d'en face, à l'autre bout de la rue, se trouvait la source de toute cette énergie maléfique.

Hallow avait déniché un bon endroit pour abriter ses activités : un ancien magasin mi-fleuriste, mi-boulangerie. Minnie's Flowers & Cakes offrait toute la discrétion requise. C'était la plus grande de trois boutiques mitoyennes qui avaient fermé l'une après l'autre, comme des bougies qu'on mouche sur un chandelier. Le local paraissait abandonné depuis des lustres. Les vitrines étaient recouvertes d'affiches annonçant des événements depuis longtemps passés ou appelant à voter pour des candidats depuis longtemps battus. Les panneaux de contreplaqué cloués en travers des portes vitrées témoignaient de pillages et d'intrusions répétés.

En dépit des gelées hivernales, les mauvaises herbes envahissaient les fissures du parking, vide à l'exception d'un gros container à ordures sur la droite. Je l'ai examiné de l'endroit où j'étais, de l'autre côté de la rue, m'efforçant de visualiser les lieux avant de fermer les yeux pour laisser mes autres sens prendre le relais.

Si on me l'avait demandé, j'aurais eu du mal à expliquer comment j'en étais arrivée là. J'étais sur le point de livrer une bataille dans laquelle les deux camps paraissaient plutôt suspects. Si je m'étais rangée du côté de Hallow et de ses disciples en premier, j'aurais probablement été convaincue que c'étaient les loups-garous et les vampires qui méritaient d'être éradiqués.

À cette même heure, un an plus tôt, personne ne comprenait vraiment ce que j'étais, et tout le monde s'en fichait. J'étais juste Sookie la Cinglée, la sœur d'un type pas très net, une femme que l'on plaignait ou que l'on évitait, voire les deux. Et voilà que je me retrouvais là, dans une rue glaciale de Shreveport, cramponnée à la main d'un vampire dont la tête était célèbre dans le monde entier, et dont le cerveau avait été réduit en bouillie. Était-ce vraiment ce qu'on pouvait appeler un progrès ?

Mais je n'étais pas là pour progresser, ni pour m'amuser, d'ailleurs. J'avais été envoyée en reconnaissance par une bande de créatures surnaturelles, afin de leur fournir des renseignements sur un groupe de sorcières meurtrières, suceuses de sang et capables de se changer en loups à volonté.

J'ai laissé échapper un soupir que j'espérais inaudible. Bon, après tout, personne ne m'avait encore tabassée, n'est-ce pas ?

Pour le moment.

Les yeux clos, j'ai abaissé mes barrières et orienté tous mes sens vers le bâtiment d'en face.

Des cerveaux en ébullition. Une activité mentale frénétique. J'ai presque suffoqué sous le flot de pensées qui me submergeait. Je ne savais pas si c'était dû à l'absence d'autres humains dans le voisinage ou à l'atmosphère saturée de magie, mais quelque mystérieux facteur avait aiguisé mon sixième sens jusqu'à le rendre douloureux. Il ne fallait surtout pas que je me laisse déborder. Bon, d'abord, faire le tri, mettre de l'ordre dans tout ce fatras. Pour commencer, dénombrer les cerveaux en activité – je ne les comptais pas littéralement, lobe par lobe, mais plutôt comme des grappes de pensées. Je suis arrivée à quinze : cinq dans la première pièce qui correspondait à la boutique proprement dite, un dans un espace réduit qui devait être les toilettes, et le reste dans la dernière et la plus grande pièce, à l'arrière du local. J'ai présumé que c'était l'ancienne boulangerie.

Tous les gens présents étaient éveillés. Un cerveau endormi émet encore une sorte de murmure, comme quelqu'un qui marmonne dans son sommeil, mais ça n'a rien à voir avec un cerveau qui s'éveille. Autant comparer un chiot qui s'agite en dormant à un petit chiot turbulent.

Pour collecter autant d'informations que possible, il fallait que je m'approche davantage. Je n'avais jamais tenté d'isoler les pensées des membres d'un groupe pour obtenir des réponses aussi précises que « coupable » ou « innocent ». Je ne savais même pas si c'était possible. Mais s'il y avait, dans ce bâtiment, des gens qui n'avaient rien à voir avec les agissements douteux de Hallow, je ne voulais pas qu'ils se retrouvent pris dans la mêlée.

— Plus près, ai-je chuchoté, si bas que seul un vampire pouvait m'entendre. Mais à couvert.

— Vu, a répondu Bubba sur le même ton. Vous allez garder les yeux fermés ?

J'ai hoché la tête en silence. Il m'a alors guidée sans bruit, me faisant traverser la rue pour me diriger vers le container qui se trouvait à cinq ou six mètres de l'ancien magasin. La puanteur à elle seule aurait suffi à m'indiquer où je me trouvais. Heureusement qu'il faisait froid, ce qui limitait les dégâts. Les vagues effluves de beignets graisseux et de fleurs fanées ne parvenaient pas à voiler l'odeur d'aliments avariés et de pourriture émanant de toutes ces ordures que les gens avaient jetées au passage dans cette poubelle providentielle. Le tout ne faisait pas très bon ménage avec le parfum si étrange de la magie.

Je me suis adaptée à la situation, bloquant mon odorat comme j'avais fermé les yeux, pour me focaliser sur ce que je voulais entendre. J'avais eu beau me perfectionner, ces derniers mois, cela revenait quand même à essayer d'écouter simultanément une quinzaine de conversations téléphoniques. Certaines d'entre elles provenaient de loups-garous, ce qui compliquait encore les choses. Je ne parvenais à saisir que des bribes :

... *J'espère que ce n'est pas une infection vaginale...*

... *Elle ne veut rien entendre... Pour elle, les hommes ne sont pas à la hauteur...*

... *Si je la changeais en crapaud, qui ferait la différence ?*

... *Dommage qu'il n'y ait pas de Coca light...*

... *Je vais trouver ce maudit vampire et le tuer...*

... *Mère Nature, écoutez mes prières...*

... *trop impliquée maintenant...*

... *acheter une nouvelle lime à ongles...*

Pas très concluant. Enfin, personne n'avait pensé : « Oh ! Ces sorcières démoniaques m'ont piégé ! Pour l'amour du Ciel, sortez-moi de là ! », ni : « J'entends les vampires approcher », ni rien d'aussi dramatique. On avait plutôt l'impression d'un groupe de gens qui se connaissaient, qui se sentaient à l'aise entre eux, et partageaient donc probablement les mêmes objectifs. Même la personne qui priait n'émettait aucun signal de stress ou de détresse. J'espérais seulement que Hallow ne sentirait pas mon intrusion mentale. En tout cas, les esprits que j'avais effleurés semblaient trop occupés pour s'en apercevoir, et aucun ne m'avait paru en alerte.

— Bubba, ai-je chuchoté dans un souffle à peine plus audible qu'une pensée. Va dire à Pam qu'il y a quinze personnes à l'intérieur et que, à ma connaissance, ce sont toutes des sorcières.

— Bien, mam'zelle Sookie.

— Tu sais comment retrouver Pam ?

— Oui.

— Tu peux me lâcher la main, alors.

— Oh ! OK.

— Surtout, pas un bruit. Sois prudent.

Il était déjà parti. Je me suis tapie dans l'ombre, qui me semblait plus noire que la nuit elle-même, à côté du métal glacé, parmi les odeurs, et j'ai continué d'écouter les sorcières. Il n'y avait que trois hommes dans le tas. Hallow était là. Je le savais parce qu'une des autres femmes la regardait, songeant à elle avec... terreur, ce qui m'a un peu perturbée. Je me suis demandé où elles avaient garé leurs voitures – à moins qu'elles ne soient arrivées à cheval sur un balai, ah ah. Puis j'ai réfléchi à quelque chose qui aurait dû me traverser l'esprit depuis longtemps : puisqu'elles étaient si prudentes, si rusées, si dangereuses, comment se faisait-il qu'elles n'aient pas posté de sentinelle ?

C'est alors qu'une main s'est refermée sur mon épaule.

12

— Qui êtes-vous ? a demandé une voix grêle.

Comme elle me plaquait la main sur la bouche, tout en m'appuyant un couteau sur la gorge, j'avais un peu de mal à lui répondre. Au bout d'un moment, elle a fini par s'en rendre compte et m'a obligée à me relever, avant de me pousser vers l'arrière du bâtiment :

— À l'intérieur !

Ah non. Certainement pas. Face à l'une des autres sorcières, à ces loups-garous accros au sang de vampire, j'aurais eu peu de chances d'en réchapper. Mais c'était une sorcière ordinaire, et elle n'avait pas vu Sam neutraliser des clients bagarreurs au bar. J'ai agrippé son poignet – celui qui tenait le couteau – à deux mains et je l'ai tordu de toutes mes forces, en la percutant violemment avec ma hanche pour la déstabiliser. Elle a voltigé pour s'affaler sur le sol sale et glacé. Je suis retombée sur elle et lui ai frappé la main contre le bitume jusqu'à ce qu'elle lâche son arme. Elle a éclaté en sanglots. Tout son courage s'était envolé.

— Tu parles d'une sentinelle ! ai-je lâché à voix basse, à l'intention de Holly.

— Sookie ?

Ses grands yeux humides scrutaient les ténèbres sous son bonnet de marin. Elle avait adopté une tenue fonctionnelle ce soir, et son rouge à lèvres rose vif semblait un peu incongru.

— Qu'est-ce que tu fais là ? lui ai-je demandé.

— Ils m'ont dit qu'ils s'en prendraient à mon fils si je refusais de coopérer.

J'en ai eu la nausée.

— Et tu es à leur botte depuis combien de temps, dis ? C'était déjà le cas quand je suis venue chez toi ?

Je la secouais comme un prunier.

— Non, non… Quand Hallow est entrée dans le bar avec son frère, elle a tout de suite senti la présence d'une autre sorcière. Et en parlant avec vous, elle a bien vu que c'était ni toi ni Sam. On ne peut rien lui cacher : Hallow voit tout, elle sait tout. Cette nuit-là, elle a débarqué chez moi avec Mark. Ils s'étaient battus – ils étaient dans un sale état –, et ça les avait rendus fous de rage. Mark m'a tenue pendant que Hallow me frappait. Elle aimait ça. Puis elle a vu une photo de Cody. Elle l'a prise et m'a dit qu'avec ça, elle pouvait ensorceler mon fils à distance – l'obliger à traverser la rue sans regarder ou à charger le fusil de son père…

Holly pleurait à chaudes larmes, à présent, et je ne pouvais pas lui en vouloir. Ça me rendait malade d'entendre ça. Et ce n'était même pas mon enfant à moi.

— Je lui ai juré de l'aider, a-t-elle gémi. Je ne pouvais pas faire autrement.

— Et il y en a d'autres comme toi là-dedans ?

— Qui sont là contre leur gré ? Deux ou trois, oui.

Ça expliquait certaines des pensées que j'avais captées.

— Et Jason ? Il est là-dedans aussi ?

J'avais sondé les cervelles des trois hommes à l'intérieur et aucun d'eux ne m'avait paru être mon frère, mais il fallait que je sois sûre.

— Jason est un wiccan ? s'est-elle exclamée dans un souffle, en retirant sa casquette pour se passer la main dans les cheveux.

— Non, non. Est-ce que Hallow le retient en otage ?

— Je ne l'ai pas vu. Mais qu'est-ce que tu voudrais qu'elle fasse de Jason ?

Je me leurrais depuis le début. Un de ces jours, un chasseur trouverait les restes de mon frère. Ce sont toujours les chasseurs, ou les gens qui promènent leur chien, qui retrouvent des cadavres. J'ai senti le sol se dérober littéralement sous mes pieds. Puis je me suis rappelée à l'instant présent, repoussant les émotions sur lesquelles je ne pouvais me permettre de m'attarder pour l'instant.

— Il faut que tu fiches le camp, Holly, ai-je poursuivi d'une voix pressante, aussi bas que l'urgence de la situation le permettait. Quitte cet endroit. Tout de suite.

— Mais elle va s'en prendre à mon fils.

— Je te jure que non.

Elle a semblé voir quelque chose sur mon visage qui l'a convaincue.

— J'espère que vous allez tous les tuer ! a-t-elle craché avec autant de véhémence qu'on peut en mettre dans un murmure. Il n'y a que Parton, Chelsea et Jane qui méritent d'être sauvés. On les a fait chanter, comme moi. C'est juste des wiccans qui ne demandent qu'à vivre leur petite vie tranquillement, comme moi. On veut de mal à personne.

— À quoi ils ressemblent ?

— Parton doit avoir dans les vingt-cinq ans, cheveux courts bruns, petits, avec une tache de naissance sur la joue. Chelsea a seize, dix-sept ans et les cheveux teints en rouge vif. Jane… euh… eh bien, Jane, c'est la vieille dame type : cheveux blancs, chemisier à fleurs, lunettes ringardes… Enfin, tu vois.

Si ma grand-mère avait encore été là, cette façon de coller toutes les vieilles femmes dans le même sac aurait valu à Holly un savon mémorable. Mais Gran – que Dieu ait son âme – n'était plus de ce monde, et je n'avais pas le temps de faire la morale à sa place.

— Mais pourquoi Hallow n'a-t-elle pas choisi une de ses sorcières pour monter la garde?

Simple curiosité de ma part.

— Il y a un grand rituel prévu ce soir, et tout le monde est réquisitionné. Et puis, elles n'avaient pas envie de se geler dehors par ce froid, a-t-elle ajouté, un soupçon d'ironie dans la voix. Mais comment tu as fait pour résister au sort de répulsion? Je n'arrive pas à croire qu'il n'ait pas marché. Tu dois être drôlement coriace.

— Merci, Holly. Vas-y, maintenant, lui ai-je dit en l'aidant à se relever. Ne t'occupe pas de ta voiture. File vers le nord. Tire-toi d'ici aussi vite que tu peux.

Au cas où elle n'aurait pas su où se trouvait le nord, j'ai pointé la direction du doigt.

Holly a décampé sans demander son reste. Ses Nike ne faisaient pratiquement aucun bruit sur le bitume craquelé. Ses cheveux noir corbeau ont paru absorber la lumière quand elle est passée sous un réverbère.

L'odeur de magie qui émanait de la boutique a semblé s'intensifier. Je me suis demandé ce que je devais faire, à présent. Il fallait que je me débrouille, d'une façon ou d'une autre, pour que les wiccans qui avaient été contraints de servir Hallow ne paient pas pour les autres. Mais je ne voyais absolument pas comment m'y prendre.

Dans les secondes qui ont suivi, une foule d'idées à peine ébauchées et d'impulsions avortées se sont succédé à une vitesse folle dans ma tête. Toutes débouchaient sur une impasse.

Me ruer à l'intérieur en braillant: « Parton, Chelsea, Jane, dehors! », c'était vendre la mèche et alerter toutes les sorcières. Autrement dit, condamner certains de mes amis – de mes alliés, du moins – à une mort certaine.

Essayer de prévenir les vampires de la présence d'innocents dans le bâtiment ? Il y avait de grandes chances pour qu'ils s'en moquent éperdument. Et même si, par miracle, ils étaient pris d'un accès de bonté, ils seraient obligés de sauver tout le monde pour pouvoir faire le tri après, ce qui laisserait tout le temps aux adeptes de Hallow de contre-attaquer – les sorcières n'ont pas besoin de se battre physiquement pour se défendre.

J'aurais dû retenir Holly pour qu'elle m'aide à pénétrer dans le bâtiment – mais mettre une mère affolée en danger n'était pas défendable.

J'ai soudain senti une masse chaude et velue se presser contre mon flanc. Des yeux et des crocs étincelants ont surgi dans la nuit. J'ai failli hurler, avant de reconnaître Alcide. Il était énorme. Le pelage argenté autour de ses yeux faisait ressortir le noir lustré de sa fourrure.

Je me suis blottie contre lui.

— Il y en a trois, à l'intérieur, qui n'y sont pour rien. Il faut les épargner. Mais je ne sais pas comment m'y prendre.

Évidemment, le loup qui me dévisageait de ses grands yeux luisants n'était pas plus avancé que moi. Il s'est contenté d'un petit couinement plaintif de chiot esseulé. J'aurais déjà dû me replier vers les voitures depuis longtemps. Et voilà que j'étais coincée là, au beau milieu de la zone dangereuse. Je percevais des mouvements furtifs tout autour de moi. Alcide s'est éloigné pour rejoindre son poste, à la porte de l'arrière-boutique.

— Mais qu'est-ce que tu fais encore ici ? m'a soudain demandé Bill.

Il avait réussi à communiquer sa fureur dans un murmure à peine audible.

— Il y a trois innocents là-dedans, lui ai-je expliqué dans un souffle. Des sorcières locales. On les a embrigadées de force.

Bill a laissé échapper une exclamation entre ses dents. Et ça ne ressemblait pas à une exclamation de joie.

Je lui ai transmis les descriptions que Holly m'avait données. Il était déjà passé en mode « combat », et sa tension était palpable.

C'est alors que Debbie Pelt a débarqué.

— Je vous avais dit de rester où vous étiez, lui a jeté Bill, sur un ton à vous glacer le sang.

— Alcide m'a répudiée, m'a-t-elle dit.

Comme si je n'avais pas assisté à la scène !

— Qu'est-ce que tu espérais ? ai-je répliqué, exaspérée.

Ah ! Elle choisissait bien son moment pour jouer les femmes blessées ! N'avait-elle donc jamais entendu parler de certains pots cassés qu'il fallait payer ?

— Je dois faire quelque chose pour regagner sa confiance.

Elle s'était trompée de porte, si elle pensait racheter sa dignité.

— Alors, aide-moi à sauver les trois innocents qui sont là-dedans.

Je haïssais cette femme, mais si elle pouvait m'être utile, je devais faire alliance avec elle. Je lui ai brièvement exposé le problème.

— Mais comment se fait-il que tu n'aies pas pris ta forme animale ? lui ai-je tout de même demandé – ça m'intriguait.

— Je ne peux plus. Alcide m'ayant répudiée, je n'ai plus le droit de me transformer au sein de sa meute.

Je risquerais ma peau, sinon. Ils auraient le droit de me tuer. C'est la loi.

— Tu te changes en quoi, au fait ?

— En lynx.

Un carnassier furtif et sans états d'âme. J'ai trouvé que ça lui allait plutôt bien.

— Bon. Allons-y, lui ai-je lancé à mi-voix, en commençant à me faufiler dans l'obscurité vers la boutique abandonnée.

— Attendez ! a chuchoté Bill. Je suis censé passer par la porte de derrière avec Alcide. Eric y est déjà.

— Alors, vas-y !

J'ai senti une autre présence dans mon dos et j'ai jeté un bref coup d'œil par-dessus mon épaule. C'était Pam. Elle m'a souri, découvrant des crocs longs comme le pouce. L'effet était un brin déstabilisant.

Si les sorcières enfermées à l'intérieur n'avaient pas été plongées dans la préparation de leur rituel et si elles ne s'étaient pas reposées sur leur magie et sur une sentinelle très moyennement motivée, nous ne serions peut-être pas parvenues jusqu'à la porte sans nous faire repérer. Il faut croire que la chance était avec nous. Pam, Debbie et moi avons donc atteint l'entrée du magasin sans encombre. Nous y avons retrouvé le petit Sid – même en loup, je l'ai reconnu. Bubba était avec lui.

J'ai été prise d'une subite inspiration. J'ai entraîné Bubba à l'écart.

— Saurais-tu retrouver les wiccans ? ai-je chuchoté. Celles qui sont avec nous ?

Bubba a hoché la tête avec conviction.

— Alors, va leur dire qu'il y a trois des leurs à l'intérieur, qui n'y sont pour rien. Demande-leur de jeter un sort quelconque pour qu'on puisse les reconnaître, d'accord ? Tu as compris ?

— Je leur dirai, mam'zelle Sookie. Elles sont cool avec moi.

— Tu es un brave garçon, Bubba. Fais vite, et surtout pas un bruit.

Il a opiné et s'est fondu dans la nuit.

L'odeur de magie était maintenant devenue si forte, autour du bâtiment, que j'avais du mal à respirer.

— Où est passé Bubba ? s'est tout à coup alarmée Pam.

— Je l'ai envoyé contacter nos wiccans. Trois des leurs sont enfermés là-dedans. Je veux qu'elles nous aident à les identifier pour qu'on ne les tue pas.

— Mais il faut qu'il revienne tout de suite ! C'est lui qui doit abattre la porte pour moi !

— Mais…

La réaction de Pam me prenait de court.

— De toute façon, il ne peut pas entrer sans y être invité, ai-je objecté.

— Bubba a le cerveau en vrac : sa signature mentale n'est pas celle d'un vrai vampire. Il peut entrer partout sans invitation.

J'en suis restée bouche bée.

— Mais je… Mais… pourquoi tu ne me l'as pas dit ? ai-je lamentablement bredouillé.

Elle s'est contentée de lever les yeux au ciel. À bien y réfléchir, j'avais effectivement vu Bubba entrer au moins deux fois quelque part sans y avoir été invité. Je n'y avais tout bonnement pas fait attention, sur le moment, et je n'en avais pas tiré les conclusions qui s'imposaient.

— Bon. Alors, ça va être à moi d'entrer en premier, ai-je courageusement déclaré, d'un ton dégagé – à l'intérieur, je me liquéfiais. Ensuite, je n'aurai plus qu'à vous inviter à entrer, non ?

— Oui, ça suffira. Le bâtiment ne leur appartient pas. Ce n'est pas comme si c'était chez elles.

— Et on fait ça maintenant ?

Pam a eu une sorte de petit reniflement méprisant. Je discernais parfaitement ses yeux étincelants dans le halo du réverbère : l'imminence du combat la galvanisait.

— Évidemment. Tu veux peut-être attendre qu'on t'envoie un bristol ?

Seigneur, préservez-moi des sarcasmes des vampires !

— Tu crois que Bubba a eu le temps de rejoindre nos wiccans ?

— Mais oui. Allez ! À l'attaque ! Allons saigner les sorcières ! a-t-elle lancé dans un murmure frémissant d'impatience.

Il était clair que le sort des innocents ne figurait pas en tête de ses préoccupations. Tout le monde semblait brûler d'en découdre, sauf moi. Le jeune Sid arborait un rictus carnassier.

— Je défonce, tu entres, m'a dit Pam.

Et elle m'a planté un rapide baiser sur la joue. Sidérant.

Je me suis placée juste derrière elle et je l'ai regardée replier sa jambe droite pour prendre de l'élan, puis donner un coup de pied dans la porte avec la puissance d'un bulldozer. Le verrou a sauté et la porte s'est ouverte tandis que les panneaux de contreplaqué explosaient. J'ai bondi à l'intérieur en hurlant : « Entrez ! » à l'intention des vampires – celle qui était derrière moi et ceux qui se tenaient en embuscade, à l'arrière du bâtiment. Pendant une seconde, je me suis retrouvée seule dans le repaire des sorcières. Elles se sont toutes tournées vers moi, médusées.

La pièce était pleine de bougies et de gens assis par terre sur des coussins. Pendant que, dehors, les nôtres prenaient position, à l'intérieur tout le monde semblait s'être regroupé dans la boutique. Les sorcières formaient un cercle, chacune avec une bougie allumée, un bol et un couteau devant elle.

Des trois wiccans que je voulais sauver, Jane était la plus facile à repérer : c'était la seule femme aux cheveux blancs. Elle portait un rouge à lèvres orange vif qui avait bavé et elle avait du sang séché sur la joue. Je l'ai attrapée par le bras pour la pousser dans un coin. Autour de moi, l'anarchie la plus complète éclatait. Il n'y avait que trois hommes dans la pièce : le frère de Hallow, Mark, qui se faisait attaquer par une meute de loups ; un type d'une trentaine d'années aux joues creuses et aux cheveux d'un noir suspect qui était en train de baragouiner je ne sais quelle incantation tout en sortant un cran d'arrêt de la veste posée à côté de lui (il était trop loin pour que je puisse faire quoi que ce soit. J'espérais que les autres sauraient se protéger) ; enfin, Parton, que j'ai reconnu à sa tache de naissance sur la joue. Recroquevillé sur lui-même, la tête entre les genoux, il se couvrait le crâne à deux mains. Je savais ce qu'il ressentait.

Je l'ai tiré par le bras. Il s'est tout de suite débattu, forcément. Mais il était hors de question que je me fasse tabasser une fois de plus. Alors, je lui ai balancé mon poing dans la figure. Il a hurlé, ajoutant ses cris à la cacophonie ambiante. Je l'ai expédié dans le coin où se trouvait déjà Jane. C'est à ce moment-là qu'ils se sont tous les deux mis à scintiller : nos wiccans avaient jeté un sort, comme je le leur avais demandé. Il fonctionnait super bien, d'ailleurs. Il arrivait juste un peu trop tard, c'est tout. Il ne me restait plus qu'à localiser une adolescente scintillante aux cheveux rouges.

C'est là que les choses ont commencé à mal tourner. Chelsea scintillait, certes, mais elle était déjà morte. On l'avait égorgée : l'œuvre d'un loup, manifestement. Un des leurs ? Un des nôtres ? Ça n'avait plus beaucoup d'importance, maintenant.

Je me suis faufilée à travers la mêlée pour rejoindre les deux wiccans survivants. Je les entraînais déjà vers la sortie quand Debbie Pelt a débarqué.

— Fichez le camp d'ici, leur ai-je crié pour couvrir le tumulte. Allez retrouver les autres wiccans ou rentrez chez vous. Courez, prenez un taxi, ce que vous voulez, mais déguerpissez!

— Le quartier n'est pas très sûr, a protesté Jane d'une voix chevrotante.

Je l'ai regardée une seconde sans rien dire, incrédule.

— C'est mieux ici, peut-être?

La dernière fois que je les ai vus, ils franchissaient le seuil dans le sillage de Debbie Pelt, qui leur donnait des instructions. Je m'apprêtais à les suivre – je n'étais pas censée être là, rappelez-vous – quand une sorcière changée en louve a essayé de me mordre à la jambe. Sa mâchoire a claqué, mais ne s'est refermée que sur la toile de mon pantalon. Ça a quand même suffi à me retenir. J'ai failli tomber. Heureusement, j'ai réussi à me raccrocher au montant de la porte. C'est alors qu'une seconde vague de loups-garous et de vampires a surgi de l'arrière-boutique. La louve s'est ruée vers eux pour contrer cette nouvelle offensive.

La pièce n'était que corps lacérés, giclées de sang et hurlements.

Les sorcières se battaient comme des furies. Celles qui en avaient le pouvoir s'étaient déjà transformées. Hallow n'était plus qu'un monstre grondant et grognant, un tourbillon de fourrure noire, de griffes et de crocs qui déchiquetaient tout ce qui se trouvait à leur portée. Son frère essayait vraisemblablement de jeter un sort quelconque, lequel exigeait, manifestement, qu'il garde forme humaine. Il s'efforçait de repousser loups-garous et vampires assez longtemps pour achever son incantation.

Lui et le type aux joues creuses se sont mis à chanter. Ils semblaient très concentrés. Pourtant, Mark a réussi à donner un coup de poing à Eric sans s'interrompre. Touché à l'estomac, le vampire s'est plié en deux.

Et soudain, une épaisse brume a commencé à envahir la pièce. Les sorcières, qui se battaient au couteau ou avec leurs crocs de loups-garous, ont dû comprendre ce qui se passait, et celles qui pouvaient encore parler ont joint leur voix au chœur des deux hommes qui psalmodiaient. Le nuage de brouillard est devenu si opaque qu'en quelques secondes, je n'ai presque plus rien pu distinguer.

J'ai bondi vers la porte pour échapper aux vapeurs suffocantes : à chaque inspiration, j'avais l'impression d'aspirer des boules de coton. J'ai tendu les mains en avant, mais le pan de mur que j'ai touché ne présentait aucune ouverture. Bon sang ! Mais la porte était juste là ! J'ai senti la panique me gagner. Je tâtonnais à l'aveuglette, cherchant désespérément la sortie.

Non seulement je n'ai pas réussi à retrouver la porte, mais, en faisant un pas de côté, j'ai perdu complètement le mur et j'ai buté sur un corps de loup. Je l'ai rapidement examiné, à la recherche d'une blessure quelconque, mais je n'ai rien trouvé. Alors, je l'ai saisi par les pattes pour tenter de le soustraire au brouillard ensorcelé.

C'est à ce moment-là que l'animal a commencé à se contorsionner. Il s'est transformé juste sous mon nez, laissant la place à une femme nue… une femme qui n'était autre que Hallow ! Je ne savais pas qu'un loup-garou pouvait se métamorphoser aussi vite. Terrifiée, j'ai aussitôt lâché la sorcière et j'ai reculé dans la brume. J'avais voulu jouer les bons Samaritains, mais avec la mauvaise victime. Brusquement, on m'a agrippée par-derrière avec une force surhumaine. C'était une des sorcières. Elle a essayé de m'enserrer la gorge, tout en me maintenant par le bras. Je l'ai mordue aussi fort que j'ai pu. C'était peut-être une sorcière doublée d'un loup-garou et elle avait peut-être bu sa pinte de sang de vampire avant de venir, mais elle faisait une piètre guerrière. Elle m'a lâchée avec un hurlement de douleur.

J'étais maintenant complètement désorientée. Où était la sortie ? Je toussais violemment et j'avais des fontaines à la place des yeux. Tous mes sens étaient affectés par les tourbillonnantes volutes blanches qui épaississaient à vue d'œil. Les vampires étaient avantagés, dans une telle situation : ils ne respiraient pas. Moi, si. Comparé à la purée de pois qui régnait dans l'ancienne boulangerie, l'air pollué de la ville était un pur délice.

Malgré ma toux et mes larmes, j'ai projeté les bras en avant pour essayer de trouver une paroi, une fenêtre, un repère quelconque. La boutique, qui ne m'avait pourtant pas paru immense, semblait avoir pris des proportions gigantesques. J'avais l'impression de déambuler à travers un vide infini. C'était impossible, bien sûr, à moins que les sorcières n'aient changé les dimensions du bâtiment. Mais mon esprit cartésien se refusait à accepter une telle éventualité. Tout autour de moi, j'entendais des cris et des bruits mats étouffés par la brume ensorcelée, ce qui ne les rendait que plus terrifiants. Mon manteau a brusquement été maculé de rouge. J'ai senti le sang éclabousser mon visage et laissé échapper un gémissement de désarroi. Je savais que ce n'était pas mon sang et je savais que je n'étais pas blessée, mais, bizarrement, j'avais du mal à le croire.

Puis quelque chose est tombé devant moi. J'ai aperçu un visage au passage : celui de Mark Stonebrook, qui agonisait. La brume s'est refermée sur lui, et il a disparu.

J'ai envisagé de ramper – l'air était peut-être plus respirable au ras du sol. Mais tout ce que je risquais de trouver par terre, c'étaient le cadavre de Mark Stonebrook et tout un tas d'autres choses tout aussi sympathiques. *En tout cas, ce n'est pas Mark qui va délivrer Eric du sortilège*, ai-je songé distraitement. *Il va falloir passer par Hallow maintenant*.

J'avais beau me répéter que j'étais courageuse, combative, pleine de ressources, ça sonnait creux. J'ai repris ma route à tâtons, en levant les pieds pour ne pas buter sur les débris éparpillés sur le sol. L'attirail des sorcières – bols, couteaux, bouts d'os et de végétal que je n'avais pas pu identifier – s'était trouvé dispersé dans la bataille. Le brouillard s'est soudain dissipé à mes pieds, et j'ai aperçu un bol retourné et un couteau. J'ai pris le couteau avant que les volutes blanches ne l'engloutissent de nouveau. C'était un objet utilisé pour un rituel magique, sans doute, mais peu importait : même si je n'étais pas une sorcière, je saurais m'en servir pour me défendre. Je me sentais déjà mieux avec une arme, si modeste soit-elle. D'ailleurs, elle était belle, finement ciselée, et la lame en était extrêmement aiguisée.

Je me suis demandé ce que fabriquaient nos wiccans. Était-ce à elles que nous devions ce nuage asphyxiant ? Merci du cadeau !

En fait, nos sorcières vivaient en direct le combat qui se déroulait à quelques centaines de mètres d'eux. Comme je devais l'apprendre par la suite, une de leurs sœurs de clan était hydromancienne : elle pouvait voir ce qui se passait de notre côté à la surface d'une bassine d'eau. Avec cette méthode, elle distinguait même beaucoup mieux que nous ce qui se passait, car elle ne voyait pas de tourbillon de nuages blancs sur sa bassine – je n'ai jamais compris pourquoi, d'ailleurs.

Toujours est-il que nos sorcières ont créé une averse... à l'intérieur de la boutique! Je ne sais par quel miracle, la pluie a dissipé le brouillard ensorcelé et, bien que trempée et glacée jusqu'aux os, j'ai découvert que je me trouvais juste devant la porte qui donnait sur l'arrière-boutique. Peu à peu, des formes se sont dessinées autour de moi. La pièce s'était subitement éclairée, comme illuminée de l'intérieur, et je commençais à distinguer des silhouettes. L'une d'entre elles s'est alors ruée sur moi, sur des jambes qui ressemblaient plus à des pattes qu'à autre chose, et le visage de Debbie Pelt m'a sauté à la figure. Mais que faisait-elle ici? Je l'avais vue sortir avec les deux wiccans tout à l'heure!

Je ne sais pas si c'était plus fort qu'elle, si elle s'était laissé gagner par la folie du combat, mais elle s'était partiellement transformée. Des poils envahissaient sa figure, et ses dents avaient commencé à s'allonger et à s'aiguiser. Sa mâchoire, gênée par un spasme causé par sa transformation, a claqué à un cheveu de ma gorge. J'ai voulu reculer, mais j'ai trébuché sur quelque chose et il m'a fallu une ou deux précieuses secondes pour retrouver mon équilibre. Déjà, elle se jetait sur moi. Son intention ne faisait aucun doute: je lisais ma mort dans son regard. Je me suis alors souvenue du couteau que je tenais à la main. J'ai fendu l'air de ma lame. Elle a hésité, retroussant les babines sur des crocs impressionnants en grondant.

Elle allait profiter de la confusion ambiante pour régler ses comptes avec moi. Je n'étais pas de taille à affronter un métamorphe – surtout un lynx! J'allais devoir me servir de mon couteau. Quelque chose se recroquevillait au fond de moi à cette idée.

C'est alors que, des écharpes de brume, a jailli une main ensanglantée. Elle s'est refermée sur la gorge de Debbie Pelt et a commencé à serrer, à serrer... Avant que je ne puisse remonter, en suivant le bras, jusqu'au visage de son propriétaire, un loup tapi contre le mur m'a sauté dessus. Sous la violence du choc, j'ai basculé en arrière.

Le monstre s'est mis à me flairer... et a soudain été projeté à terre. Il a roulé sur le sol, grognant, donnant des griffes et des dents contre un autre loup. Je ne pouvais pas intervenir : la lutte était si acharnée que je ne parvenais plus à distinguer les deux bêtes. Je risquais d'attaquer mon sauveur.

La brume se dispersait rapidement, à présent, et je pouvais découvrir la pièce dans son intégralité. Quelques secondes auparavant, j'aurais donné cher pour parvenir à regarder autour de moi. Maintenant, je le regrettais presque. Au milieu des coussins éparpillés, entre bols et bougies renversés, morts et blessés jonchaient le sol. Les murs étaient couverts de sang. Portugal – le beau gosse de l'armée de l'air – gisait à mes pieds. Agenouillée à ses côtés, Culpepper sanglotait son désespoir. Une scène de guerre parmi tant d'autres, sans doute. Mais j'aurais préféré ne pas voir ça. C'était un spectacle atroce.

Hallow était toujours debout et parfaitement opérationnelle. À l'instant même où je levais les yeux vers son corps nu maculé de sang, elle attrapait un loup à mains nues et le projetait contre un mur. Triomphante et souveraine, elle était magnifique et abominable. C'est alors que j'ai aperçu un vampire qui rampait derrière elle. Je n'avais jamais vu Pam que tirée à quatre épingles. J'ai failli ne pas la reconnaître. Hirsute, sale et dépenaillée, elle s'est détendue comme un ressort et a agrippé Hallow aux hanches pour la projeter au sol. La manœuvre aurait fait honneur aux meilleurs des footballeurs que j'avais vus lors des matchs du vendredi soir. Si Pam l'avait attrapé un tout petit peu plus haut pour assurer sa prise, tout aurait été terminé. Hélas, la brume et le sang avaient rendu Hallow glissante, et elle avait les bras libres. Alors même que Pam la clouait au sol, elle a réussi à se retourner et lui a empoigné les cheveux à pleines mains avant de tirer violemment, arrachant des touffes entières, attachées à des lambeaux de peau.

Pam a poussé un cri semblable à un hurlement de bouilloire géante. Jamais je n'aurais imaginé qu'une gorge puisse émettre un son d'une telle puissance. Pam étant une fervente adepte de la loi du talion, elle a vite corrigé son erreur tactique : elle a saisi Hallow par les bras et s'est abattue sur elle, pesant de tout son poids pour l'écraser. Mais la sorcière était d'une force colossale, et Pam était gênée par le sang qui lui dégoulinait dans les yeux. Seulement… Hallow était mortelle, pas son adversaire. Pam était en passe de l'emporter quand le type aux joues creuses s'est abattu sur elle et l'a mordue au cou. Pam avait les deux mains occupées : elle ne pouvait pas l'en empêcher. Mais il ne se contentait pas de la mordre, il la saignait. Et plus il buvait de son sang, plus ses forces augmentaient. Il buvait à même la source. Personne ne semblait s'en apercevoir, sauf moi. J'ai enjambé les cadavres d'un loup et d'un vampire pour fondre sur le type aux joues creuses… qui m'a tout bonnement ignorée.

Cette fois, j'allais bel et bien devoir me servir de mon couteau. Je n'avais jamais fait une chose pareille. Quand j'avais frappé quelqu'un, il s'agissait toujours d'une lutte à mort, et la mort que je tentais d'éviter alors, c'était la mienne. Là, c'était différent. Cependant, plus j'hésitais, plus Pam faiblissait : elle ne serait plus capable de retenir Hallow très longtemps. J'ai refermé la main sur le manche noir du couteau et j'ai appuyé la lame contre la gorge du type. Je l'ai enfoncée un peu.

— Lâche-la !

Il a continué à boire comme si de rien n'était.

J'ai appuyé un peu plus fort. Un filet rouge a ruisselé dans son cou. Ça a suffi à le faire obéir. Quand il a relevé la tête, il avait la bouche toute barbouillée de sang. Je n'ai même pas eu le temps de me réjouir qu'il l'ait relâchée. Déjà, il se tournait tout entier sur moi. Il me fixait avec des yeux de dément, sa bouche grande ouverte pour s'abreuver à mon propre cou. Je percevais la soif dévorante et insatiable battant avec frénésie sous son crâne. J'ai de nouveau appuyé la lame contre son cou et, juste au moment où je prenais mon courage à deux mains pour l'achever, il s'est jeté sur moi, s'enfonçant lui-même le couteau dans la gorge.

Son regard s'est fait vitreux. C'était une mort en direct, juste sous mes yeux, une mort dont j'avais été l'instrument, même involontairement.

Quand j'ai réussi à détacher les yeux du macabre spectacle, Pam était à califourchon sur Hallow, les genoux en appui sur ses bras, et elle souriait de toutes ses dents. Ça m'a paru si étrange que j'ai jeté un regard circulaire pour voir ce qui la réjouissait tant. Apparemment, la bataille était gagnée. Combien de temps ce combat à l'aveugle dans la brume avait-il duré ? Je n'en savais rien, mais je n'en voyais que trop concrètement les effets.

Les vampires ne tuent pas proprement : ils massacrent. Et, question bonnes manières, les loups ne valent pas mieux. C'était une vraie boucherie, comme dans un très mauvais film d'horreur, de ceux qui donnent honte d'avoir payé pour les voir.

Nous l'avions donc emporté.

Sur le coup, ça ne m'a pas vraiment touchée. J'étais juste fatiguée, moralement et physiquement, ce qui voulait dire que toutes les pensées des autres humains – et quelques-unes des loups-garous – tournaient sous mon crâne comme du linge sale dans une machine à laver. Incapable de redresser mes barrières mentales, j'ai laissé les bribes de monologues intérieurs s'enchevêtrer, tout en mobilisant mes dernières forces pour repousser le cadavre qui m'écrasait. Puis je suis restée allongée sur le dos, à regarder le plafond. Comme j'avais la tête vide, toutes les réflexions des autres venaient s'y loger. Ils pensaient pratiquement tous à la même chose que moi : à l'immense fatigue qu'ils ressentaient, à tout ce sang sur les murs, à cette bataille qu'ils venaient de livrer et à laquelle ils n'en revenaient pas d'avoir survécu. Le jeune homme aux cheveux en pétard avait recouvré forme humaine et constatait qu'il avait pris bien plus de plaisir à ce bain de sang qu'il n'aurait dû. Sa nudité ne laissait d'ailleurs aucun doute quant à la jouissance qu'il en retirait. Il s'efforçait d'en ressentir de la honte. Mais il pensait surtout à retrouver cette jolie wiccan et à partir avec elle dans un coin plus discret. Quant à Hallow, elle haïssait Pam, elle me haïssait, elle haïssait Eric... bref, elle haïssait le monde entier. Elle était en train de marmonner une invocation pour nous rendre tous malades, mais Pam lui a donné un coup de coude dans le cou. Ce qui l'a calmée immédiatement.

Debbie Pelt s'est relevée, considérant la scène de carnage qui s'offrait à ses yeux. Elle semblait fraîche comme un gardon et, à en croire son expression, aussi innocente que l'enfant qui vient de naître, comme si elle n'avait jamais eu un seul poil sur le visage et ne soupçonnait même pas que l'on puisse attenter à la vie de quelqu'un. Elle s'est frayé un chemin entre les corps, certains encore en vie, d'autres pas, jusqu'à ce qu'elle trouve celui d'Alcide, qui n'avait pas encore repris sa forme humaine. Elle s'est accroupie à côté de lui pour l'examiner, vérifier qu'il n'était pas blessé.

Il s'est aussitôt mis à gronder. L'avertissement paraissait clair. Mais peut-être a-t-elle cru qu'il n'oserait pas l'attaquer, ou peut-être s'est-elle abusée elle-même. Toujours est-il que, quand elle a posé la main sur son épaule, il l'a mordue sauvagement, jusqu'au sang. Elle a reculé d'un bond en hurlant. Pendant quelques instants, elle est restée là, prostrée et en larmes, à tenir sa main ensanglantée contre son sein. Soudain, ses yeux ont rencontré les miens. Ils étaient brûlants de haine. Elle ne me pardonnerait jamais. Elle m'en voulait à mort. Alcide avait découvert sa véritable nature, et elle m'en rendait responsable. Elle avait joué avec lui pendant deux ans, l'aguichant, le repoussant, ne le reprenant que pour mieux le lâcher, tout en veillant soigneusement à ne rien lui montrer du côté le plus sombre de sa personnalité. Elle savait pertinemment qu'il n'aurait jamais pu l'accepter telle qu'elle était, mais elle était déterminée à le garder. Et maintenant, elle l'avait perdu. Pour toujours.

Et c'était ma faute ?

Mais je raisonnais comme un être humain rationnel, pas comme Debbie Pelt. Dommage que la main qui s'était refermée sur son cou, pendant la bataille, ne l'ait pas étranglée ! Je l'ai suivie des yeux tandis qu'elle poussait la porte pour se fondre dans la nuit. À ce moment-là, j'ai su avec une absolue certitude que Debbie Pelt me poursuivrait sans relâche jusqu'à la fin de mes jours. Avec un peu de chance, peut-être que sa morsure s'infecterait et qu'elle en mourrait…

Réflexe conditionné, je me suis sermonnée : il ne fallait pas souhaiter des choses pareilles. C'était le Mal qui nous inspirait de telles pensées : Dieu, lui, interdisait que l'on veuille du mal à quiconque. J'espérais juste qu'Il écoutait aussi ce que se disait Debbie Pelt, comme on souhaite que le gendarme qui vient de vous coller une amende ne rate pas le type derrière vous qui a essayé de vous faire une queue de poisson en vous doublant sur la ligne blanche continue.

C'est alors que la louve aux cheveux rouges s'est avancée vers moi. Amanda avait recouvré forme humaine et arborait, çà et là, quelques belles morsures et une grosse bosse sur le front. Mais elle avait un sourire jusqu'aux oreilles.

— Pendant que je suis encore de bon poil, j'aimerais que vous me pardonniez de vous avoir insultée, m'a-t-elle lancé. Non seulement vous n'avez pas eu peur de vous jeter dans la mêlée, mais vous vous en sortez sans une égratignure. Même si je ne comprends toujours pas comment vous faites pour les supporter, je ne vous en veux plus de vous compromettre avec les vampires. Vous ouvrirez les yeux un jour.

J'ai hoché la tête sans rien dire et, sans un mot de plus, elle est retournée auprès de ses frères de meute.

Pam avait ligoté Hallow et se trouvait à présent agenouillée avec Eric et Gerald aux côtés de quelqu'un, à l'autre bout de la pièce. Je me suis vaguement demandé ce qui se passait là-bas. Mais Alcide venait de recouvrer forme humaine et rampait vers moi. Il était nu comme un ver, et le spectacle ne devait pas manquer d'intérêt, mais j'étais trop épuisée pour l'apprécier. L'idée d'enregistrer la scène m'a cependant traversé l'esprit. J'aurais sans aucun doute eu plaisir à me la repasser en boucle, durant mes longues soirées d'hiver…

Il avait des bleus, des égratignures un peu partout et une profonde entaille à la cuisse, mais, dans l'ensemble, il semblait s'en être plutôt bien tiré.

— Tu as du sang sur la figure, m'a-t-il dit en déglutissant avec peine.

— Ce n'est pas le mien.

— Dieu merci! a-t-il soupiré, avant de se laisser tomber sur le sol à côté de moi.

Il s'est allongé, les yeux au plafond. Il semblait épuisé.

— Tes blessures sont graves ? a-t-il repris.

— Je ne suis pas vraiment blessée. Enfin, j'ai été pas mal bousculée. J'ai failli mourir asphyxiée et j'ai échappé de justesse à quelques coups de crocs, mais personne ne m'a tabassée !

Tiens ! Mais mon vœu du Nouvel An allait se réaliser, finalement !

— Je suis désolé qu'on n'ait pas trouvé Jason.

— Eric a demandé à Pam si elle et les autres vampires l'avaient capturé, mais elle a affirmé que non.

— Chow est mort.

— Comment ?

À en croire le calme que j'affichais, on aurait pu penser que je n'en avais strictement rien à faire. À vrai dire, je n'avais jamais été très fan de Chow, mais je me serais peut-être sentie un peu plus concernée si je n'avais pas été abrutie de fatigue.

— Une des petites copines de Hallow avait un couteau d'ébène.

— Je n'en ai jamais vu, ai-je répondu au bout d'un long moment.

Voilà tout ce que m'inspirait la mort de Chow !

— Moi non plus.

Après un autre long silence, j'ai hasardé un « Je suis désolée pour Debbie ». Je voulais simplement lui dire que ça me faisait de la peine de le voir souffrir à cause d'elle. Il avait fallu qu'elle lui fasse vraiment mal et qu'elle se comporte comme un monstre pour qu'il se sente obligé de prendre des mesures aussi radicales.

— Quelle Debbie ?

Et sur ces bonnes paroles, il s'est levé et s'est éloigné, marchant silencieusement sur le sol répugnant jonché de corps ensanglantés et de vestiges surnaturels.

13

C'est sale, un champ de bataille. Sale et triste. À présent, il fallait nettoyer le sang, soigner les blessés, enterrer les morts... ou plutôt s'en débarrasser, en l'occurrence : Pam avait décidé de brûler le local en laissant les corps du clan de Hallow à l'intérieur.

Les sorcières n'avaient pas toutes succombé : Hallow était toujours vivante, pour commencer, et l'une de ses adeptes avait survécu, bien qu'elle ait perdu beaucoup de sang. Côté loups-garous, le colonel Flood avait été grièvement blessé, et Portugal avait été tué par Mark Stonebrook. Le reste s'en était à peu près sorti. Côté vampires, seul Chow était passé du statut de mort-vivant à celui de mort tout court. Les autres avaient tous des lésions plus ou moins graves, mais les vampires guérissent vite.

J'étais quand même étonnée que les sorcières ne se soient pas mieux défendues.

— C'étaient peut-être de puissantes sorcières, m'a dit Pam, mais elles ne savaient pas se battre. Elles avaient probablement été choisies pour leurs dons de magiciennes et parce qu'elles acceptaient de suivre Hallow, pas pour leurs talents de guerrières. Hallow n'aurait pas dû tenter de faire main basse sur Shreveport avec une si piètre armée.

— Pourquoi Shreveport, au fait ?

— Je ne vais pas tarder à le savoir, a répondu Pam avec un grand sourire.

J'en ai eu des frissons. Je préférais ne pas penser aux méthodes que Pam emploierait pour obtenir ce renseignement.

— Mais comment comptes-tu empêcher Hallow de te jeter un sort pendant que tu l'interrogeras ?

— Je trouverai un moyen.

Son sourire s'était encore élargi.

— Je voulais te dire, aussi...

J'hésitais un peu : je ne savais pas trop comment amener ça.

— Je suis désolée pour Chow.

— Le job de barman au *Fangtasia* ne porte pas chance, apparemment, a-t-elle répondu. Je ne sais pas si je vais réussir à lui trouver un remplaçant. Après tout, Long Shadow et Chow ont tous les deux péri moins d'un an après avoir été embauchés...

— Et pour Eric ?

— Nous contraindrons Hallow à rompre ce maudit sort. Et, tôt ou tard, elle finira par nous avouer pourquoi elle a fait ça.

— Si elle donne la description générale du sort, ça suffira, ou est-ce qu'elle sera obligée de l'invoquer elle-même ?

J'ai essayé de reformuler ma question dans ma tête pour la rendre un peu plus compréhensible, mais Pam semblait m'avoir comprise.

— Je ne sais pas. Il faudra demander ça à nos wiccans. Les deux que tu as sauvés du massacre devraient nous fournir volontiers leur aide, après ce que tu as fait.

Tout en papotant gentiment, Pam aspergeait la pièce d'essence. Elle avait déjà récupéré tout ce qui l'intéressait sur place, et les sorcières locales avaient ramassé tout l'attirail de magie, au cas où un des enquêteurs appelés sur les lieux de l'incendie aurait pu identifier les objets que le feu aurait épargnés.

J'ai consulté ma montre. J'espérais qu'à cette heure-ci Holly était rentrée chez elle saine et sauve. Je pourrais lui dire que son fils était hors de danger.

J'évitais de regarder ce que la plus jeune de nos sorcières était en train de faire au colonel Flood. Il avait une vilaine entaille à la cuisse, le genre de blessure avec laquelle il vaut mieux ne pas plaisanter. Il avait pourtant l'air de prendre ça à la légère : dès qu'Alcide lui a apporté ses vêtements, il s'est habillé et a commencé à se promener à cloche-pied, en arborant un sourire propre à rassurer ses troupes. Mais quand le sang a commencé à traverser son pantalon, le chef de meute a bien été obligé de se laisser conduire chez un médecin – qui se trouvait être un métamorphe et accepterait donc de le soigner en toute discrétion, sans poser de questions : personne n'aurait pu inventer une histoire plausible pour justifier une telle blessure. Avant de partir, il a cependant tenu à venir serrer cérémonieusement la main de la sorcière supérieure et de Pam. En dépit du froid glacial qui régnait dans la pièce, son front était couvert de sueur.

J'ai demandé à Eric s'il se sentait différent. Mais il n'avait toujours aucun souvenir, ni de qui il était, ni de ce qu'il avait vécu jusque-là. Il avait l'air plus perdu que jamais, à deux doigts de succomber à la panique. La disparition de Mark Stonebrook n'ayant rien changé à son état, Hallow en serait quitte pour quelques bonnes heures de supplices divers et variés, avec les compliments de Pam. Je reconnaissais la logique du raisonnement, mais je ne voulais pas trop réfléchir au fond du problème – voire pas du tout.

Et moi, que devais-je faire? Retourner à Bon Temps et ramener Eric avec moi? Était-il toujours sous ma protection? Ou devais-je plutôt chercher un endroit sur place où je pourrais passer le reste de la nuit? Hormis Bill et moi, tout le monde vivait à Shreveport, et Pam avait déjà proposé à Bill le lit de Chow (ou le cercueil, ou je ne sais quoi).

J'ai tourné en rond quelques minutes, en essayant de me décider. Mais comme personne ne semblait se soucier de moi, j'ai profité de ce que Pam était occupée à donner aux autres vampires ses instructions pour le transfert de Hallow pour m'en aller, tout simplement.

À part deux ou trois chiens qui se sont mis à aboyer sur mon passage, la nuit était aussi paisible qu'à mon arrivée. L'odeur de magie avait commencé à se dissiper. Mais il faisait toujours aussi noir, aussi froid, et j'étais au trente-sixième dessous. Je ne sais pas ce que j'aurais raconté, si un policier m'avait interpellée. J'avais le visage éclaboussé de sang, mes vêtements étaient déchirés et trempés, et je n'avais aucune explication rationnelle à proposer. Mais je dois bien avouer que, sur le moment, j'avais vraiment autre chose en tête.

J'avais dû couvrir à peu près la distance d'un pâté de maisons quand Eric m'a rattrapée. Il semblait désorienté, presque apeuré.

— Tu n'étais plus là... Je... je me suis retourné et tu n'étais plus là, m'a-t-il dit d'un ton accusateur. Où vas-tu? Pourquoi es-tu partie sans m'avertir?

— Oh, je t'en prie! l'ai-je supplié en levant la main pour le faire taire. S'il te plaît.

J'étais trop fatiguée pour le rassurer: je n'avais plus de forces à lui donner. Je luttais de toutes les miennes pour ne pas me laisser emporter par un flot de désespoir, dont je ne comprenais pas vraiment la cause. Après tout, je m'en étais sortie indemne. J'aurais dû m'estimer heureuse. Les objectifs visés avaient été atteints : nous avions gagné la bataille, les sorcières avaient été mises hors d'état de nuire, et Hallow était désormais aux mains des vampires. D'accord, Eric n'avait toujours pas retrouvé sa véritable personnalité. Mais ce n'était plus qu'une question de temps. Pam saurait se montrer convaincante. Nul doute qu'elle trouverait un moyen de rallier Hallow à sa cause – un moyen atrocement rapide et cruellement efficace.

Je lui faisais tout autant confiance pour découvrir ce qui avait poussé Hallow à jeter son dévolu sur Shreveport. Le *Fangtasia* aurait bientôt un nouveau barman, quelque beau gosse aux dents longues qui fascinerait les touristes et ferait chauffer leurs cartes de crédit. Eric et Pam ouvriraient la boîte de strip-tease qu'ils avaient en projet – ou la chaîne de pressings de nuit, ou encore le service de gardes du corps nocturnes…

Mon frère, lui, serait toujours introuvable.

— Laisse-moi rentrer avec toi. Je ne les connais pas, a plaidé Eric d'une voix sourde, presque plaintive.

Ça me serrait le cœur d'entendre Eric parler ainsi, avec un comportement si contraire à sa véritable nature. À moins que… Et si c'était sa véritable nature, justement ? Et si son assurance, son arrogance habituelles n'étaient en fait qu'un vernis, une sorte de carapace qui, au fil des années, avait fini par lui coller à la peau ?

— Bien sûr, viens, ai-je soupiré, aussi désemparée que lui.

J'aurais tellement voulu qu'il m'épaule en silence, qu'il soit fort pour deux.

J'ai dû me contenter du silence.

Du moins m'a-t-il prêté sa force physique : il m'a portée jusqu'à la voiture. En me blottissant contre son torse, j'ai été étonnée de sentir mes joues mouillées de larmes.

— Tu es couverte de sang, m'a-t-il chuchoté à l'oreille.

Je l'ai calmé tout de suite.

— Oui, eh bien, ne t'emballe pas trop. Moi, ça ne me fait ni chaud ni froid. Tout ce que je veux, c'est… c'est une douche.

J'avais versé tellement de larmes ce soir qu'il ne me restait plus que quelques hoquets.

— Tu vas être obligée de le jeter, ce manteau, maintenant.

Manifestement, cela le réjouissait.

— Je le ferai nettoyer.

Je n'étais pas en état de répondre à des remarques désobligeantes.

Ne plus sentir le poids et l'odeur de la magie, c'était comme boire un grand verre d'eau quand on est assoiffé : une vraie bouffée d'oxygène. Quand nous sommes arrivés à Bon Temps, j'allais un peu mieux, et c'est parfaitement calme et les yeux secs que j'ai ouvert la porte de derrière, Eric sur mes talons.

Quand j'ai allumé la lumière, Debbie Pelt me souriait.

Elle s'était assise à la table de la cuisine et m'attendait, dans le noir. Elle avait un fusil à la main.

Sans crier gare, elle a tiré.

Mais elle avait compté sans Eric et sans l'hallucinante rapidité des vampires. Vif comme l'éclair, Eric s'est interposé et… a pris la balle à ma place, en pleine poitrine. Il s'est écroulé à mes pieds.

Dans mon malheur, j'avais de la chance : Debbie n'avait pas fouillé la maison. Je n'ai fait ni une ni deux. J'ai attrapé le Benelli planqué derrière le chauffe-eau, je l'ai armé – c'est l'un des sons les plus terrifiants qui soient – et je lui ai tiré dessus pendant que, encore sous le choc, elle fixait Eric qui vomissait du sang, à genoux devant elle. J'ai aussitôt rechargé. Mais je n'ai pas eu besoin d'une seconde cartouche. Déjà, ses doigts se détendaient. Une seconde plus tard, son fusil est tombé sur le sol avec un bruit mat.

Je me suis laissée glisser à terre : je ne tenais plus debout.

Eric était maintenant étendu à mes pieds, hoquetant et se tordant de douleur dans une mare de sang.

Il ne restait pas grand-chose de Debbie entre la tête et la taille.

Ma cuisine ressemblait à un abattoir. On aurait cru que je venais d'égorger une tripotée de cochons combatifs.

J'ai essayé de me raccrocher au plan de travail pour atteindre le téléphone. Ma main est retombée, inerte. Qui aurais-je pu appeler, de toute façon ?

Les forces de l'ordre ? Mais bien sûr.

Sam ? Comme si je ne l'avais pas déjà assez mis dans le pétrin !

Pam ? Pour lui prouver qu'Eric était en parfaite sécurité avec moi ? Oh oh.

Alcide ? Ben voyons ! Il serait ravi de voir ce que j'avais fait de son ex-fiancée, répudiée ou pas.

Arlene ? Elle avait deux gosses à élever : je ne pouvais pas l'entraîner dans quoi que ce soit d'illégal. Elle n'avait vraiment pas besoin de ça.

Tara ? Trop délicate.

Non, quand on veut nettoyer sa cuisine inondée de sang, il n'y a que la famille pour vous aider. C'est mon frère que j'aurais appelé... si j'avais su où le trouver.

J'allais donc être obligée de me débrouiller toute seule.

Priorité des priorités : Eric. J'ai rampé jusqu'à lui.

— Eric ?

Il a ouvert les yeux, des yeux brûlants de souffrance.

Le trou dans son poitrail bouillonnait de sang. Et le point de sortie ne devait pas être beau non plus. Peut-être que c'était du 22 et que la balle était toujours à l'intérieur ? J'ai jeté un œil au mur : pas de projections de sang, ni de balle logée dans le mur. Soudain, j'ai compris que si la balle l'avait transpercé, elle m'avait forcément touchée. J'ai retiré mon manteau avec précipitation – mais non, je n'avais rien.

J'ai reporté mon regard sur Eric, qui semblait se porter un peu mieux.

— À boire, a-t-il imploré dans un chuintement caverneux.

J'ai failli lui tendre mon poignet, puis je me suis ravisée. J'ai réussi à sortir une bouteille de TrueBlood du réfrigérateur et à la mettre au micro-ondes – couvert de sang.

Je me suis agenouillée à ses côtés et je lui ai soulevé la tête pour l'aider à boire.

— Pourquoi pas ton sang ? a-t-il gémi d'un air douloureux.

— Désolée. Je sais que tu l'as cent fois mérité, mon cœur. Mais je vais avoir besoin de toute mon énergie avec le boulot qui m'attend.

En trois ou quatre lampées, Eric avait terminé. J'ai déboutonné son manteau et sa chemise pour examiner sa poitrine. Sous mes yeux écarquillés, la balle a sauté de la plaie, comme un bouchon de bouteille mal vissé. Dans les minutes qui ont suivi, le trou s'est refermé. Le sang n'avait pas encore séché que la blessure avait disparu.

— Encore du sang, m'a demandé Eric.

— Pas de problème. Comment te sens-tu ?

Pour ma part, j'étais trop sonnée pour sentir quoi que ce soit.

Il m'a adressé un sourire fatigué.

— Faible.

Je lui ai fait chauffer une deuxième bouteille. Il a bu, plus lentement cette fois. Après l'avoir vidée, il s'est redressé en grimaçant et s'est calé contre le mur pour s'asseoir. Puis il a jeté un coup d'œil au carnage, de l'autre côté de la table, et il m'a regardée.

— Je sais, je sais, c'est un vrai massacre, me suis-je écriée, bourrelée de remords. Oh! J'ai fait quelque chose de terrible! Mais je regrette! Je regrette telle-ment!

Et j'ai de nouveau fondu en larmes. J'aurais diffici-lement pu tomber plus bas: j'avais commis un crime affreux, j'avais échoué dans ma mission, j'avais une horrible corvée de nettoyage devant moi, et je ne res-semblais plus à rien.

Eric a paru un peu surpris.

— Tu aurais pu mourir, si tu avais reçu cette balle. Moi non, m'a-t-il fait observer. Je l'ai empêchée de t'atteindre de la manière la plus rapide et la plus facile pour moi. Alors que toi, tu m'as vraiment défendu.

C'était une façon franchement tordue de voir les choses mais, bizarrement, je me suis sentie un peu moins coupable.

— J'ai tué un être humain, ai-je tout de même pro-testé.

Et deux dans la même nuit. Pour moi, le sorcier aux joues creuses s'était tué tout seul en s'embrochant sur mon couteau. Mais le doigt qui avait appuyé sur la détente du Benelli était bien le mien.

Prise de frissons, j'ai détourné la tête pour ne plus voir cet amas de chair et de sang qui, quelques ins-tants auparavant, avait contenu l'esprit de Debbie Pelt.

— Non, a-t-il rétorqué d'une voix tranchante. Tu as tué une métamorphe doublée d'un monstre pervers aux instincts meurtriers, une métamorphe qui avait essayé, par deux fois déjà, de t'assassiner.

C'était donc la main d'Eric qui avait failli étrangler Debbie pour l'obliger à me lâcher pendant la bataille.

— J'aurais dû finir le travail quand je la tenais, tout à l'heure, a-t-il ajouté, confirmant mes soupçons. Ça nous aurait évité pas mal d'ennuis.

J'avais le sentiment que ça n'aurait pas été tout à fait l'avis du révérend Fullenwilder, et j'en ai fait part à Eric.

— Je n'ai jamais été chrétien.

Pourquoi cela ne me surprenait-il pas ?

— Mais je ne parviens pas à imaginer un système de croyances qui te dise de rester les bras croisés en attendant de te faire tuer.

N'était-ce pas précisément ce que le christianisme enseignait ? Mais je n'ai rien d'une théologienne, ni d'une lectrice avertie de la Bible. Il ne me restait plus qu'à m'en remettre au jugement de Dieu – qui n'a rien d'un théologien non plus.

Pourtant, grâce à Eric, je me sentais un peu mieux. À vrai dire, je lui étais surtout immensément reconnaissante : il m'avait tout de même sauvé la vie.

— Merci, Eric, lui ai-je dit tendrement, en l'embrassant sur la joue. Tu peux aller te laver, pendant que je m'occupe de nettoyer tout ça.

— Hors de question !

Il n'a pas voulu en démordre. Il a tout fait pour m'aider – Dieu le bénisse ! Et comme les tâches les plus répugnantes le laissaient complètement froid, j'ai été ravie de les lui confier.

Je vous passe le rapport d'autopsie. Disons qu'on a réussi à récupérer tous les morceaux et à les emballer proprement. Pendant que je m'attaquais au nettoyage, Eric a emporté les restes de Debbie dans la forêt et les a enterrés – il m'a assuré qu'il avait fait en sorte qu'on ne les retrouve jamais. J'ai été obligée d'enlever les rideaux de la cuisine pour les faire tremper à l'eau froide dans la machine. J'ai mis mon manteau avec – sans me faire beaucoup d'illusions : je doutais de pouvoir le reporter un jour. Puis j'ai enfilé des gants en caoutchouc et j'ai nettoyé la table, les chaises, le réfrigérateur, le micro-ondes, le sol et les pans de murs ensanglantés à la Javel. Ensuite, j'ai enduit les portes de placard de savon noir et j'ai frotté, frotté, frotté…

On ne peut pas imaginer jusqu'où les taches de sang vont se nicher !

Ça me faisait du bien de me concentrer sur les détails d'intendance : ça m'empêchait de penser à l'essentiel. Et plus longtemps j'éviterais de regarder les choses en face – plus longtemps je laisserais le discours pragmatique d'Eric faire son chemin dans mon esprit –, mieux je me porterais. Je ne pouvais rien changer à ce qui s'était passé. Je n'avais eu qu'un nombre limité de choix, et il ne me restait plus qu'à essayer de vivre avec celui que j'avais fait. Comme le disait ma grand-mère, toute femme digne de ce nom fait ce qu'elle a à faire, quel que soit le prix à payer. Elle n'aurait jamais supporté que l'on dise d'elle qu'elle était une femme libérée. Mais c'était la femme la plus forte que j'aie jamais rencontrée. J'ai continué ma sinistre besogne.

Quand j'ai enfin pu m'écrouler sur une chaise, la cuisine empestait les produits ménagers à plein nez. À l'œil nu, elle était littéralement immaculée. Je suis pourtant sûre que la police scientifique aurait bien réussi à trouver un indice quelconque. Mais j'avais bien l'intention de ne donner aucune raison à un de

344

ses techniciens de mettre les pieds dans ma cuisine – ni dans aucune autre pièce de la maison, d'ailleurs…

Debbie avait fracturé la porte d'entrée. Je n'avais pas pensé une seule seconde à aller y jeter un coup d'œil, avant d'entrer dans la maison par-derrière. Si j'avais compté me lancer dans une carrière de garde du corps, je pouvais faire une croix dessus. J'ai coincé une chaise sous la clenche pour la bloquer, au moins jusqu'au lendemain matin.

Quand il est revenu, sa besogne de fossoyeur accomplie, Eric semblait en pleine forme. J'en ai profité pour lui demander de chercher la voiture de Debbie. Il n'a pas eu trop de mal à la trouver. Elle l'avait cachée dans un chemin creux, de l'autre côté de la route communale, juste en face de l'embranchement qui conduisait chez moi. Eric avait eu la présence d'esprit de récupérer ses clés et, lorsqu'il est revenu me proposer de cacher ailleurs cette preuve compromettante, je n'ai pas dit non. J'aurais dû le suivre pour le ramener, mais il m'a assuré qu'il pourrait très bien se débrouiller tout seul, et j'étais trop éreintée pour insister. Après son départ, je me suis glissée sous un torrent d'eau chaude et je me suis récurée à fond. J'étais heureuse de me retrouver seule, et je me suis savonnée plusieurs fois. Quand j'ai estimé que j'étais aussi propre que je pouvais l'être – physiquement parlant, du moins –, j'ai enfilé une chemise de nuit et je me suis traînée jusqu'à mon lit. Le jour allait bientôt se lever: j'espérais qu'Eric serait de retour à temps. J'avais ouvert le placard et la trappe dans mon ancienne chambre et je lui avais même mis un oreiller supplémentaire.

Je commençais tout juste à m'endormir quand je l'ai entendu rentrer.

— Mission accomplie, a-t-il murmuré à mon oreille.

— Merci, bébé, ai-je vaguement bredouillé.

— Je ferais n'importe quoi pour toi, m'a-t-il répondu d'une voix caressante. Bonne nuit, ma belle amante.

J'allais sombrer dans le sommeil lorsqu'une drôle d'idée m'a traversé l'esprit. J'étais vraiment dangereuse pour les ex : j'avais liquidé Lorena, la créatrice de Bill et son grand amour, puis la fiancée répudiée d'Alcide. Je me suis demandé si Eric avait d'anciennes petites amies dans les parages. Il devait en avoir eu des centaines. Eh bien, elles avaient intérêt à se méfier…

Sur cette pensée, j'ai plongé dans un monde sans rêves, happée par le vide béant du néant.

14

Pam avait dû travailler Hallow au corps dès la fin des hostilités et s'y atteler jusqu'à l'aube. De mon côté, j'avais tellement besoin de récupérer – physiquement mais aussi mentalement – que je ne me suis pas réveillée avant 16 heures. C'était une morne journée d'hiver, du genre de celles qui vous poussent à allumer la radio pour savoir si une tempête de glace se prépare. Du coup, j'ai vérifié que j'avais assez de bois pour trois ou quatre jours.

Eric se lèverait tôt, avec ce temps gris.

Je me suis lavée, habillée et j'ai pris mon petit-déjeuner à la vitesse d'un escargot, tout en essayant d'estimer les dégâts.

Physiquement, pas de problème. Une petite contusion ou deux, ici ou là, quelques courbatures, mais rien de bien méchant. La première semaine de janvier était passée et, pour l'instant, je m'en tenais très bien à mes bonnes résolutions du Nouvel An.

Mais mentalement, ou plutôt moralement, j'étais tout sauf solide comme un roc. On a beau être pragmatique et avoir le cœur bien accroché, on ne peut pas agir comme je l'avais fait sans en subir les conséquences.

À l'idée qu'Eric allait bientôt se lever, je me suis prise à penser aux petits câlins que nous aurions peut-être le temps de faire avant que je parte travailler. J'ai pensé aussi à la chance que j'avais d'être avec quelqu'un qui m'accordait autant d'importance, au bonheur d'occuper une telle place dans sa vie.

Eric s'est levé à 17 h 30. Dès que j'ai entendu du bruit dans la chambre d'amis, je suis allée le voir. Eric a aussitôt fait volte-face, toutes canines dehors, les mains crispées comme des serres.

J'avais déjà sur les lèvres un « Bonsoir, mon cœur » que j'ai bien vite ravalé.

— Sookie ? s'est-il étonné. Je suis donc chez toi ?

Déjà, ses canines se rétractaient. Sa tension se relâchait.

— Oui, tu t'es installé ici pour qu'on puisse assurer ta protection, lui ai-je aussitôt répondu, m'admirant secrètement pour ce rétablissement digne d'un équilibriste de haut vol. Tu sais comment tu as atterri ici, non ?

— Voyons, j'avais rendez-vous avec ces gens… de nouveaux venus à Shreveport, je crois… a-t-il dit d'un ton incertain. C'est bien ça ?

C'est alors qu'il a remarqué ses vêtements de supermarché.

— Quand ai-je acheté ça ? s'est-il exclamé, surpris.

— J'ai été obligée de te procurer des vêtements de rechange.

— Et c'est aussi toi qui m'as habillé ? a-t-il demandé en faisant courir ses mains sur son corps, avec un petit sourire à la Eric on ne peut plus authentique.

Il ne se souvenait de rien. De rien du tout.

— Non.

J'ai eu une vision d'Eric et moi sous la douche, Eric et moi dans mon lit, sur la…

— Où est Pam ?

— Tu devrais lui passer un coup de fil, ça la rassurerait. Tu te rappelles ce qui est arrivé hier ?

— Hier, j'avais rendez-vous avec les sorcières.

À l'entendre, c'était indiscutable. J'ai senti mon cœur se serrer un peu plus.

— Non, ça, c'était il y a plusieurs jours, ai-je corrigé. Tu ne te rappelles pas ce qui s'est passé hier, quand on est rentrés de Shreveport ? ai-je insisté, entrevoyant un petit rayon de soleil dans ce sombre tableau.

— Avons-nous fait l'amour ? s'est-il enquis, plein d'espoir. M'as-tu enfin cédé, Sookie ? Ce n'est qu'une question de temps, tu sais, a-t-il ajouté avec un large sourire.

Non, la nuit dernière, on a effacé les traces d'un meurtre.

Donc, maintenant, j'étais la seule à savoir. Et encore, j'ignorais où Debbie – enfin, ce qu'il en restait – avait été enterrée et ce que sa voiture était devenue.

Je me suis laissée tomber sur le lit. Eric m'a dévisagée.

— Tu as des ennuis, Sookie ? Qu'est-il arrivé pendant que je... Comment se fait-il que je ne me souvienne de rien ?

Moins on en dit, mieux on se porte.

— Pam te racontera tout ça mieux que moi. Elle ne devrait plus tarder, j'imagine.

— Et Chow ?

— Non, Chow ne viendra pas. Il est mort dans la nuit. Le *Fangtasia* ne semble pas très bien réussir aux barmans.

— Qui l'a tué ? Je le vengerai.

— Tu l'as déjà vengé.

— Il y a autre chose qui ne va pas, Sookie...

Toujours aussi perspicace...

— Oui, il y a un tas d'autres trucs qui ne vont pas chez moi.

J'aurais bien aimé qu'il me prenne dans ses bras, mais ça n'aurait fait que compliquer les choses.

— Et je crois qu'il va neiger, par-dessus le marché, ai-je soupiré.

— Neiger ! s'est exclamé Eric, aussi émerveillé qu'un enfant. J'adore la neige ! Peut-être allons-nous rester bloqués ici, tous les deux, a-t-il ajouté en haussant ses sourcils blonds d'un air suggestif.

J'ai éclaté de rire. C'était plus fort que moi. Mieux vaut rire que pleurer. Et question larmes, j'avais déjà donné, ces derniers temps.

— Comme si tu étais du genre à laisser la neige t'empêcher de faire ce que tu veux ! Allez viens, je vais te faire chauffer un peu de sang, ai-je dit en me levant.

Après ces quelques nuits d'intimité avec Eric, j'étais obligée de me surveiller en permanence : j'ai failli lui caresser les cheveux en passant derrière lui pour lui servir sa bouteille de TrueBlood et, à un moment donné, je me suis même penchée pour l'embrasser. Je me suis rattrapée de justesse en prétendant que j'avais laissé tomber quelque chose, mais j'ai frôlé la catastrophe.

Quand Pam a frappé à ma porte, une demi-heure plus tard, j'étais prête à partir travailler et Eric était sur des charbons ardents : elle ne s'était pas plus tôt assise en face de lui qu'il la bombardait de questions. Je leur ai dit que je m'en allais, mais je crois qu'ils ne s'en sont même pas aperçus.

Le coup de feu du dîner passé, l'ambiance n'a pas été très animée, au *Merlotte*, ce soir-là. Les premiers flocons avaient réussi à convaincre la plupart des habitués que ce ne serait peut-être pas une mauvaise idée de rentrer sobres chez eux, pour une fois. Il restait quand même assez de clients pour nous tenir occupées, Arlene et moi. Sam m'a coincée au moment où je chargeais mon plateau de cinq demis de bière.

Il voulait que je lui raconte ce qui s'était passé la veille.

— Je te dirai ça plus tard, lui ai-je promis, en pensant que j'allais devoir faire très attention en mettant ma petite histoire au point.

— Du neuf pour Jason?

— Non.

La tristesse m'a envahie de nouveau. La standardiste du bureau du shérif m'avait presque envoyée sur les roses quand j'avais appelé pour demander s'il y avait du nouveau.

Kevin et Kenya sont passés à la fin de leur service. Quand je leur ai apporté leurs consommations, Kenya a levé les yeux vers moi.

— On a fait des recherches, Sookie. Mais on n'a rien trouvé. Je suis désolée.

— Je sais que vous avez fait le maximum, lui ai-je assuré. Je tenais d'ailleurs à vous remercier pour la battue, l'autre jour. Ça m'a vraiment touchée. Je voudrais tellement…

Mais je ne savais plus quoi dire.

À cause de mon «infirmité», je savais sur chacun d'eux quelque chose que l'autre ignorait: ils s'aimaient. Mais Kevin savait pertinemment que sa mère préférerait encore se mettre la tête dans le four plutôt que de le voir marié à une femme de couleur, et Kenya savait que ses frères préféreraient encore faire passer Kevin à travers un mur plutôt que de le laisser conduire leur sœur à l'autel.

Eh oui, je savais tout cela, alors que l'un et l'autre l'ignoraient. J'étais consciente de toute cette intimité. Je m'en serais bien passée, mais je n'y pouvais rien.

Et encore: savoir, ce n'est rien. Le pire, c'est l'envie d'intervenir. Mais je me suis raisonnée sévèrement: j'avais déjà assez d'ennuis comme ça sans en causer aux autres en prime. Par chance, j'ai eu suffisamment de travail pour le restant de la soirée, ce qui m'a permis de résister à cette tentation. Cependant, si je ne pouvais pas révéler aux deux officiers de police ce genre de secret, je ne leur en devais pas moins une fière chandelle. Je me suis promis de les aider si, un jour, j'entendais quelque chose qui pourrait leur être utile.

Après la fermeture, j'ai aidé Sam à mettre les chaises sur les tables pour que Terry puisse passer la serpillière dès son arrivée, le lendemain. Arlene et Tack étaient partis en chantant « Let it snow », et ça n'a pas raté : la neige s'est mise à tomber. Mais je doutais qu'elle tienne jusqu'au matin. J'ai pensé à tous les métamorphes en vadrouille dans les bois qui devaient chercher un abri. Je savais que, quelque part, dans la forêt, Debbie Pelt gisait au fond d'un trou, sous la terre humide et froide, pour toujours.

Pendant combien de temps cette idée-là allait-elle me poursuivre ? J'aurais bien aimé garder un souvenir aussi vif du genre de personne qu'elle avait été : une perverse sadique et rancunière qui prenait un malin plaisir à torturer et à tuer les gens.

Ça faisait deux bonnes minutes que j'étais plantée devant la fenêtre, à regarder les flocons virevolter, quand Sam est arrivé derrière moi.

— Qu'est-ce qui te tracasse ? m'a-t-il demandé en me prenant par le coude.

— Je pensais juste à Jason, ai-je soupiré.

Ce n'était pas très loin de la vérité : quoi que je fasse, la pensée de Jason ne me quittait pas. Il m'a tapoté l'épaule d'un air compatissant.

— Raconte-moi ce qui s'est passé hier soir.

Pendant une seconde, j'ai cru qu'il parlait de Debbie. Et puis, bien sûr, j'ai compris qu'il faisait allusion au raid contre les sorcières. Là-dessus, du moins, je pouvais lui faire un compte rendu détaillé : je l'avais vécu en direct, et aux premières loges, s'il vous plaît !

— Alors, comme ça, Pam a débarqué chez toi, ce soir… a-t-il dit après mon récit.

Il semblait s'en réjouir.

— Elle a dû réussir à faire craquer Hallow et l'obliger à rompre le sort qu'elle avait jeté à Eric. Il est redevenu comme avant ?

— D'après ce que j'ai pu voir.

— Comment est-ce qu'il vit ça ?

— Il ne se souvient de rien. Il ne semble pas avoir la moindre idée de ce qui lui est arrivé.

Sam a détourné les yeux.

— Et toi, comment tu le prends ?

— Je pense que c'est mieux comme ça. Beaucoup mieux.

Mais j'allais de nouveau rentrer dans une maison vide. J'ai refusé de m'appesantir sur cette idée. On a parfois du mal à regarder la réalité en face.

— Dommage que tu n'aies pas été de service, cet après-midi, m'a dit Sam. Calvin Norris est passé.

— Et alors ?

— Je crois qu'il espérait te voir.

— Mais oui, c'est ça !

— Je pense qu'il est sérieux, Sookie.

— Sam, ai-je rétorqué, mortifiée, je vis toute seule et je reconnais que ce n'est pas marrant tous les jours. Mais ce n'est pas une raison pour tomber dans les bras du premier loup-garou venu juste parce qu'il se porte volontaire !

Apparemment, ça le laissait perplexe.

— Non, bien sûr. Surtout que ce n'est pas un loup-garou.

— Pardon ?

— Les habitants de Hotshot sont sans doute trop fiers pour se considérer comme de simples métamorphes, mais c'est ce qu'ils sont, ni plus ni moins.

De gros calibres, peut-être, mais des métamorphes quand même.

— Comment ça, de « gros calibres » ?

— Genre panthères.

— Quoi ?

Je vous jure que j'ai vu des points noirs flotter devant mes yeux.

— Sookie ? Qu'est-ce qui se passe ?

— Des panthères ? Tu ne sais donc pas que l'empreinte qu'on a retrouvée sur le ponton derrière la maison de Jason était celle d'une panthère ?

— Non. Personne ne m'a parlé d'une empreinte ! Tu en es sûre ?

Je lui ai lancé un regard exaspéré.

— Évidemment que j'en suis sûre ! Et Jason a disparu le soir où Crystal Norris était chez lui. Tu es le seul barman au monde à ne pas être au courant des derniers potins qui font le tour de sa ville !

— Crystal ? Mais c'est la fille qui était avec lui au Nouvel An, non ? La fille maigre aux cheveux noirs qui a participé à la battue ?

J'ai acquiescé d'un signe de tête.

— Celle dont Felton est fou amoureux ?

— Quoi ?

— Felton. Tu sais, le type qui était avec elle et Calvin Norris à la battue. Eh bien, Crystal est son grand amour depuis toujours.

— Et comment tu sais ça, toi ?

Dire que je l'ignorais ! C'est bien la peine d'être télépathe !

— C'est lui qui me l'a dit, un soir qu'il avait trop bu. Ces types de Hotshot, ils ne boivent pas souvent, mais quand ils s'y mettent, ils ne plaisantent pas.

— Mais alors, pourquoi est-il venu à la battue ?

— Je crois qu'on ferait mieux d'aller lui poser la question.

— À cette heure-ci ?

— Tu as mieux à faire ?

Il marquait un point. Et je brûlais de savoir ce que les habitants de Hotshot avaient fait de mon frère ou s'ils savaient ce qui lui était arrivé.

— Tu n'es pas assez couverte, avec cette veste, m'a fait remarquer Sam, comme on s'habillait pour sortir.

— Mon manteau est au pressing.

En fait, je n'avais même pas encore trouvé un moment pour l'étendre, ni même pour vérifier que tout le sang était parti. Et puis, il avait des trous, de toute façon.

Il a grommelé quelque chose entre ses dents et m'a tendu un pull vert à mettre sous ma veste. Nous avons pris son pick-up parce que la neige commençait à tomber vraiment dru et que, comme tous les hommes, Sam était persuadé de savoir mieux conduire que moi sur route enneigée – bien qu'il ne l'ait pratiquement jamais fait.

Le trajet jusqu'à Hotshot m'a semblé encore plus long, de nuit, surtout avec les flocons qui tourbillonnaient dans la lumière des phares.

— Je te remercie de m'emmener là-bas, Sam. Mais je commence à croire que c'est de la folie.

Nous n'étions même pas encore à mi-chemin.

— Tu as mis ta ceinture ?

— Évidemment !

— Bien.

Et il a continué à rouler comme si de rien n'était.

Nous avons finalement atteint le petit hameau isolé. Il n'y avait pas de réverbères, évidemment, mais certains résidents avaient payé la compagnie d'électricité pour qu'on leur installe des lampes de sûreté sur les poteaux du comté. Quelques fenêtres étaient éclairées, réchauffant la façade de quelques maisons.

— Par où crois-tu qu'on devrait commencer ?

— Par la maison de Calvin. C'est lui le chef, ici, a répondu Sam sans hésiter.

Il semblait sûr de lui.

Je me suis souvenue de la fierté de Calvin, quand il m'avait montré sa maison. Je dois bien avouer que j'étais un peu curieuse.

Il y avait de la lumière, et son pick-up était garé devant chez lui. En sortant de la cabine chauffée pour marcher jusqu'au perron, dans la nuit et par ce temps, j'ai eu l'impression de passer au travers d'un rideau humide et glacé. J'ai frappé, et après un long moment durant lequel j'ai bien cru que j'allais me changer en statue de glace, la porte s'est ouverte. Calvin a semblé ravi de me voir... jusqu'à ce qu'il aperçoive Sam.

— Entrez, a-t-il dit d'un ton qui manquait franchement de chaleur.

Il s'est effacé pour nous laisser passer. Nous nous sommes poliment essuyé les pieds sur le paillasson, en nous secouant pour faire tomber les flocons qui s'étaient pris dans nos cheveux et accrochés à nos vêtements.

L'intérieur était d'une propreté immaculée et meublé avec goût et simplicité : aucun objet de prix, juste des meubles de supermarché et des photos sobrement encadrées – des paysages, des animaux... la vie sauvage. Pas une seule personne, sur ces clichés. C'était insolite.

— Ce n'est pas une nuit à se balader en voiture, a remarqué Calvin.

Je savais que je devais marcher sur des œufs avec lui. Ce n'était pourtant pas l'envie de l'attraper par le col pour lui hurler ma rage au visage qui me manquait. Je ne devais cependant pas oublier que, pour les siens, cet homme était un roi. Peu importait la taille du royaume.

J'ai respiré un grand coup avant de demander :

— Calvin, saviez-vous que la police avait trouvé une empreinte de panthère sur le ponton, derrière la maison de mon frère ?

— Non, a-t-il répondu après un long silence.

Je voyais sa colère monter jusque dans ses yeux.

— Les rumeurs de la ville ne parviennent pas jusqu'à nous. Je me suis bien demandé pourquoi les gens qui participaient à la battue avaient des fusils, mais je n'ai pas posé de questions : on rend les gens un peu nerveux, en général, et puis, personne ne nous a adressé la parole. Une empreinte de panthère, hein ?

— Je ne savais pas que c'était votre... hum... votre autre identité jusqu'à ce soir.

Il m'a dévisagée avec insistance.

— Vous pensez que l'un d'entre nous aurait enlevé votre frère ?

J'ai soutenu son regard sans mot dire. Sam ne s'est pas montré plus loquace.

— Vous croyez que Crystal aurait eu une discussion un peu houleuse avec votre frère et qu'elle lui aurait fait du mal ?

— Non.

Je voyais ses yeux d'or s'élargir et s'arrondir à mesure qu'on parlait.

— Est-ce que je vous fais peur ? m'a-t-il soudain demandé.

— Non.

— Felton, a-t-il repris après un instant.

J'ai hoché la tête.

— Allons voir ça sur place.

Nous sommes retournés dans le froid et la neige. Les flocons me piquaient les joues. Heureusement que j'avais une capuche ! La main gantée de Sam s'est refermée sur la mienne pour me retenir : j'avais trébuché sur quelque outil ou jouet abandonné dans la cour de la maison voisine de celle de Felton.

— Qui est là ? a maugréé Felton quand Calvin a frappé à sa porte.

— Ouvre.

Felton s'est exécuté sur-le-champ : il avait reconnu la voix et le ton sans réplique de Calvin.

Felton ne partageait manifestement pas la méticulosité de son visiteur. Ses meubles n'avaient pas tant été disposés dans la pièce que poussés contre le premier mur venu. Ignorant notre présence, il ne faisait aucun effort pour donner le change, et sa façon de se mouvoir et de se déplacer n'avait absolument rien d'humain. Son étrangeté était encore plus flagrante que la dernière fois que je l'avais vu, le jour de la battue. Je me suis dit qu'il n'était pas loin de retourner à l'état sauvage : les effets de la consanguinité commençaient à se faire sentir à Hotshot...

— Où est l'homme ? a lâché Calvin sans préambule.

Felton a écarquillé les yeux et il a tressailli, comme s'il était prêt à détaler. Il n'a pas répondu.

— Où ? a répété Calvin.

Sa main s'était changée en patte griffue. Il l'a passée sur le visage de Felton à toute volée.

— Il est toujours vivant ?

Je me suis plaqué les deux mains sur la bouche pour ne pas crier. Felton est tombé à genoux. De grandes estafilades sanguinolentes et parallèles lui sillonnaient le visage.

— Dans la cabane, derrière.

J'avais franchi la porte d'entrée avant que Sam ait pu me rattraper. J'ai contourné la maison en courant comme une folle, tant et si bien que je me suis étalée de tout mon long sur un tas de bois. Sans me préoccuper de la douleur – je savais que je le paierais plus tard –, j'ai sauté pour l'enjamber et je me suis une fois de plus sentie soulevée par les puissants bras de Calvin Norris. Il m'avait reposée de l'autre côté du tas de bois avant que j'aie compris ce qui m'arrivait. Il a franchi l'obstacle à ma suite avec une souplesse féline, et nous nous sommes retrouvés côte à côte devant la porte de la cabane.

La porte était cadenassée, mais ces cahutes ne sont pas faites pour décourager les intrus, et peu de choses devaient résister à Calvin Norris. Il a forcé le cadenas, poussé la porte et allumé la lumière – j'étais d'ailleurs étonnée qu'il y ait l'électricité dans un tel local.

Au début, j'ai eu des doutes. La créature que j'avais sous les yeux ne ressemblait pas du tout à mon frère. Certes, il était blond, mais il puait tellement, il était si sale que j'ai eu un mouvement de recul. Il était bleu de froid, car il ne portait rien d'autre que son pantalon. Il gisait sur une vieille couverture, à même la dalle de ciment.

Déjà, j'étais à genoux et l'enlaçais tant bien que mal pour le serrer contre mon cœur. Il a battu des paupières.

— Sookie ? a-t-il murmuré d'une voix incrédule. Sookie, c'est toi ? Je suis sauvé ?

— Oui, lui ai-je répondu, sans être tout à fait sûre de ce que j'avançais.

Je ne me souvenais que trop de ce qui était arrivé au shérif qui était venu fourrer son nez dans les affaires des habitants de Hotshot.

— On va te ramener à la maison.

On l'avait mordu.

On l'avait beaucoup mordu.

— Oh, non ! ai-je soufflé en comprenant soudain ce que ça signifiait.

— Je l'ai pas tué ! s'est écrié Felton, planté sur le pas de la porte.

— Vous l'avez mordu, ai-je rétorqué d'une voix que je n'ai pas reconnue. Vous vouliez en faire un des vôtres.

— Oui, pour que Crystal ne l'aime pas plus que moi, a-t-il répondu. Elle sait qu'on est obligés de se croiser avec des gens de l'extérieur, mais c'est moi qu'elle aime.

— Alors, vous avez enlevé mon frère, vous l'avez enfermé ici et vous l'avez mordu.

Jason était si faible qu'il ne tenait pas debout.

— Portez-le dans le pick-up, s'il vous plaît.

Un mot de plus, et ma voix se brisait. J'étais absolument incapable de regarder qui que ce soit autour de moi. Je sentais la rage monter en moi comme un geyser de lave, mais je savais que je devais me contenir jusqu'à ce que nous soyons partis d'ici. Il me restait tout juste assez de sang-froid. J'allais y arriver.

Quand Calvin et Sam l'ont soulevé, Jason a crié. Ils ont pris la couverture pour l'envelopper dedans et se sont dirigés vers le pick-up de Sam. Je les ai suivis d'un pas chancelant.

J'avais retrouvé mon frère. Bon, il risquait de se transformer en panthère de temps en temps, mais je l'avais retrouvé. J'ignorais si la même règle s'appliquait à tous les métamorphes, mais Alcide m'avait dit que les loups-garous qui avaient été mordus – contrairement à ceux qui avaient ça dans les gènes – se changeaient à chaque pleine lune en d'étranges créatures à mi-chemin entre l'homme et la bête, semblables à celles qui peuplent les films d'horreur… Je me suis forcée à repousser cette idée, pour me consacrer à la joie d'avoir retrouvé mon frère, vivant.

Calvin a transporté Jason dans la cabine et l'a fait glisser sur la banquette, pendant que Sam s'asseyait derrière le volant.

— Felton va payer, m'a dit Calvin avant que je ne monte à bord. Cette nuit.

Châtier Felton n'était pas franchement au nombre de mes préoccupations majeures, mais j'ai acquiescé en silence. J'avais hâte de quitter cet endroit sordide.

— Si nous nous occupons de Felton, allez-vous quand même prévenir la police ? m'a demandé Calvin.

Il se tenait raide comme un piquet. Il avait essayé de prendre un ton dégagé, mais l'instant était crucial, je le sentais. Je savais aussi ce qui arrivait aux gens qui attiraient l'attention des autorités sur la petite communauté de Hotshot.

— Non. Felton est le seul fautif.

Bien que Crystal ait forcément été au courant – jusqu'à un certain point, du moins. Elle m'avait dit qu'elle avait senti l'odeur d'un métamorphe, cette nuit-là, chez Jason. Comment aurait-elle pu ne pas reconnaître une odeur de panthère alors qu'elle en était une elle-même ? Elle savait probablement depuis le début que la panthère en question n'était autre que Felton. Son odeur devait lui être familière. Mais ce n'était pas le moment d'aborder la question. S'il réfléchissait deux secondes, Calvin aboutirait rapidement aux mêmes conclusions que moi, de toute façon.

— Il n'est pas impossible que mon frère devienne l'un des vôtres, ai-je dit d'une voix aussi égale que possible – le résultat n'a pas été très probant. Il aura besoin de vous.

— Je viendrai le chercher à la prochaine pleine lune.

— Merci, ai-je ajouté, consciente que nous n'aurions jamais retrouvé Jason s'il nous avait repoussés et évités. Il faut que je ramène mon frère à la maison, maintenant, ai-je ajouté en guise de conclusion.

Je savais qu'il avait envie que je tende la main pour le toucher, que j'établisse un contact avec lui. Mais je ne pouvais pas lui offrir ça. J'en étais tout bonnement incapable.

— Bien sûr, a-t-il répondu au bout d'un long moment.

Il s'est écarté pour me laisser monter toute seule dans le pick-up. Apparemment, il avait compris que son aide n'aurait pas vraiment été la bienvenue.

J'avais bien remarqué que la signature mentale des habitants de Hotshot était différente, mais j'avais cru que c'était dû à la consanguinité. Je n'avais jamais imaginé qu'ils pouvaient ne pas être des loups-garous. Je m'étais laissée aller – je n'avais vu que ce que je m'attendais à voir, sans réfléchir.

Sam avait déjà mis le chauffage – pas à fond, parce qu'une chaleur excessive, après des jours de froid intense, aurait pu provoquer un choc trop brutal pour Jason. Mais même ce peu de chaleur accentuait l'odeur pestilentielle qui se dégageait de lui. J'ai failli m'en excuser auprès de Sam, mais il m'a paru plus important d'épargner à mon frère une humiliation supplémentaire.

— En dehors de ces morsures et du froid, ça va ? lui ai-je demandé, ayant estimé que, puisqu'il ne tremblait plus, il devait être en état de parler.

— Oui, a-t-il répondu d'une voix absente. Oui… Toutes les nuits, toutes ces foutues nuits, il venait : toutes ces foutues nuits, il se changeait devant moi et je me disais : « Ce soir, il va me tuer. Il va me tuer et me dévorer », et, chaque nuit, il me mordait. Et puis, il se métamorphosait de nouveau et il s'en allait. Je sentais que c'était dur pour lui, l'odeur du sang frais… Mais jamais il n'a essayé de faire plus que ça. Il se contentait de me mordre, encore et encore…

— Cette nuit, ils vont le tuer, lui ai-je annoncé. En échange de notre silence, pour qu'on ne prévienne pas les flics.

— C'est de bonne guerre.

Et il le pensait.

15

Jason a réussi à rester debout assez longtemps pour prendre une douche. La meilleure de toute sa vie, d'après lui. Après s'être lavé et frictionné avec tout ce que ma salle de bains comptait de produits de toilette un tant soit peu parfumés, il s'est enroulé dans un de mes draps de bain et je suis venue examiner ses blessures. Je l'ai littéralement enduit de crème antibiotique. Le tube y est passé. Ses morsures semblaient déjà se cicatriser correctement, mais je ne pouvais pas m'empêcher de le chouchouter et de chercher ce que je pourrais bien encore faire pour lui. Je lui avais préparé un chocolat chaud, servi une assiette de porridge brûlant – étrange requête, mais Felton ne lui avait donné que de la viande pratiquement crue à manger, m'avait-il expliqué (quand il lui donnait à manger) –, prêté le pantalon de pyjama que j'avais acheté pour Eric – trop grand, mais avec la ceinture coulissante, ça passait – et un vieux tee-shirt ultra-large qu'on m'avait donné quand j'avais fait la Marche pour la Vie, deux ans auparavant. Il passait constamment les doigts sur le tissu, manifestement ravi d'être habillé.

Mais il semblait avoir surtout besoin de se réchauffer et de dormir. Je l'ai donc conduit dans mon ancienne chambre et, avec un regard mélancolique pour le placard – qu'Eric avait mis sens dessus dessous –, je lui ai souhaité une bonne nuit. Il a voulu que je laisse la lumière du couloir allumée et la porte entrebâillée. Je n'ai pas fait de commentaire – j'imaginais ce que ça avait dû lui coûter de me le demander. Je me suis contentée d'obtempérer sans broncher.

Sam m'attendait dans la cuisine en buvant un thé. Il a levé les yeux vers moi et m'a souri.

— Comment va-t-il?

Je me suis assise à ma place habituelle – affalée sur ma chaise, plus exactement.

— Mieux que je ne l'aurais pensé. Surtout après avoir passé tout ce temps dans une cabane glaciale, couché sur du ciment, à se faire mordre tous les jours.

— Je me demande combien de temps Felton l'aurait gardé.

— Jusqu'à la pleine lune, j'imagine, pour savoir s'il avait réussi son coup.

J'ai réprimé une légère nausée.

— J'ai regardé sur ton calendrier. Il a encore une quinzaine de jours devant lui.

— Parfait. Ça lui laissera le temps de reprendre des forces avant d'affronter... les problèmes qui l'attendent.

J'ai soupiré en me prenant la tête entre les mains et j'ai fermé les yeux, le temps de me ressaisir.

— Il va falloir que j'appelle les flics.

— Pour leur dire d'arrêter les recherches?

— Oui.

— Tu as pensé à ce que tu allais leur raconter? Est-ce que Jason a une idée?

— Eh bien... je pourrais leur dire qu'il a été enlevé par des types de la famille d'une de ses nouvelles conquêtes, par exemple.

Ce n'était pas faux, d'ailleurs.

— Les flics voudront savoir qui étaient ces types, où on l'a retenu, comment il a réussi à s'échapper, si on l'y a aidé… et tout un tas d'autres trucs qu'ils auront bien l'intention de lui faire cracher.

Je ne savais pas si j'avais encore assez de neurones en état de marche pour réfléchir. Je regardais fixement la table, les yeux dans le vague : le rond de serviette que ma grand-mère avait acheté à un marché artisanal, le sucrier, la salière et la poivrière en forme de coq et de poule… C'est alors que j'ai remarqué un papier coincé sous la salière.

— Oh ! ai-je lâché tout bas. Oh, la vache !

C'était un chèque de cinquante mille dollars signé Eric Northman. Eric ne m'avait pas seulement payée : il m'avait aussi donné le plus gros pourboire de toute ma carrière.

Je l'ai examiné une minute de plus pour être sûre que j'avais bien lu. Puis je l'ai tendu à Sam.

— Waouh. C'est ton salaire de baby-sitter pour avoir gardé Eric ?

J'ai hoché la tête.

— Qu'est-ce que tu vas faire avec ça ?

— Je vais le déposer à la banque dès demain.

Il a eu un sourire indulgent.

— Je voyais un peu plus loin que ça.

— Ah ! Juste me reposer. Oui, ça va me reposer de l'avoir. De savoir que…

À ma grande honte, voilà que je recommençais à pleurer.

— Je n'aurai plus à me ronger les sangs, à faire constamment attention.

— Ça n'a pas dû être facile tous les jours, si je comprends bien.

J'ai acquiescé d'un petit signe de tête. Je n'aimais pas parler de mes problèmes d'argent. Sam pinçait les lèvres.

— Pourquoi tu ne m'as pas…

Il s'est interrompu.

— Merci, mais je ne pouvais pas faire ça. Gran disait toujours qu'il vaut mieux donner à un ennemi qu'emprunter à un ami.

— Tu pourrais vendre ta maison, t'en acheter une en ville. Tu aurais des voisins…

J'ai eu le sentiment qu'il mourait d'envie de me dire ça depuis des mois.

— Quitter cette maison ?

Cette vieille baraque était dans la famille depuis plus de cent cinquante ans. Ça n'en faisait pas un temple pour autant, ni quoi que ce soit de sacré, bien sûr. Et puis, elle avait subi de nombreuses transformations au cours du temps : certaines parties avaient été ajoutées, d'autres rénovées… Je me suis prise à imaginer une petite maison neuve avec des sols bien nivelés, des salles de bains pourvues de tout le confort moderne et une cuisine aménagée avec plein de prises partout. Pas de vilain chauffe-eau bien en vue. Une toiture bien isolée. Un garage !

Éblouie par cette vision de rêve, j'ai dégluti avec peine.

— Je vais y réfléchir, lui ai-je répondu, presque effrayée d'avoir seulement osé caresser une idée aussi délirante. Mais je n'ai pas vraiment la tête à ça, en ce moment. Ce sera déjà assez dur d'arriver jusqu'à demain sans encombre.

J'ai pensé aux heures que la police avait passées à chercher mon frère. Et, brusquement, j'ai eu l'impression que toute la fatigue accumulée depuis le Jour de l'an me tombait dessus d'un coup. Je n'étais plus en état d'essayer d'échafauder une histoire plausible pour la police.

— Tu devrais aller dormir, m'a dit Sam, toujours de bon conseil.

J'ai acquiescé une fois de plus.

— Merci, Sam. Merci pour tout.

Nous nous sommes levés. Je l'ai pris dans mes bras, et il m'a serrée dans les siens. Ça a duré plus longtemps que prévu. Je n'avais tout simplement pas imaginé que ça me ferait autant de bien.

— Bonne nuit, ai-je fini par lui dire, en me dégageant doucement. Fais attention en rentrant.

J'ai vaguement pensé à lui proposer de coucher dans une des chambres du premier. Mais j'avais quasiment condamné l'étage : il devait faire un froid de canard là-haut. Et puis, il aurait fallu que je monte faire le lit. Ça m'épuisait d'avance. De toute façon, il serait mieux chez lui, même après ce court trajet sur une route enneigée.

— Promis, a-t-il répondu en desserrant son étreinte. Appelle-moi dans la matinée.

— Merci encore.

— Allez, trêve de remerciements. Bonne nuit.

Eric avait bloqué la porte d'entrée avec deux ou trois clous en attendant que je fasse poser une nouvelle serrure. J'ai fait passer Sam par la porte de derrière et j'ai poussé le verrou. J'ai tout juste réussi à me laver les dents et à enfiler ma chemise de nuit avant de m'écrouler sur mon lit.

À peine réveillée, je me suis précipitée au chevet de mon frère. Il dormait encore profondément. En plein jour, les effets de sa captivité devenaient manifestes : ses joues assombries par une ombre de barbe s'étaient creusées, et il paraissait plus vieux. Il avait des hématomes et des écorchures un peu partout. Et encore ! Seuls ses bras et son visage étaient visibles au-dessus des draps. Il a soulevé les paupières quand je me suis assise à côté du lit. Sans faire le moindre mouvement, il a balayé la pièce des yeux. Puis son regard s'est arrêté sur mon visage.

— J'ai pas rêvé, alors ?

Il avait la voix éraillée.

— Tu es bien venue me chercher, avec Sam ? La panthère m'a laissé partir ?

— Oui.

— Alors qu'est-ce qui s'est passé pendant mon absence ? Attends. Je peux aller aux toilettes et me servir une tasse de café avant que tu me racontes ?

Jason, me demander la permission ? Ce n'était pourtant pas dans sa nature... Quoi qu'il en soit, j'ai été ravie de lui dire oui. Je lui ai même proposé de lui apporter son café au lit. Trop content de se remettre sous les draps, il s'est calé contre son oreiller, sa tasse fumante dans les mains, pour m'écouter.

Je lui ai raconté l'appel de Catfish, mon coup de fil à Bud Dearborn, l'inspection de sa maison et de son jardin, ma réquisition de son Benelli – qu'il a immédiatement demandé à voir.

— Mais tu t'en es servie ! s'est-il exclamé avec indignation, après l'avoir examiné sous toutes les coutures.

Je me suis contentée de le regarder sans mot dire. Il a cédé le premier.

— Je suppose qu'il a fait ce qu'un fusil est censé faire, a-t-il repris en parlant très lentement. Et puisque tu es devant moi et que t'as l'air d'aller plutôt bien...

— Ça va, merci. Et ne pose plus de questions là-dessus, OK ?

Il a opiné en silence.

— Maintenant, il faut qu'on trouve une histoire à raconter aux flics.

— J'imagine qu'on ne peut pas tout bonnement leur dire la vérité ?

— Mais bien sûr que si, Jason ! On va leur dire que le village de Hotshot est bourré de panthères-garous et que, comme tu as couché avec l'une d'entre elles, son petit copain a voulu te transformer en panthère aussi pour qu'elle ne te préfère pas à lui. C'est la raison pour laquelle il s'est changé en panthère, t'a enlevé, t'a enfermé dans sa cabane à outils et t'a mordu toutes les nuits.

Long silence.

— Je vois d'ici la tête d'Andy Bellefleur ! Il ne s'est toujours pas remis que je n'aie pas été condamné pour le meurtre de ces filles, l'année dernière. Il adorerait me faire passer pour un psychopathe. Catfish serait obligé de me virer, et je crois que je ne m'éclaterais pas des masses à l'hôpital psychiatrique.

— Ton terrain de chasse serait drôlement limité, c'est sûr.

— Ah ! Cette Crystal ! Bon sang ! Tu m'avais prévenu, pourtant. Mais elle m'avait tellement allumé... Et voilà qu'au lieu d'être avec une bombe, je me retrouve avec une... enfin, tu sais.

— Oh, pour l'amour du Ciel, Jason ! C'est une métamorphe. Arrête de faire comme si c'était le monstre de Frankenstein ou Freddy Krueger !

— Sookie, tu sais un tas de trucs que les gens comme moi ne savent pas, hein ?

— Ben oui.

— En dehors des vampires, je veux dire.

— Ouais.

— Il y en a plein d'autres.

— J'ai essayé de te le dire.

— Je t'ai crue, mais je n'ai pas percuté. Alors, il y a des gens que je connais, à part Crystal, qui ne sont... pas toujours des gens ?

— Oui.

— Combien, à peu près ?

Sam, Alcide, la petite renarde-garou qui avait servi Jason et Hoyt au bar, il y avait une quinzaine de jours...

— Au moins trois.

— Comment tu sais tout ça ?

Je l'ai fixé sans rien dire.

— Bon, d'accord, a-t-il dit après un long silence. Je préfère ne pas savoir.

— Et maintenant, il y a toi, ai-je ajouté doucement.

— Tu en es sûre ?

— Non. Et on ne le saura pas avant deux semaines. Mais Calvin t'aidera, au besoin.

— Je ne veux pas de leur aide ! s'est-il écrié, les yeux flamboyants, comme s'il brûlait de fièvre.

— Tu n'auras pas le choix, ai-je rétorqué en m'efforçant de ne pas paraître trop cassante. Et Calvin n'était pas au courant de ce qu'avait fait Felton. C'est un type bien. Mais on n'en est pas encore là. D'abord, il faut qu'on trouve ce qu'on va raconter aux flics.

Pendant au moins une heure, nous avons passé au crible toute l'histoire pour tenter de trouver quelques lambeaux de vérité qui pourraient donner un peu de tenue au tissu de mensonges que nous nous apprêtions à leur servir.

Finalement, j'ai appelé le bureau du shérif. La standardiste de jour en avait assez d'entendre ma voix, mais elle a quand même fait de son mieux pour se montrer aimable.

— Ah ! Sookie ! s'est-elle exclamée d'un ton las. Comme je vous l'ai déjà dit hier, mon chou, on vous appellera si on a des nouvelles de votre frère.

— Je l'ai retrouvé.

— Vous... Quoi ?

Le cri avait été si strident que même Jason a fait la grimace.

— Je l'ai retrouvé.

— Je vous envoie quelqu'un tout de suite.

— Parfait.

Tu parles !

J'ai eu la présence d'esprit d'ôter les clous de la porte d'entrée avant que ces messieurs de la police ne débarquent. Je ne tenais pas vraiment à ce qu'ils me demandent ce qui s'était passé. Jason m'a bien regardée un peu de travers quand j'ai pris les tenailles, mais il n'a rien dit.

— Où est ta voiture ? m'a demandé Andy Bellefleur dès son arrivée.

— Sur le parking du *Merlotte*.

— Pourquoi ?

— Est-ce que je peux attendre Alcee pour ne pas avoir à raconter deux fois la même chose ?

Alcee Beck montait déjà les marches derrière lui. Ils ont franchi le seuil du salon ensemble. À la vue de Jason, qui s'était allongé sur le canapé, ils se sont arrêtés net. C'est à ce moment-là que j'ai compris : ils n'avaient jamais cru revoir un jour mon frère vivant.

— Content de te retrouver sain et sauf, mon vieux, lui a dit Andy en lui serrant la main.

Alcee Beck l'a imité, avant de s'asseoir dans le fauteuil que j'occupe habituellement. Andy s'est approprié le rocking-chair de Gran. Il ne me restait plus qu'à me caler au bout du canapé, aux pieds de Jason.

— On est ravis que vous soyez encore de ce monde, Jason, mais on a besoin de savoir où vous étiez et ce qui vous est arrivé, a déclaré Alcee Beck.

— Je n'en ai pas la moindre idée.

Et, malgré des heures d'interrogatoire, il n'en a pas démordu.

Il était impossible d'inventer une histoire plausible en intégrant tous les éléments de l'affaire : sa disparition, sa mauvaise condition physique, ses morsures, sa brusque réapparition… La seule possibilité, c'était de s'en tenir à expliquer que la dernière chose dont il se souvenait, c'était d'avoir entendu du bruit dehors, pendant qu'il était avec Crystal chez lui. Quand il était allé voir de quoi il retournait, il avait pris un coup sur la tête. Ensuite, ça avait été le trou noir, jusqu'au moment où on l'avait poussé hors d'un véhicule juste devant chez moi, la veille. Je l'avais découvert quand Sam m'avait ramenée chez moi en sortant du travail. Il m'avait raccompagnée parce que j'avais peur de conduire sur la neige.

Nous avions bien sûr mis Sam au courant, et il avait accepté de corroborer notre histoire – à contre-cœur, mais bon. Je savais que Sam n'aimait pas mentir. Moi non plus. Mais il fallait absolument garder cette boîte de Pandore bien fermée.

Tout l'intérêt de cette histoire tenait en sa simplicité. Aussi longtemps que mon frère pourrait résister à la tentation de broder un peu, il serait tranquille. Dès le début, j'avais pressenti que ce serait dur pour Jason : c'est plus fort que lui, il faut qu'il parle. Il adore ça. Il adore épater la galerie avec ses anecdotes. Mais tant que j'étais là, lui rappelant par ma simple présence les conséquences auxquelles il s'exposait, il a réussi à tenir sa langue. Malheureusement, j'ai été obligée de me lever pour aller lui refaire un café – les deux flics avaient poliment décliné ma proposition. Quand je suis revenue dans le salon, Jason était en train de dire qu'il croyait se souvenir d'une pièce noire et froide. Je l'ai fusillé du regard.

Il s'est empressé de faire machine arrière.

— Mais vous savez, c'est tellement embrouillé dans ma tête… J'ai peut-être rêvé.

Andy nous a regardés d'un œil mauvais.

— Je ne vous comprends pas, a-t-il fini par lâcher, de plus en plus furieux. Sookie, tu t'es fait un sang d'encre pour ton frère. Je me trompe ?

— Non. Je suis tellement contente qu'il soit rentré !

J'ai tapoté la jambe de mon frère à travers la couverture.

— Et toi, Jason, tu n'avais aucune envie de rester où tu étais, si ? Tu as manqué plusieurs jours de travail, tu as coûté à la commune plusieurs milliers de dollars – le prix des recherches qu'on a lancées pour te retrouver – et tu as perturbé la paisible existence de centaines de gens. Et tu as encore le culot de nous mentir !

Il criait presque, à présent.

— Et voilà que la nuit même où tu réapparais, le fameux vampire dont le portrait est placardé dans toute la ville appelle le commissariat de Shreveport pour annoncer que, comme par hasard, lui aussi se remet d'une perte de mémoire ! Et un mystérieux incendie ravage un bâtiment de Shreveport, dans lequel on retrouve plein de corps calcinés ! Et vous voulez me faire croire qu'il n'y a aucun lien entre ces affaires !

Nous nous sommes regardés, Jason et moi, bouche bée. Il n'y avait réellement aucun rapport entre Eric et lui. Je n'avais tout simplement pas pensé à l'effet que cette accumulation de coïncidences pourrait produire. C'est vrai qu'il y avait de quoi s'interroger. Mais je n'avais pas fait le rapprochement. Ça ne m'avait même pas effleuré l'esprit.

— Mais quel vampire ? a demandé Jason avec un tel accent de vérité que j'ai failli y croire.

— Allons-nous-en, Alcee, a lancé Andy.

Il a refermé son calepin d'un claquement sec et a fourré son stylo dans sa poche avec un geste d'une telle violence qu'il a bien failli la percer.

— Ce salopard se paie notre tête, en plus !

— Vous ne croyez pas que je vous dirais ce qui s'est passé si je le savais ? a protesté Jason. Vous ne croyez pas que je voudrais mettre la main sur celui qui m'a fait ça ?

Il paraissait absolument sincère. Et pour cause : il l'était. Ça a un peu déstabilisé les deux lieutenants.

Surtout Alcee Beck. Mais ils n'en demeuraient pas moins écœurés par notre comportement. Ça me désolait, mais je ne pouvais rien y changer.

Quelques heures plus tard, Arlene est venue me chercher pour que j'aille récupérer ma voiture au *Merlotte*. Elle était contente de voir Jason et l'a embrassé avec effusion... avant de lui remonter gentiment les bretelles.

— Ta sœur s'est fait un sang d'encre pour toi, espèce de crapule ! Ne t'avise pas de lui refaire une peur pareille, ou tu auras affaire à moi !

— Je ferai de mon mieux, a répondu Jason, avec une bonne imitation de son habituel sourire canaille. J'ai de la chance d'avoir une sœur comme elle.

— Ça, c'est sûr ! me suis-je exclamée avec une petite pointe d'aigreur. Dès que j'aurai récupéré ma voiture, il se pourrait bien que je te raccompagne chez toi vite fait, grand frère adoré.

Une lueur de panique a traversé son regard. Jason n'avait jamais été un grand fan de la solitude, et après toutes ces heures qu'il venait de passer livré à lui-même et à la cruauté de son geôlier, ça ne s'était pas arrangé.

— Je parie que toutes les filles de Bon Temps sont en train de te mitonner un dîner aux petits oignons rien que pour pouvoir te l'apporter à la maison, lui a dit Arlene – ce qui a rasséréné mon frère d'emblée. Surtout que j'ai raconté à tout le monde que tu étais en mauvais état...

Jason l'a remerciée, maintenant tout à fait rassuré.

— Ça me touche vraiment que tu lui aies remonté le moral comme ça, Arlene, ai-je dit à mon amie sur le chemin du bar. Je ne sais pas trop ce qu'il a traversé, mais je crois qu'il va avoir du mal à s'en remettre.

— Je serais toi, je ne m'inquiéterais pas pour lui, ma puce. C'est un battant, le type même du mec qui s'en sort toujours. Tiens ! Il ferait un candidat idéal pour *Survivor*.

Nous avons ri durant tout le trajet en imaginant la prochaine émission : *Survivor : Jason Stackhouse*.

— Avec tous ces sangliers dans les bois et cette empreinte de panthère, ils pourraient faire un tabac en tournant un *Survivor* spécial Bon Temps, a renchéri Arlene. Je me vois d'ici avec Tack, en train de nous marrer rien qu'à les regarder.

Ça m'a donné l'occasion de la taquiner à propos de Tack – ce qu'elle a adoré – et, l'un dans l'autre, elle a réussi à me remonter le moral comme elle l'avait fait avec Jason. Elle est douée pour ça, Arlene.

J'ai eu une brève conversation avec Sam, dans la réserve, et il m'a annoncé qu'Andy et Alcee étaient déjà venus vérifier que son histoire coïncidait avec la nôtre.

Il m'a interrompue d'un geste avant que je puisse le remercier encore une fois.

J'ai repris ma voiture et j'ai raccompagné Jason chez lui, en dépit de ses allusions plus qu'insistantes au plaisir qu'il aurait eu à rester chez moi une nuit de plus. J'avais emporté son Benelli et je lui ai demandé de le nettoyer le soir même. Il m'a promis de le faire en arrivant. Puis il m'a regardée et j'ai bien vu qu'il mourait d'envie de m'interroger. Mais il s'est retenu. Apparemment, son aventure lui avait appris quelques petites choses…

J'étais de nouveau du soir. J'aurais donc un bon moment devant moi, quand je rentrerais à la maison, avant d'aller travailler. Rien que d'y penser, ça m'a fait un bien fou. Je n'ai vu aucun homme égaré en train de courir sur la route, sur le chemin du retour, et pendant deux bonnes heures, personne n'a téléphoné ni débarqué chez moi avec une crise à gérer. J'ai eu le temps de changer les draps des deux lits, de les laver, de passer un coup de balai dans la cuisine et de remettre en ordre le placard de la cachette, avant qu'on ne vienne frapper à ma porte.

Je savais qui c'était : il faisait déjà noir dehors. Lorsque j'ai ouvert la porte, Eric se tenait sur mon paillasson, le visage sombre.

— Quelque chose me trouble, a-t-il déclaré d'emblée.

— Je dois donc tout laisser tomber pour venir à ton secours, je présume, ai-je rétorqué, montant aussitôt sur mes grands chevaux.

Il s'est contenté de hausser les sourcils, sans se donner la peine de relever.

— Je vais être poli et te demander si je peux entrer.

Je ne lui avais pas retiré mon autorisation, et il aurait pu entrer chez moi comme dans un moulin. Il avait donc décidé de se montrer diplomate.

— Mais oui, bien sûr.

Je me suis effacée pour le laisser passer.

— Hallow est morte, m'a-t-il annoncé. En rompant le sort qu'elle m'avait jeté, manifestement.

— Pam a bien travaillé.

Il a hoché la tête.

— C'était Hallow ou moi, si j'ai bien compris. Je préfère que ce soit moi.

— Pourquoi avait-elle choisi Shreveport ?

— Ses parents ont fait de la prison à Shreveport. Ils donnaient dans la sorcellerie, eux aussi, mais également dans l'escroquerie à la petite semaine. Ils se servaient de leurs pouvoirs pour abuser leurs victimes, d'après ce que Pam m'a raconté. C'est à Shreveport que leur chance a tourné. La communauté des SurNat locale n'a pas levé le petit doigt pour faire sortir les Stonebrook seniors de prison. La mère a eu le malheur de contrarier une prêtresse vaudou, durant son incarcération, et le père s'est fait planter un couteau entre les omoplates au cours d'une bagarre dans une salle de douches.

— Au moins deux bonnes raisons d'en vouloir aux SurNat de Shreveport.

— Il paraît que je suis resté ici plusieurs nuits…

Il avait apparemment décidé de changer de sujet.

— Oui.

Je me suis efforcée de prendre l'air intéressé, comme si j'étais impatiente de connaître la suite.

— Et durant tout ce temps, nous n'avons jamais…

Je n'ai pas cherché à jouer les innocentes.

— Est-ce que ça paraît plausible, Eric ?

Il s'est approché de moi, comme s'il lui suffisait de me dévisager intensément pour découvrir la vérité. Il aurait été si facile de faire un pas de plus, de réduire encore la distance qui nous séparait…

— Je ne sais pas. Je ne sais vraiment pas, a-t-il répondu d'un ton songeur. Et cela m'exaspère très légèrement.

Ça m'a fait sourire.

— Content d'avoir retrouvé ton bureau ?

— Oui. Mais Pam a parfaitement géré mes affaires, en mon absence. J'envoie des tas de bouquets de fleurs à l'hôpital. À Belinda et à un loup-garou du nom de Maria-Comète ou quelque chose comme ça…

— Maria-Star Cooper. Tu ne m'en as pas envoyé, à moi, lui ai-je fait remarquer, grinçante.

— Non. Mais je t'ai laissé un témoignage encore plus éloquent de ma reconnaissance sous la salière, a-t-il répliqué. Tu vas devoir payer des impôts dessus, je le crains. Telle que je te connais, tu vas en donner une partie à ton frère. J'ai appris que tu l'avais retrouvé ?

— Oui.

Je sentais que j'étais à deux doigts de craquer. Mais il allait bientôt s'en aller. Il s'agissait juste de tenir quelques minutes de plus. J'avais recommandé à mon frère de se montrer discret, mais j'avais du mal à suivre ce conseil moi-même.

Mais mes nerfs ont bien failli lâcher quand il a demandé :

— Comment se fait-il que j'aie trouvé de la cervelle sur la manche de mon manteau ?

J'ai eu l'impression de me vider de mon sang, comme quand on est sur le point de tomber dans les pommes. Lorsque j'ai repris mes esprits, j'étais sur le canapé. Eric était assis à côté de moi.

— Il me semble que tu me caches quelque chose, ma chère Sookie.

Son ton s'était radouci.

La tentation était quasi irrésistible.

Mais j'ai pensé au pouvoir qu'Eric aurait sur moi si je lui avouais la vérité. Il saurait que j'avais couché avec lui et il saurait que j'avais tué une femme et qu'il était le seul témoin du meurtre. Il saurait que non seulement il me devait la vie (très probablement), mais que je lui devais assurément la mienne.

— Je te préférais nettement quand tu ne savais plus qui tu étais, ai-je soupiré.

C'était la plus stricte vérité, et ça a achevé de me convaincre : j'ai compris que je devais me taire.

— Voilà qui est dur à entendre.

J'aurais presque pu croire que je l'avais vraiment blessé.

Par chance, juste à ce moment-là, on a tambouriné à ma porte. La façon de frapper, violente et autoritaire, m'a fait sursauter.

Mon impérieux visiteur n'était autre qu'Amanda, le loup-garou aux cheveux rouges de Shreveport.

— Je suis en mission officielle aujourd'hui, a-t-elle annoncé sans s'embarrasser des salutations d'usage. Je serai donc polie.

Une belle évolution, sans conteste.

Elle a adressé un petit signe de tête protocolaire à Eric.

— Ravie de voir que vous avez de nouveau toute votre tête, vampire, lui a-t-elle dit avec la plus parfaite indifférence.

De toute évidence, les relations entre les loups-garous et les vampires de Shreveport étaient redevenues normales.

— Ravie de vous revoir aussi, Amanda, ai-je rétorqué.

— Oui, oui…

C'est fou ce que ça la touchait.

— Nous enquêtons pour le compte des métamorphes de Jackson, mademoiselle Stackhouse, a-t-elle enchaîné, en prenant un ton tout ce qu'il y avait d'officiel, effectivement.

Oh, non.

— Vraiment ? Voulez-vous vous asseoir ? Eric s'en allait, justement.

— Eh bien, finalement, je resterais volontiers. Je suis curieux de savoir quelles questions Amanda s'apprête à te poser.

Eric était tout bonnement rayonnant. À croire que ça l'enchantait de me contredire. Amanda m'a regardée en haussant les sourcils d'un air interrogateur.

— Eh bien, reste, je t'en prie, ai-je réussi à répondre, sans une once de sarcasme dans la voix. Mais asseyez-vous donc ! Je suis désolée, mais je n'aurai pas beaucoup de temps à vous accorder : mon travail m'attend.

— Alors, je vais aller droit au but, a déclaré Amanda. Il s'agit de la femme qu'Alcide a répudiée – la métamorphe de Jackson, vous savez, la fille avec cette coupe de cheveux bizarre ?

J'ai hoché la tête. Eric est demeuré imperturbable. Il n'allait pas le rester longtemps.

— Debbie, s'est enfin souvenue Amanda. Debbie Pelt.

Eric a écarquillé les yeux. Ah! Ce nom-là lui disait quelque chose. Un petit sourire a commencé à se dessiner sur ses lèvres.

— Alcide l'a répudiée?

— Vous étiez présent, lui a sèchement rappelé Amanda. Ah oui, j'avais oublié. C'était quand vous étiez encore… ensorcelé. Debbie n'est jamais rentrée à Jackson. Ses parents sont aux cent coups, surtout depuis qu'ils savent qu'Alcide l'a répudiée. Ils ont peur qu'il ne lui soit arrivé quelque chose.

— Et qu'est-ce qui vous fait penser qu'elle m'aurait parlé de ses projets?

Amanda a fait la grimace.

— Eh bien, à vrai dire, je crois qu'elle aurait encore préféré se couper la langue plutôt que de vous adresser la parole, mais on est obligés d'interroger toutes les personnes qui étaient présentes ce soir-là.

Donc, c'était juste un interrogatoire de routine. Je n'étais pas particulièrement visée. J'ai senti ma tension se relâcher d'un coup. Malheureusement, Eric l'a senti aussi. J'avais un peu de son sang dans les veines: il pouvait percevoir mes émotions. Il s'est levé sans rien dire et s'est dirigé vers la cuisine. Je pouvais difficilement l'en empêcher sans éveiller les soupçons d'Amanda. Mais qu'est-ce qu'il avait l'intention de faire?

— Je n'ai pas revu Debbie depuis ce soir-là, ai-je affirmé avec un aplomb dont je ne me serais pas crue capable – après tout, c'était la vérité: Amanda n'avait pas donné d'heure précise. Je n'ai aucune idée de l'endroit où elle se trouve actuellement.

Ce qui était encore plus vrai.

— Personne ne semble l'avoir revue après la bataille, a repris Amanda. Et comme elle est partie avec sa propre voiture…

Eric est revenu s'asseoir d'un pas nonchalant. Je lui ai jeté un coup d'œil en biais. À quoi jouait-il exactement?

— A-t-on retrouvé sa voiture? a-t-il demandé.

Il ignorait qu'il était le dernier à l'avoir vue, puisque c'était lui qui l'avait cachée.

— Non. Je suis sûre qu'elle a pris le large, le temps de digérer son humiliation. C'est terrible de se faire répudier. Ça faisait des années que je n'avais pas entendu prononcer ce rite-là.

— Ses parents ne sont pas de cet avis? Ils ne croient pas qu'elle soit partie quelque part pour... euh... se donner le temps de la réflexion?

— Ils craignent qu'elle n'ait voulu mettre fin à ses jours...

Amanda a eu un petit reniflement dédaigneux et nous avons échangé un regard: nous étions persuadées l'une comme l'autre que ce n'était pas dans sa nature.

— Elle n'aurait pas eu la bonne idée de nous rendre un tel service, a-t-elle ajouté.

Je n'aurais pas eu le cran de le dire, mais je n'en pensais pas moins.

— Et comment Alcide prend-il ça? ai-je demandé, d'une voix plus anxieuse que je ne l'aurais voulu.

— Il peut difficilement participer aux recherches, vu que c'est lui qui l'a répudiée, a-t-elle répliqué. Il se comporte comme si ça lui était égal, mais j'ai remarqué que le colonel le tenait régulièrement informé des progrès de l'enquête – qui, pour l'heure, piétine lamentablement, soyons francs.

Elle s'est levée pour prendre congé, avec sa brusquerie habituelle.

— Décidément, c'est la loi des séries, a-t-elle commenté, tandis que je la raccompagnais à la porte. Des gens disparaissent toutes les semaines, ces temps-ci.

Mais j'ai entendu dire que vous aviez retrouvé votre frère, et votre ami vampire est redevenu... lui-même, à ce que je vois.

Elle a lancé à l'intéressé un regard noir qui ne laissait aucun doute quant à la piètre opinion qu'elle avait de ce « lui-même ».

— Et voilà que c'est au tour de Debbie Pelt de s'évaporer dans la nature. Mais peut-être qu'elle va réapparaître, elle aussi. Désolée d'avoir dû vous déranger.

— Pas de problème. Bonne chance, lui ai-je dit.

Puis la porte s'est refermée derrière elle. J'aurais bien voulu lui emboîter le pas pour monter immédiatement dans ma voiture et filer au travail.

J'ai respiré un grand coup et je me suis retournée. Eric s'était levé.

— Tu t'en vas ?

Impossible de ne pas percevoir le soulagement dans ma voix.

— Oui. Tu as dit que tu devais partir travailler, a-t-il répondu, impassible.

— C'est vrai.

— Vu le piteux état dans lequel je viens de trouver ton manteau, je te recommande vivement de porter cette veste, même si elle est un peu trop légère pour la saison, m'a-t-il conseillé, en me présentant la veste en question pour que je puisse l'enfiler.

Voilà ce qu'Eric était allé faire : il était allé examiner mon manteau. Il l'avait trouvé sur la corde à linge, dans la véranda. Je l'avais laissé tremper dans l'eau froide avant de le laver. Mais je n'avais pas pris le temps de m'assurer que toutes les taches étaient parties avant de l'étendre.

— En fait, je le jetterais, à ta place, a-t-il poursuivi en se dirigeant vers la porte. Ou, mieux, je le brûlerais.

Et sur ces bonnes paroles, il est sorti, en refermant la porte tout doucement derrière lui.

Je savais, aussi sûrement que je m'appelais Sookie Stackhouse, que dès le lendemain, il me ferait livrer un autre manteau dans une grande boîte luxueuse. Il serait exactement à ma taille, griffé et bien chaud.

C'était un manteau carmin, avec une capuche et une doublure en fourrure amovibles, et des boutons en écaille de tortue.